HISTOIRE ÉCONOMIQUE
ET
UNITÉ CANADIENNE

Ouvrage préparé sous la direction de Cameron Nish

HISTOIRE ÉCONOMIQUE ET SOCIALE DU
CANADA FRANÇAIS

Collection publiée sous la direction du
Centre de recherche en histoire économique du Canada français

HISTOIRE ÉCONOMIQUE
ET
UNITÉ CANADIENNE

par

ALBERT FAUCHER

Préface de Pierre Harvey

Biobibliographie par Jean Hamelin

FIDES

245 est, boulevard Dorchester, Montréal 129

À LOUISETTE

Préface

Dans l'historiographie canadienne-française, Albert Faucher constitue un cas original dont on regrette à l'heure actuelle qu'il n'ait pas eu plus tôt de très nombreux imitateurs: plusieurs auteurs canadiens-français se sont intéressés depuis longtemps à l'histoire économique du Canada et du Québec mais, seul de sa génération, Albert Faucher a disposé, pour aborder ce domaine complexe, à la fois de la formation économique et de la formation historique nécessaires.

Fort heureusement, la situation tend à se modifier, depuis quelques années. L'œuvre restera quand même encore longtemps une source importante pour tout ce qu'écrira la génération d'historiens économistes canadiens-français en voie de formation.

Pour un observateur trop pressé, il pourrait paraître paradoxal, étant donné sa situation, que la collectivité canadienne-française ne se soit pas intéressée plus tôt et plus largement à ce type de problèmes. Il y a longtemps, en effet, que l'on a constaté que la province de Québec, tout en étant intégrée dans l'économie nord-américaine, ne parvenait pas à refermer un écart de revenu à peu près constant qui la sépare toujours des régions les plus dynamiques du pays, que le Québec souffre de façon chronique d'un taux de chômage particulièrement élevé et que les Canadiens français participent peu aux niveaux de décision élevés dans les entreprises localisées sur le territoire qu'ils habitent.

*A première vue, il semblerait que l'on aurait dû, à partir de telles cons-
tatations, s'interroger depuis longtemps sur les causes d'un tel phénomène.
Ce qui aurait dû amener à étudier les conditions de croissance de l'économie canadienne, les sources et les utilisations de l'épargne, les attitudes,
les styles de gestion, les contraintes diverses, la constitution et l'influence
des idéologies, l'apparition, le développement et le déclin des entreprises
autochtones, l'incidence de l'apport extérieur et combien de sujets qui n'ont
été jusqu'ici qu'à peine effleurés. Ce qui aurait dû normalement susciter
de très nombreuses vocations d'historiens économistes. Or, il n'en a pas
été ainsi. Et pour plusieurs raisons.*

*D'abord, la série des idéologies qu'a élaborées la société canadienne-
française pour s'expliquer à elle-même sa situation et la rendre suppor-
table, devaient l'amener à sous-évaluer les dimensions économiques des
problèmes au profit des aspects religieux ou politiques, par exemple.
Les questions économiques étant au centre de ses frustrations, elle ne
pouvait les affronter directement et n'y parvenait que par des détours
qui permettaient de n'assigner à l'économique qu'un rôle mineur. En
d'autres termes, les problèmes économiques étaient trop angoissants pour
que la collectivité ait pu avoir la force de résister à la tentation de les
rejeter dans les ténèbres extérieures. Elle a alors, même dans le domaine
économique, eu tendance à susciter des analyses de la situation actuelle
dans tous ses détails, ou plus simplement encore des prédicateurs occupés à pourfendre les pécheurs et à leur indiquer le droit chemin.*

*En second lieu, quand l'enseignement supérieur a commencé à s'in-
téresser sérieusement à l'économique au Québec français, les circonstances n'étaient plus favorables aux recherches à caractère historique. Si,
en effet, on met à part le travail de pionnier effectué surtout par Montpetit, Mainville et Angers, travail qui s'est manifesté en particulier par
l'enseignement à l'Ecole des hautes études commerciales et par des travaux largement publiés dans l'Actualité économique, l'intérêt des Canadiens français pour l'économique ne prend vraiment forme que dans
les premières années de l'après-guerre, avec les mutations de la Faculté
des Sciences sociales de Laval, la mise en place de la Faculté des Sciences sociales de l'Université de Montréal, et la création de la section
d'économique à l'Ecole des hautes études commerciales. Or, cet élargis-
sement brusque de l'enseignement de l'économique a correspondu au dé-
ferlement de la pensée keynésienne en Amérique du Nord, phénomène
qui, pendant un temps du moins, a eu tendance à dévaloriser la recherche en histoire économique.*

*Dans sa première phase d'épanouissement, la pensée keynésienne
telle que reformulée surtout par Hansen et son groupe a rapidement ten-
du en effet à donner à l'analyse économique un caractère largement mécaniciste: toute la vie économique était perçue comme un ensemble intégré de poids, de contrepoids, de transmissions de forces, d'accéléra-*

tions, etc. Les aspects psychologiques eux-mêmes, traduits en termes de propensions, ont été réduits au rôle de pièces dans cet ensemble mécanique par lequel on s'est représenté le fonctionnement de l'économique. Les modèles économiques bâtis au cours de ces années sous forme de machines, avec vases communicants, tuyauteries munies de valves et de manomètres, en disent long sur la vision des choses permises par la révolution keynésienne en ses débuts.

Tous n'ont pas su distinguer à l'époque, et beaucoup ne savent pas encore distinguer à l'heure actuelle, entre, d'une part, ce monde économique que permet de créer le modèle et, d'autre part, la réalité de la vie elle-même: il faut avoir un peu réfléchi sur le phénomène de la connaissance pour savoir tirer parti de ce que peuvent apporter de tels modèles sans se laisser aller à son insu à croire qu'ils décrivent la réalité. Par ailleurs, Keynes lui-même a bien montré que la vision classique des choses n'était pas incompatible avec son propre enseignement. Cette vision classique qui avait surtout l'inconvénient de ne raisonner que sur la situation limite. En un certain sens, la théorie classique ne décrivait qu'un cas parmi tous ceux que pouvait permettre d'évoquer la théorie plus générale de Keynes. La faveur acquise par la théorie keynésienne résulte alors moins d'une révolution scientifique que d'une « révolution de palais »: les économistes écoutés ont été ceux qui ont cessé de ne raisonner que sur la situation limite pour prendre en considération tout un éventail d'équilibres possibles.

La théorie classique, parce que théorie de la situation limite, laissait un large champ libre à l'histoire économique et aux autres disciplines similaires: le « toutes choses égales d'ailleurs », lui-même d'autant plus vaste et plus riche que la théorie était plus abstraite. Pour comprendre les déviations de la réalité par rapport aux enseignements de la théorie, l'histoire était nécessaire et largement pratiquée. Parce que, plus riche que la théorie classique et plus adaptable à une diversité de situations concrètes, la pensée keynésienne a paru rendre caduques les analyses à caractère historique, et ceci avec d'autant plus de force que la vision mécaniciste tendait à s'affirmer. Au Canada anglais, par exemple, le grand mouvement de recherche représenté surtout par Innis s'est, à un moment, presque arrêté, ou a du moins perdu beaucoup de sa vigueur. Ce n'est que depuis quelques années que ce courant de pensée a retrouvé son dynamisme d'avant-guerre.

Dans les universités francophones du Québec, le courant keynésien a été ou passionnément suivi ou tout aussi passionnément rejeté. Pas tellement sur le plan strictement analytique que par suite des conclusions politiques que l'on en a tirées dans le contexte des luttes fédérales-provinciales de l'époque [1]. *Comme en témoignent les documents des comi-*

---

1. On peut lire sur ce sujet certaines discussions soulevées, par exemple, par les travaux de la Commission Tremblay.

tés dits « de reconstruction » qui ont siégé au cours des hostilités, et le livre blanc d'avril 1945 sur l'emploi et les revenus [2], le gouvernement canadien a été l'un de ceux qui, à travers le monde, ont reçu le message keynésien avec la plus grande ferveur. Les discussions suscitées par ces prises de positions pour ou contre la pensée keynésienne, et l'arrivée au Québec de la première génération d'économistes canadiens-français formés à l'école de Hansen, ont fortement centré l'attention sur les conditions mécaniques de la réalisation du plein emploi par l'intermédiaire d'un nombre restreint de politiques clairement identifiables dans l'immédiat et sans référence aux conditions héritées du passé.

Dans la mesure ensuite où la pensée post-keynésienne s'est intéressée aux problèmes de la croissance, ce fut aussi, dans la même optique mécaniciste, les modèles de croissance étant directement issus des modèles statiques keynésiens. L'approche historique, là encore, paraissait superfétatoire ou n'avait en tout cas qu'un caractère, disons, « culturel ».

On commence à se rendre compte que malgré tout ce qu'a pu nous apporter la révolution keynésienne pour la compréhension des phénomènes macroéconomiques, l'analyse historique garde une importance primordiale. En particulier, l'aide aux pays en voie de développement aménagée dans une optique trop mécaniciste, et donc culturo-centrique, a entraîné une quantité suffisante de déboires pour qu'on en soit venu à se rendre compte qu'une collectivité, comme un individu, est un moment d'une histoire, et que le diagnostic ou la thérapeutique ne peuvent être adaptés si cette histoire n'est pas d'abord connue. D'où, pour une part, le renouveau des études historiques, à l'heure actuelle.

Enfin, les progrès extrêmement rapides des diverses sciences de l'homme au cours du dernier quart de siècle ont amené un cloisonnement progressif des divers domaines les uns par rapport aux autres, ce qui a rendu plus difficiles les recherches relevant des frontières, comme c'est le cas avec l'histoire économique. Là encore, on s'est rendu compte assez récemment du caractère stérilisant de tels cloisonnements, d'où la vogue, à l'heure actuelle, de ce que l'on appelle la recherche multidisciplinaire.

C'est à travers cette série de circonstances peu favorables qu'Albert Faucher a mené sa recherche. Ceci lui a été permis par la sagesse de la direction du Département d'économique de la Faculté des Sciences sociales de Laval, qui, malgré l'extrême importance qu'y prenait la pensée Keynes-Hansen, a gardé à son programme un certain enseignement de l'histoire économique. Ce qui a permis à Faucher, à la fois de participer au renouveau de la pensée économique qu'apportaient ses collègues, économistes de stricte observance, et de contester en partie ceux-ci, sur

2. *Travail et Revenu* (en ce qui a trait tout particulièrement à la première phase de la reconstruction), Ottawa, avril 1945.

la base de ses recherches historiques. Si, cependant, ces circonstances locales ont permis à Faucher de poursuivre sa recherche, elles n'ont pas été favorables à la création d'une école et Faucher, on doit le déplorer, a constitué une sorte d'anomalie. Ce qui, bien entendu, ne fait qu'accroître son mérite.

Naturellement, il ne faudrait pas déduire de ces remarques qu'aucune autre contribution à l'histoire économique ne nous est venue des auteurs canadiens-français au cours de cette période. Des géographes ou des sociologues ont fait quelques incursions dans ce domaine. Pour le constater, il suffit de parcourir les index de nos rares revues, les Recherches sociographiques, *une publication de l'Université Laval, et* L'Actualité économique, *par exemple. On retrouve aussi certaines de ces contributions à l'histoire économique dans le* Canadian Journal of Economics and Political Science, *devenu* Canadian Journal of Economics, *et dans les rapports de certains colloques. Les historiens, quoique préoccupés d'abord d'histoire politique ou religieuse ont parfois abordé le domaine économique, le plus souvent, cependant, par le biais de la description statistique, ou par l'insertion de quelques considérations économiques générales dans leurs schèmes d'explications.*

A lire ces ouvrages, articles ou communications, on se rend vite compte que si la préoccupation économique est présente et parfois même insistante, les auteurs ne disposent pas de la formation nécessaire à l'intégration de ce que peut apporter l'analyse économique à l'interprétation des phénomènes étudiés. L'originalité de l'apport de Faucher à notre historiographie vient alors du fait que jusqu'à ces dernières années il était à peu près seul à pouvoir procéder à cette intégration de l'analyse économique à la recherche historique.

La carrière de Faucher a été aussi marquée par le contexte politique qui prévalait dans l'immédiat après-guerre, contexte caractérisé, d'une part, par la turpitude duplessiste à l'intérieur et, d'autre part, par une tension constante entre le pouvoir fédéral et le pouvoir provincial. Les milieux universitaires ont été largement amenés à prendre parti dans ce système de tensions. Par suite d'une certaine tradition « britannique » des milieux bourgeois de Québec et de l'Université Laval d'abord, des querelles de certaines personnalités ensuite, comme ce fut le cas avec le Père Lévesque, de l'enseignement économique enfin, la pensée keynésienne semblant devoir permettre de trancher scientifiquement le débat en faveur d'une forte centralisation [3], la fraction la plus significative des professeurs de Laval, du moins dans les sciences de l'homme, s'est identifiée à un idéal pan-canadien, les aspects provinciaux ou canadiens-français des problèmes apparaissant comme les résidus d'une société tra-

---

3. Voir entre autres, Maurice Lamontagne, *Le Fédéralisme canadien: évolution et problèmes*, Québec, Presses de l'Université Laval, 1954.

ditionnelle en voie de disparition. Cette vision des choses a atteint son sommet chez les sociologues avec les fameuses discussions sur la valeur du modèle d'analyse permis par l'hypothèse de la « folk society ». A relire aujourd'hui les articles où se trouvent consignés ces débats, on est surpris par l'évidence du porte-à-faux sur lequel repose tout cet ensemble. Il n'en était pas ainsi il y a quinze ans, et l'engagement paraissait vital et pesait de tout son poids sur l'orientation des recherches.

Faucher, plongé dans l'effervescence qui prévalait alors à Laval, n'a pas échappé à l'influence du milieu. De façon assez inattendue, et contrairement à ce qui a été le cas pour plusieurs de ses collègues, les discussions de cette période ont probablement permis à Faucher d'élaborer ce qui restera parmi ses meilleures contributions à l'histoire économique, non pas tellement par ce qu'elles nous apprennent de faits nouveaux, mais par l'ampleur des perspectives ouvertes, la multiplicité des dimensions retenues et articulées les unes aux autres, l'efficacité du recours à la méthode comparative.

Comme il l'indique lui-même dans l'introduction à la première partie de ce recueil de textes, Faucher a été, en effet, fortement préoccupé tout au long de ses recherches par le problème des liens qui unissent l'économie régionale du Québec à l'ensemble canadien, nord-américain, et même nord-atlantique. Ce fut fort probablement là sa manière à lui de s'engager dans les polémiques qui déchiraient notre monde universitaire d'après-guerre. Alors que les sociologues discutaient de l'hypothèse de la « folk society », Faucher cherchait à comprendre l'évolution de la société économique du Québec et du Canada en faisant intervenir les contraintes de la géographie physique, les conditions de développement entraînées par les types de ressources exploitées, les investissements exigés par ces ressources, les structures d'entreprises les mieux adaptées, et qui ont pu survivre. Il est fort intéressant de relire en particulier, sous ce rapport, le texte intitulé: « Histoire économique et unité canadienne », texte datant pourtant de 1946, et qui reste plein d'enseignement à l'heure actuelle.

Naturellement, ce texte, comme d'ailleurs toute l'œuvre de Faucher, doit beaucoup à Lower, Brebner et Innis. C'est à partir de ces auteurs et à travers eux que Faucher s'est largement donné sa vision globale du développement de l'économie du Québec et du Canada. Prenant, plus ou moins explicitement cependant, une perspective différente, plus locale pourrait-on dire, il a été amené, plus que ne le faisaient ses maîtres, à recourir à la méthode comparative. Ce qui lui a permis de faire ressortir des contrastes que les autres avaient tendance à estomper, étant donné leurs points de vue « impériaux ».

Depuis une dizaine d'années, une génération d'historiens canadiens-français se constitue qui se préoccupe d'économique comme on ne l'avait jamais fait avant elle. Elle est encore souvent mieux formée en his-

toire qu'en économique, l'intérêt des économistes pour l'histoire n'ayant pas, jusqu'ici, rejoint la passion que commence à manifester les historiens pour l'économique. Pour l'avancement de notre compréhension de nos propres problèmes, on doit espérer que la collaboration des deux disciplines se fera de plus en plus étroite. Faucher aura eu, entre autres mérites, celui de tracer les voies de cette collaboration. Cette tâche, il l'a entreprise à un âge où il aurait dû normalement se trouver encore sous la direction de la génération précédente. Cette génération n'ayant pas existé chez nous, il s'est trouvé, comme beaucoup d'intellectuels canadiens-français, propulsé au premier rang, par ses propres moyens, sûrement plus tôt qu'il ne l'aurait lui-même souhaité. Le défi a cependant été plus qu'honorablement relevé.

Pierre HARVEY,
*Directeur de l'Institut d'Economie appliquée
aux Hautes Etudes Commerciales*

Avant-propos

Les éditeurs et directeurs des revues qui, hier, publiaient mes études veulent bien aujourd'hui m'accorder la permission de les reproduire dans le présent recueil. Je remercie donc les *Presses Universitaires Laval, The University of Toronto Press, The Canadian Journal of Economics* et *Recherches Sociographiques*. Je veux aussi dire ma reconnaissance aux institutions qui m'ont aidé dans mes travaux de recherches, nommément, l'Université Laval, l'Institute for Economic Research de Queen's, Kingston, qui m'a accueilli durant deux étés consécutifs. Le Conseil des Arts du Canada et l'Université Laval m'ont accordé un congé grâce auquel j'ai pu terminer à loisir la préparation de ce volume. Monsieur le professeur Cameron Nish et Mme Michelle Thériault ont revisé les textes pour l'imprimerie.

A. F.

TABLE DES MATIÈRES

Première partie

LE CANADA

Deuxième partie

LE QUÉBEC

TABLEAUX ET GRAPHIQUES

SIGLES

APC	Archives Publiques du Canada
CN	Canadian News and British American Intelligencer
DSC	Documents de la Session du Canada, 1867-
DSPC	Documents de la Session, Province du Canada, 1841-1867
JAL	Journaux de l'Assemblée législative, Province de Québec, 1867-
JALPC	Journaux de l'Assemblée législative, Province du Canada, 1841-1867
RD	Le Rapport de Durham
SPO	Sessional Papers, Province of Ontario, 1867-

Biobibliographie

préparée par Jean Hamelin

Chronologie

Albert Faucher est né en Beauce, paroisse des Saint-Anges, le 20 juillet 1915, fils de Joseph Faucher, fabricant de beurre, et de Corinne Tardif. Après ses études élémentaires à l'école du troisième rang, il entrait pensionnaire au Séminaire de Québec pour y suivre un cours classique. Il y resta jusqu'en Philosophie I; puis il s'inscrivit à l'Externat Classique Sainte-Croix, rue Sherbrooke, Montréal. En 1938, il obtenait son baccalauréat de l'Université de Montréal. En septembre de la même année, il devenait élève-pionnier de l'Ecole des Sciences sociales, politiques et économiques de l'Université Laval, dont le Révérend Père Georges-Henri Lévesque, o.p., était le directeur-fondateur. Il y obtenait une licence en sciences sociales en 1941. L'année suivante, il s'inscrivait à l'université de Toronto, Département d'Economie Politique. Avec les professeurs Harold A. Innis, Karl Helleiner et Vincent W. Bladen, il y fit la découverte de l'histoire économique. En janvier 1945, il y obtenait son diplôme de Maîtrise, et quelques semaines plus tard, il débutait dans l'enseignement de l'histoire économique à la Faculté des Sciences sociales de l'Université Laval. En 1946, à Saint-Jean, N.-B., il épousait Louisette Couture.

L'attention que l'Ecole des Sciences sociales (devenue Faculté en 1943) avait portée, depuis son origine, au mouvement coopératif et à l'éducation populaire, explique l'orientation d'Albert Faucher vers l'étude des questions coopératives et, avec l'équipe du Service Extérieur d'éducation sociale, sa collaboration aux cours du soir, aux cours par correspondance, à la revue *Ensemble,* aux *Cahiers du Service Extérieur,* à la *Revue Desjardins,* et à l'*Enseignement Primaire.* En 1947-1948, il publiait une série d'articles sur le Commandeur Alphonse Desjardins, fondateur de la Caisse Populaire, dans la revue *Vie Française*. De janvier à avril 1950 il enseignait à l'Université de Toronto comme substitut du professeur Easterbrook alors en congé d'étude. La même année il était nommé professeur titulaire d'histoire économique à l'Université Laval.

Boursier de la Fondation Nuffield en 1953-1954, il passait une année à Londres, inscrit au London School of Economics où il eut le privilège de suivre les séminaires des professeurs Meade et Ashton sur le développement économique et sur l'économie britannique des XVIIIe et XIXe siècles. Ce congé sabbatique lui procurait l'occasion de se concentrer davantage sur le développement économique et social du XIXe siècle. A son retour de Londres, on le nommait directeur du département d'économique, poste qu'il occupa jusqu'en 1957.

A l'été de 1956, il était l'hôte du professeur Frank Knox à l'Institute for Economic Research, Queen's University, Kingston. Ce privilège lui était renouvelé à l'été de 1957. Il a publié dans le *Canadian Journal of Economics* et dans *Recherches Sociographiques* le résultat de ses études à Londres et à Kingston. A l'été de 1964, il menait, pour le Conseil Canadien de recherches en sciences sociales, une brève enquête sur l'évolution de l'enseignement et de la recherche dans les sciences sociales au Québec. En 1965 et 1966 il était président du Comité général de la Bibliothèque de l'Université Laval et, à ce titre, il était délégué par l'Université, en septembre 1965, au Congrès international de l'AUPELF tenu à Genève, sur les « Bibliothèques dans l'Université ».

Membre de la Société Canadienne d'Histoire depuis le début de sa carrière, le professeur Faucher était également, à cette époque, membre de l'Association Canadienne d'Economie et de Science Politique qui devait, en 1967, se scinder en deux et devenir, d'une part, la Société Canadienne de Science Politique et, d'autre part, la Société Canadienne de Science Economique à laquelle il adhéra. Le professeur Faucher est aussi membre de l'Economic History Association depuis 1960.

Ouvrages

La Prudence politique, mémoire présenté à la Faculté des Sciences Sociales pour l'obtention de la licence en sciences sociales. Québec, Faculté des Sciences Sociales, 1940, 91pp. (Texte dactylographié inédit.)

Histoire économique et unité canadienne, dans *Cahiers du Service Extérieur d'Education Sociale* de la Faculté des Sciences Sociales de l'Université Laval, vol. IV, n. 5, août 1946, 36pp.

Histoire de la coopération de consommation au Canada, dans *Cours par correspondance: Coopératives de consommation*, Livret n. 2. Publication du Service Extérieur d'Education Sociale de l'Université Laval, 1947, pp. 157-180.

Le Mouvement coopératif agricole dans le monde, dans *Cours par correspondance: Coopératives agricoles*, Livret n. 1. Publication du Service Extérieur d'Education Sociale de l'Université Laval, 1947, pp. 7-31.

La Coopération agricole au Canada, dans *Cours par correspondance: Coopératives agricoles*, Livret n. 1. Publication du Service Extérieur d'Education Sociale de l'Université Laval, 1947, pp. 59-79.

La Coopération agricole dans l'Ontario et les provinces de l'ouest, dans *Cours par correspondance: Coopératives agricoles,* Livret n. 1. Publication du Service Extérieur d'Education Sociale de l'Université Laval, 1947, pp. 81-97.

Histoire de la coopération agricole dans la province de Québec, dans *Cours par correspondance: Coopératives agricoles,* Livret n. 1. Publication du Service Extérieur d'Education Sociale de l'Université Laval, 1947, pp. 99-129.

La Coopération au Canada, dans *Cours par correspondance: Histoire de la Coopération,* Livret n. 2. Publication du Service Extérieur d'Education Sociale de l'Université Laval, 1947, pp. 245-277.

Co-Operative Trends in Canada, in *The Annals of the American Academy of Political and Social Science,* vol. 253, September 1947, pp. 184-189.

Le Canadien upon the Defensive, *1806-1810,* in *Canadian Historical Review,* vol. XXVIII, n. 1, September 1947, pp. 249-266.

Alphonse Desjardins, 1854-1920, (cinq articles analysant différents aspects de la vie et de l'œuvre d'Alphonse Desjardins,) dans *Vie Française,* vol. XI, nos 1-6, août-septembre 1947 à janvier-février 1948.

Alphonse Desjardins. Québec, Le Comité de la Survivance Française en Amérique, juin 1948. 58pp. (Coll. *Pour Survivre.*)

Alphonse Desjardins devant l'expérience française, dans *La Revue Desjardins,* vol. XVI, n. 7, août-septembre 1950, pp. 140-143.

L'Automation: incidences socio-économiques, dans *Relations Industrielles,* vol. 11, n. 2, mars 1956, pp. 87-97.

The Decline of Shipbuilding at Quebec in the Nineteenth Century, in *The Canadian Journal of Economics and Political Science,* vol. XXIII, n. 2, May 1957, pp. 195-215.

La Dualité canadienne et l'économique: tendances divergentes et tendances convergentes. Essais sur les relations entre Canadiens français et Canadiens anglais. Ouvrage réalisé par Mason Wade en collaboration avec un comité du Conseil de recherche en sciences sociales du Canada sous la direction de Jean-Charles Falardeau. Québec, Presses Universitaires Laval/ Toronto, University of Toronto Press, 1960, pp. 222-238.

Le Fonds d'emprunt municipal dans le Haut-Canada, 1852-1867, dans *Recherches Sociographiques,* vol. 1, n. 1, janvier-mars 1960, pp. 7-31.

L'Histoire économique. Essai de définition méthodologique. Québec, Université Laval, 1949. 21pp. (Texte polycopié inédit.)

Some Aspects of the Financial Difficulties of the Province of Canada, in *The Canadian Journal of Economics and Political Science,* vol. XXVI, n. 4, November 1960, pp. 617-624.

L'Emigration des Canadiens français: position du problème et perspective, dans *Recherches Sociographiques,* vol. V, n. 3, septembre-décembre 1964, pp. 277-317.

Le Caractère continental de l'industrialisation au Québec, dans *Recherches sociographiques,* vol. VI, n. 3, septembre-décembre 1965, pp. 219-236.

Pouvoir politique et pouvoir économique dans l'évolution du Canada français, dans *Recherches sociographiques,* vol. VII, nos 1-2, janvier-août 1966, pp. 61-79.

Edouard Montpetit. French-Canadian Thinkers of the Nineteenth Century, Edited by Laurier L. Lapierre. *(Four O'Clock Lectures.)* Published for the French Canada Studies Programme by McGill University Press, Montreal, 1966, pp. 77-95.

La Condition nord-américaine des provinces britanniques et l'impérialisme économique du régime Durham-Sydenham, 1839-1841, dans *Recherches Sociographiques,* vol. VIII, n. 2, mai-août 1967, pp. 177-209.

En collaboration

FAUCHER, Albert et Cyrille VAILLANCOURT, *Alphonse Desjardins, Pionnier de la coopération d'épargne et de crédit en Amérique,* Lévis, Le Quotidien, 1950. 232pp. Préface du chanoine Philibert Grondin.

FAUCHER, Albert et Maurice TREMBLAY, *Les Allocations familiales dans la ville de Québec.* Québec, Université Laval, 1951. 78pp. (Texte polycopié.)

FAUCHER, Albert et Margot C. MUNZER, *Canada, Kleine K & F — Reihe für Auswanderer und Kaufleute, no 7: K & F Petite Bibliothèque géographique de l'émigrant et de l'homme d'affaires,* Kümmerly & Frey Geographischer Verlag, Bern. Edition allemande 1949, édition française 1951. 118pp.

FAUCHER, Albert et Maurice TREMBLAY, *L'Enseignement des Sciences Sociales au Canada de langue française,* dans *Les Arts, Lettres et Sciences au Canada de langue française,* dans *Les Arts, Lettres et Sciences au Canada, 1949-1951* (recueil d'études spéciales préparées pour la Commission Royale d'enquête sur l'avancement des Arts, Lettres et Sciences au Canada). Ottawa, Imprimeur de la Reine, 1951, pp. 191-203.

FAUCHER, Albert et Maurice LAMONTAGNE, *History of Industrial Development. Essais sur le Québec contemporain / Essays on Contemporary Quebec,* édité par Jean-Charles Falardeau. Québec, Presses de l'Université Laval. 1953, pp. 23-44.

FAUCHER, Albert et Gilles PAQUET, *L'Expérience économique du Québec et la Confédération,* dans *Journal of Canadian Studies / Revue d'Etudes Canadiennes,* vol. I, n. 1, novembre 1966, pp. 16-30.

FAUCHER, Albert et Mabel F. TIMLIN, *La Recherche en sciences sociales au Québec. Sa condition universitaire,* dans *The Social Sciences in Canada / Les Sciences sociales au Canada.* Ottawa, Social Science Research Council of Canada, mai 1968, pp. XIII-XVII et 1-24.

Comptes rendus

INNIS, Harold A., *The Fur Trade in Canada; an Introduction to Canadian Economic History,* rev. ed., University of Toronto Press, 1956, xi, 463pp.

INNIS, Harold A., *Essays in Canadian Economic History,* Edited by Mary Q. Innis, University of Toronto Press, 1966, viii, 418pp., in *Canadian Journal of Economics and Political Science,* xxiv, n. 4, 1958.

STRATCHEY, John, *Contemporary Capitalism,* London: Gallancz, 1956, Toronto: Doubleday, vii, 302pp., in *International Journal,* xiii, n. 2, 1958.

BAMFORD, Paul Walden, *Forest and French Sea Power, 1660-1789,* University of Toronto Press, 1956, ix, 240pp., in *Canadian Journal of Economics and Political Science,* xxiv, n. 1, 1958.

PASDERMADJIAN, H., *La Deuxième Révolution industrielle,* Presses Universitaires de France, 1959, xv, 152pp., préface de André Siegfried, in *Canadian Journal of Economics and Political Science,* xxvi, n. 4, 1960.

OSLER, E. B., *Louis Riel,* Les Editions du Jour, 1963, 295pp., traduit par Rossel Vien, in *Recherches Sociographiques,* v, n. 3, 1964.

L'Amérique Anglo-saxonne de 1815 à nos jours, Presses Universitaires de France, 1965, 368pp., in *Recherches Sociographiques,* vi, n. 3, 1965.

DENISON, Merrill, *La Première Banque au Canada; Histoire de la Banque de Montréal* Toronto-Montréal, McClelland & Stewart, 1966, 2 vol. 472, 454pp., traduit de l'anglais par Paul A. Horguelin, avec la collaboration de Jean-Paul Vinay, in *The Canadian Banker,* winter 1967.

Première partie

LE CANADA

Introduction

Même si, comme le veut Tolstoï, les historiens sont des sourds qui répondent à des questions que personne ne leur pose, ne leur arrive-t-il pas parfois, étant professeurs, de soulever des questions pertinentes et de présenter celles des réponses qui leur semblent davantage correspondre aux besoins de leur auditoire et aux inquiétudes de leurs étudiants ? Telle est l'origine de ces essais. Ils sont nés à diverses périodes d'une carrière d'enseignement, ils résultent d'un effort de recherche pour souligner l'importance de certaines questions, pour amorcer ou pour compléter un enseignement, ou pour servir de communication dans un colloque. On nous a dit qu'ils demeuraient pertinents et utiles à certains égards et qu'il serait opportun de les rendre plus accessibles en les rassemblant sous une même couverture. Les voilà. Ils se présentent en deux parties.

Les essais de la première partie s'appliquent plus particulièrement à dégager les caractères généraux de l'économie historique du Canada, ceux de la deuxième partie regardent principalement la province de Québec et veulent insister sur les aspects continentaux ou pluri-nationaux d'un type régional d'économie. Les uns et les autres ont pour objet quelque aspect de l'économie canadienne; ils veulent, dans leur ensemble, faire ressortir les liens d'appartenance qui relient le Canada à l'économie nord-atlantique ou à quelque univers plus vaste que le Canada lui-même. Sitôt qu'on entreprend d'étudier un aspect de l'économie du XIXe siècle, et du XXe à plus forte raison, on reconnaît l'importance de l'ensemble et la nécessité d'y situer cette économie. Voilà une condition qu'on retrouve au niveau des problèmes régionaux comme à celui des problèmes canadiens et transcontinentaux.

Les modalités de l'existence économique qui rendent difficile l'identification ou l'autonomie du Canada proviennent fondamentalement de sa géographie et de son voisinage des Etats-Unis. Elles se sont manifestées dès le début de la colonie canadienne. Les premières phases d'expansion de l'économie coloniale, celle de la traite en particulier, accusent l'importance de la géographie dans l'évolution économique, et elles illustrent la tendance de cette économie à se tramer avec celle des voisins du Sud. Toutefois, tout n'est pas dans la géographie, car la tendance qu'imprime celle-ci à l'activité économique n'est souvent que simple condition d'un possible entre plusieurs, ou une occasion de suivre la ligne de moindre résistance, et n'apporte souvent aucune solution aux problèmes économiques. Les accidents géographiques, en soi, ne signifient rien: il faut habiller la géographie du manteau de la civilisation qu'elle supporte, il faut apprécier les facteurs géographiques dans la dynamique de l'histoire. Sans doute était-il plus facile pour les Canadiens de se répandre vers la Louisiane que de franchir la barrière précambrienne qui s'interposait entre les plaines de l'Est et celles de l'Ouest, mais une expansion en direction sud, dépendante qu'elle était de la chasse au castor pour un marché européen, réduisait leur économie à l'impuissance et les amenait à reconnaître que leur vocation, en tant que Français cantonnés en Laurentie et, plus tard, en tant qu'Anglais conquérants de cette Laurentie, n'était pas du côté sud mais du côté nord-ouest.

L'orientation vers le Sud les conduisait en des régions où la fourrure était de qualité inférieure à celle du Nord, les forçait d'opérer sur une base de rendement décroissant et, à cause de la concurrence, de supporter une part des coûts de la stratégie militaire inhérente à ce commerce. Orientée vers le Nord-Ouest, la traite allait faire le pont entre les plaines de l'Est et les plaines de la Rivière Rouge. Le réseau hydrographique favorisait cette orientation à l'âge où dominait encore la technologie du canot. C'était préparer un hinterland transcontinental aux groupes commerciaux établis dans le Haut Saint-Laurent: Montréal, Kingston, Toronto, d'où allait surgir l'élan confédératif. La centralisation politique de 1841 réalisait une étape effective vers la Confédération. Celle-ci allait révéler l'efficacité du centre sous le triple rapport de la géographie, de la technologie et de la politique économique. La province du Canada encadrait une économie centrale, désireuse d'exploiter la périphérie et d'aménager à son avantage des territoires neufs. Aussi a-t-on pu dire de la Confédération que « le projet fut machiné au Canada ».

Le fait canadien réalisait un possible entre autres. Peut-être que le moule géographique aurait rendu plus facile l'expansion sud-ouest sur les traces des anciens explorateurs de la Louisiane mais, d'autres facteurs la repoussant ou la refoulant et grâce au commerce des fourrures, le réseau hydrographique favorisait aussi une orientation vers le Nord-Ouest. Telle nous paraît être l'origine du fait canadien. Son caractère transcontinental nous rappelle l'aventure commerciale de La Vérendrye sous le régime français. C'est donc fondamentalement un fait français. Or ce qui avait été sous le régime français une option commerciale, devenait sous le régime britannique, depuis le traité de 1783 qui refoulait les commerçants britanniques au nord des Grands Lacs, une obligation politique aussi bien qu'économique. Dès lors, les destinées britanniques en Amérique du Nord allaient se dérouler sur un axe transcontinental. D'où le caractère stratégique du développement canadien. Bloquées au sud, les provinces du centre, Haut-Canada et Bas-Canada, allaient chercher compensation du côté de l'Ouest; elles inclinaient à voir les « pays d'en haut » comme leur hinterland naturel et, politiquement, à servir d'intermédiaires dans l'exécution du plan impérialiste et anti-républicain. Mais, politiquement, le Bas-Canada qui gardait la voie d'accès à ce vaste hinterland était divisé en deux groupes qui affirmaient des vocations différentes, chacun envisageant à sa façon son avenir économique et chacun aspirant à dominer le gouvernement. Le groupe francophone allait gêner singulièrement l'exécution du plan impérialiste. L'idéal eût été qu'on l'ignorât complètement, mais pouvait-on le faire sans provoquer des sympathies républicaines ?

On a dit, toutefois, qu'on allait obtenir le même résultat en longue période en faisant l'union politique des deux provinces; mais l'union semble n'y avoir rien fait, sauf que d'avoir placé la politique canadienne sur le plan purement pragmatique des compromis. En somme, dans la condition nord-américaine, le plan britannique subissait le double affront de la présence canadienne-française et du voisinage républicain. Une constante de la politique canadienne.

Du point de vue économique, l'Union suffisait, puisqu'elle amorçait les grands travaux publics. Elle avait vertu de démarrage même; mais elle inaugurait une ère d'endettement à long terme, ce qui est une forme d'engagement irrévocable. Désormais, les principales relations économiques allaient se dérouler sur le plan de la finance, la politique canadienne devenait très sensible à l'opinion de Lombard Street.

Voilà, nous semble-t-il, la perspective dans laquelle il convient d'apprécier ce régime d'Union qui fut le préalable ou le déterminant de la Confédération. Il le fut dans un sens positif, parce qu'il encadre une politique d'engagement. On peut à la rigueur, se contenter d'envisager la Confédération comme résultant des dettes contractées sous ce régime, c'est-à-dire, comme solution aux problèmes financiers, mais c'est voir l'envers des résultats positifs. Pourtant, c'est sur les aspects positifs et constructifs qu'il faut insister si l'on veut relier à la dynamique de l'histoire les faits évoqués dans les essais sur les politiques économiques de ce régime. Faisons-en un plaidoyer pour une histoire globale de la province du Canada qu'on écrirait dans la perspective des politiques économiques.

Parmi les politiques économiques les plus intéressantes indubitablement sont celles qui entraînent des dépenses d'investissement. Envisagé comme phénomène social, en effet, l'investissement exprime les besoins d'une génération ou les préoccupations d'un groupe dominant; il traduit des préoccupations, il reflète une vision des besoins futurs que portent les dirigeants politiques. La recherche de la motivation dans les grandes décisions affectant l'avenir économique d'un pays ou d'une région nous amène à reconstituer l'atmosphère politique et sociale d'une période parce que la dépense publique implique un choix et traduit toute une hiérarchie de préférences propres à telle génération.

Comme décision politique, la dépense publique veut satisfaire certains besoins mais, de ce fait, elle en ignore d'autres; elle se déroule pour ainsi dire dans un schéma conflictuel, elle se présente comme la résultante de forces souvent divergentes. Pour en dégager le sens, il faut l'étudier dans le processus de croissance même qui l'a amenée, directement ou indirectement. La période d'union, peut-être, ne réalise pas un ensemble de caractéristiques homogènes qui la recommande à l'attention de l'historien ? Et pourtant elle n'en demeure pas moins remarquable à plusieurs titres. D'abord, voilà bien une expérience économique qui mérite d'être notée: vingt-cinq années de dépenses publiques affectées à l'aménagement de l'espace, principalement; et cette expérience économique se double d'une expérience constitutionnelle. C'est l'expérience d'un régime qui commence en 1841 et se termine en 1867, tant du point de vue économique que du point de vue constitutionnel. Et puis, l'expérience économique se délimite très bien dans le cadre de l'histoire coloniale et métropolitaine. D'une part, la province du Canada a exécuté en deux temps ses travaux publics: les canaux du Saint-Laurent dans les années 1840 et les premiers chemins de fer dans les années 1850. D'autre part, le début et la fin de sa brève histoire ont été marqués par des difficultés qu'une rénovation constitutionnelle, dans l'un et l'autre cas, voulait résoudre. La province du Canada naît et disparaît dans la stagnation économique et financière. Elle a subi au cours de son existence le contrecoup des grandes réformes fiscales de la métropole.

Du point de vue simplement canadien, le régime d'union a laissé des marques indélébiles dans l'histoire des institutions canadiennes. L'historiographie canadienne en témoigne d'ailleurs. N'est-ce pas sous ce régime constitutionnel que se sont achevés certains caractères originaux de la personnalité juridique du Canada ? Signalons entre autres, la décentralisation judiciaire, la codification des lois civiles, l'introduction des lois françaises dans les Cantons de l'Est, la refonte des statuts provinciaux, les lois de municipalité, le rachat des droits seigneuriaux, l'uniformisation des lois commerciales et criminelles dans les deux sections provinciales. Dans l'ensemble, cette période en fut une d'inquiétude et de transformation. Politiquement et socialement divisée sur une question de survivance et de domination de part et d'autre, la province a connu en vingt-cinq ans seize changements ministériels. Au point de vue économique, la province se trouvait aussi divisée en deux groupes d'intérêts divergents, deux conceptions des valeurs de civilisation. En tant que britannique elle se trouvait partiellement aliénée aux intérêts américains, abandonnée aux forces du marché, tout en demeurant colonie d'une métropole devenue libre-échangiste.

La province du Canada appartient géographiquement au milieu nord-américain et, parce qu'elle partage avec ce milieu certaines nécessités, elle ne demeure pas imperméable à ses idées et méthodes politiques. Prenons, par exemple, la conception du rôle du gouvernement, notamment dans les grandes entreprises d'aménagement. Aux Etats-Unis, en effet, l'idée que doit exister une nation américaine constituée d'états fédérés ou à fédérer à mesure qu'ils se constituaient avec l'expansion en territoire nouveau, en d'autres mots, la vision continentale et l'idéologie nationaliste ont engendré une conception du rôle de l'Etat dans les entreprises d'intérêt général. Ainsi, avant 1830, l'une des grandes questions d'intérêt national avait été la construction de canaux et de routes carrossables. L'arpentage des terres, le tracé des routes, ou tâches semblables, avaient été confiés au National Board of Improvements parce qu'on considérait comme fonctions éminemment nationales toutes les mesures susceptibles d'amener les nouveaux Etats à se joindre à l'Union. Parmi ces mesures figuraient au premier rang les travaux d'aménagement des voies de transport et des moyens de communication. Plus tard, les Etats en ont pris l'initiative, agissant pour ainsi dire par délégation. Le Fédéral leur octroyait des terres et des subventions à la construction. Pour le Canada, l'exemple venait de l'Etat de New York, l'Etat pionnier dans les travaux publics, qui fit un succès commercial et financier de son canal Erié (1826). Cette entreprise remboursa son capital en une dizaine d'années; elle exerça une grande influence sur l'expansion industrielle et commerciale des Etats de l'Est en les associant au développement des Etats du Nord-Ouest. Avant l'Erié, New York avait été un village comme Boston, Philadelphie ou Baltimore; avec le canal Erié s'ouvrait une ère nouvelle: le Midwest devenait commercialement accessible et les villes du littoral de l'Atlantique se découvraient des vocations de métropoles. Les rivalités anciennes renaissaient sur le plan des techniques nouvelles de transport. New York, l'ancienne rivale de Montréal dans la traite des fourrures, devenait rivale comme métropole de la région des Grands Lacs que Montréal aspirait à desservir également. Toutefois, depuis l'ouverture du canal Erié, Montréal se trouvait incapable de rivaliser avec New York, à cause des difficultés de navigation en amont du lac Saint-Louis. Le canal Rideau (1832), construit comme route militaire et pour le compte de la Défense Impériale par le Colonel

By, offrait une alternative économique à la voie concurrente de l'Erié. A cette fin, le gouvernement de la province du Canada mit sur pied un Commissariat de Travaux publics qui entra en fonction en 1842. La canalisation était terminée en 1848.

C'était le développement d'une civilisation commerciale qui favorisait les grands travaux de canalisation, marchands de bois et négociants en produits agricoles. Avec eux la politique inclinait à réclamer le contrôle législatif par l'Assemblée et une plus grande autonomie coloniale qui eût permis à l'Assemblée d'élaborer une politique de travaux publics. Ils constituaient une première catégorie d'hommes, tel Mc Gill et congénères, favorables aux prérogatives de l'Assemblée et à la responsabilité ministérielle. Ce qui était devenu en Angleterre prérogative du Parlement était transmissible au Parlement colonial; par exemple, la législation commerciale devenant prérogative du gouvernement métropolitain. A l'encontre de cette catégorie d'intérêts se situaient les propriétaires fonciers qui tenaient leurs privilèges directement de la Couronne, c'est-à-dire, d'un pouvoir exécutif non transmissible à l'assemblée coloniale et qui eussent préféré s'en tenir au statu quo. Ces propriétaires fonciers, individus ou groupes d'individus, jetaient leur dévolu sur l'entreprise ferroviaire parce qu'ils voyaient dans le chemin de fer le moyen de faire monter le prix des terres et de mobiliser les valeurs foncières. Ils se firent politiciens et promoteurs de l'entreprise ferroviaire, comme Francis Hincks et A. T. Galt ou autres, tories dépités par la libéralisation de la politique métropolitaine et signataires du manifeste annexionniste de 1849. L'on vit alors s'opérer d'étranges rapprochements aussi bien sur le plan canado-américain que sur le plan purement britannique, comme, par exemple, l'association Galt-Poor dans la promotion du chemin de fer Montréal-Portland. Et maintenant, l'aménagement des voies ferroviaires devenait le privilège de l'entreprise privée mais entreprise substantiellement aidée par le Gouvernement qui lui octroyait des terres, lui versait des subventions et accordait des garanties d'intérêts sur ses obligations. En cela le gouvernement canadien n'innovait pas, il imitait la politique des Etats américains, notamment les Etats du Massachusetts, de Virginie, de l'Ohio, de New York et du Michigan. Aussi pouvait-on dire au Canada ce qu'on disait aux Etats-Unis dix ans plus tôt, que la politique servait à promouvoir les intérêts privés. Avec l'aide du gouvernement, l'entreprise ferroviaire s'orientait nettement vers le profit capitaliste, et non plus vers la stratégie mercantiliste des centres urbains qui aspiraient au rôle de métropole. De connivence avec des capitalistes américains, les promoteurs canadiens de chemins de fer, sous prétexte de doter la province d'une voie d'accès aux ports d'hiver de l'Atlantique, branchaient le trafic canadien sur le réseau de transport américain. C'était affirmer le caractère international de l'entreprise, à l'avantage des intérêts américains. Pourtant, les ambitions métropolitaines de Montréal subsistaient; Montréal maintenait ses efforts pour attirer à elle le trafic de l'Ouest et pour l'orienter vers les marchés d'outre-mer par la voie du Saint-Laurent. Par rapport au schéma mercantiliste de la canalisation, l'entreprise ferroviaire de structure capitaliste introduisait un facteur de contrariété, elle créait cette atmosphère d'ambiguïté où baigne encore la politique canadienne.

Si le trafic dirigé vers Portland via Richmond et Sherbrooke passait par Montréal, il n'en était pas ainsi du trafic toujours croissant des régions d'en haut dirigé vers Boston et New York via Buffalo, St. Albans et Rouses' Point. Le Great Western, le principal chemin de fer desservant la péninsule ontarienne, s'embranchait avec le New York Central. Les régions desservies par le chemin de fer Ottawa-Prescott et Ottawa-Brockville acheminaient leurs produits vers Boston et New York, à l'agrément de Toronto, jalouse et soucieuse de la suprématie commerciale de Montréal. Les chemins de fer secondaires, ou chemins de fer de colonisation, comme les appelaient les municipalités rivales qui avaient participé à leur construction, faisaient le raccordement avec les grandes voies mais pas toujours et nécessairement des voies canadiennes. Ils étaient nés sous le signe du profit, ils avaient été promus, comme les chemins de fer de leur espèce aux Etats-Unis, par des spéculateurs fonciers et politiciens municipaux: il faut les insérer dans un schéma capitaliste et non dans le schéma mercantiliste des aspirations laurentiennes. Ils ont utilisé le fonds d'emprunt municipal à leurs fins.

* * *

Les essais sur la Coopération se rapprochent des autres par leur accent sur les facteurs géographiques et technologiques, au sens large, et sur le voisinage des Etats-Unis. Même s'ils nous reportent à des événements plus récents, nous y trouvons les mêmes constantes qui déterminent certains traits originaux de l'économie canadienne.

1

Le fait canadien dans l'histoire économique *

La géographie a joué un rôle de premier plan dans la genèse et l'évolution du fait canadien. La variété des formations géologiques, le système hydrographique, les divergences climatiques d'une région à l'autre, ont tour à tour favorisé le régionalisme économique et préparé la naissance d'une unité transcontinentale, pour enfin engendrer l'unité d'un pays dans sa forme actuelle.

Cependant, tout n'est pas dans la géographie. Si l'on veut, en effet, comprendre sa signification humaine, il faut l'associer à l'histoire. Placées dans leur contexte historique, les réalités géographiques nous révèlent leurs dimensions économiques; les fonctions qu'elles y exercent dépendent du degré d'évolution technologique. Or au milieu du XIXe siècle, poser le problème de l'unité canadienne, le problème d'un pays à faire, c'était vouloir grouper dans un cadre fédéral des régions économiques que la géographie, apparemment, vouait à des destinations particulières ou irréconciliables, en raison du manque de moyens de transport et de communication, et que le peuplement semblait orienter vers des pôles contraires, à cause du caractère biethnique de la population. Pourtant, la Confédération soulevait le problème de l'intégration économique de ces diverses

* Publié dans *Cahiers du Service extérieur d'éducation sociale,* Québec, Faculté des Sciences sociales, Université Laval, vol. IV, n. 5, 1946, sous le titre *Histoire économique et unité canadienne.*

régions, elle s'offrait même à résoudre politiquement ce problème, que nous appelons ici « fait canadien ».

Quelles forces ont occasionné et soutenu cet effort de solution ? C'est à cette question que nous essayons de répondre en nous situant au triple point de vue de la géographie, de la technologie et des politiques économiques.

* * *

I. *Le point de vue géographique*

André Siegfried a énoncé, sur les rapports qui existent entre la géographie physique du Canada et son évolution politique, certaines généralisations qui n'apparaissent plus aujourd'hui que comme des demi-vérités au regard des recherches de A.R.M. Lower, de H. A. Innis et de quelques autres. A l'encontre de ce qu'a dit le grand écrivain français, c'est plutôt grâce à la géographie, et non contre elle, que le Canada naquit à l'existence politique sous la forme fédéraliste [1]. Il y eut donc concordance ou parallélisme entre la géographie et l'histoire. Toute démonstration contraire doit forcément minimiser l'importance du fleuve Saint-Laurent, du Bouclier, du système hydrographique, comme facteurs d'unification, et omettre de considérer que le Canada, comme colonie, naquit sous l'impulsion d'un dynamisme tout imprégné de mercantilisme européen.

L'influence de la géographie sur la formation d'une unité canadienne peut surprendre au point de suggérer l'existence de quelque déterminisme géographique. Il n'en est rien si l'on examine de près le fondement de cette influence: le commerce des fourrures. Celui-ci, en exerçant pendant plus d'un siècle son empire sur les destinées canadiennes, a laissé son empreinte sur l'économie du pays. Les trappeurs, coureurs de bois et chasseurs d'animaux à fourrures ont tracé, dans leurs courses, les limites actuelles du Canada; et tous les développements subséquents ont subi de quelque façon la marque des antécédents historiques propres à ce commerce [2].

Du point de vue de l'histoire économique, on ne peut exagérer l'importance du fleuve Saint-Laurent, de la formation précambrienne, dont le Bouclier en particulier, comme causes déterminantes ou fondamentales. Cet arrière-plan géographique a pour ainsi dire entraîné le développement économique de la colonie dans l'Est et influencé le mode d'expansion vers l'Ouest [3].

1. A. Siegfried, *Le Canada, puissance internationale,* Paris 1937, ch. II.
2. Benoît Brouillette, *La Pénétration du continent américain par les Canadiens français,* Montréal 1939.
3. E. S. Moore, *Elementary Geology for Canada,* Toronto 1944, ch. XV; H. G. Egerton, *Historical Geography of Canada,* Oxford 1923, Part II, Book I.

La formation précambrienne et tout le réseau des cours d'eau ont, pour leur part, forcé l'activité économique à se concentrer dans le commerce des fourrures, à l'intérieur d'un continent qui n'avait été auparavant qu'un avant-poste maritime, limité à la seule industrie de la pêche. Et, selon les exigences coloniales et mercantilistes de l'époque, ce commerce lia la colonie aux marchés européens [4].

La géographie et le commerce des fourrures

La traite des fourrures comportait une double exigence dans les limites de la colonie naissante: 1) la dépendance des sources d'extraction les plus avantageuses, localisées dans les régions précambriennes du Bouclier, et, 2) la nécessité de s'appuyer sur le système hydrographique qui draine ces régions, c'est-à-dire sur le Saguenay et les autres voies naturelles de transport. Ceci explique la situation des postes de traite à Tadoussac, Trois-Rivières et Montréal. Ainsi, le commerce qui soutenait la nouvelle colonie suivait les cours d'eau en bordure du Bouclier. Par la force des circonstances nées d'une concurrence monopolistique qui s'établit entre bassins de drainage, l'organisation commerciale de la voie du Saint-Laurent gagna de nouvelles régions: elle s'étendit jusqu'au Nord-Ouest, dans une tentative de répression de l'avance de la Compagnie de la Baie d'Hudson. Depuis sa fondation, en 1670, cette compagnie ne cessait d'accaparer, à son profit, des territoires de plus en plus riches et étendus. Après la création de la Compagnie du Nord-Ouest, en 1783, ces deux organisations monopolistiques concurrentes entrèrent en conflit et, de ce fait, la traite des fourrures se déploya jusqu'au Pacifique. Au point culminant de son développement, soit vers 1800, elle couvrait approximativement le territoire actuel du Canada. On avait réalisé l'unité géographique et commerciale, le premier type d'unité canadienne [5].

Mais cette unité reposait sur des bases précaires. En 1821, la fusion des deux compagnies ci-haut mentionnées en une seule, avec siège à la Baie d'Hudson, obligea le commerce de l'Ouest à utiliser la Baie d'Hudson et le réseau fluvial du plateau de Rupert comme voies de communication avec les marchés européens. Cette nouvelle orientation du commerce de l'Ouest amena un fort ralentissement de l'activité économique dans les régions du Saint-Laurent et des Grands Lacs. En vue de remédier à une atrophie économique grandissante qui ne manqua pas de se faire sentir dans ces régions, on dut recourir à l'exploitation de nouveaux produits primaires: ce qui eut pour effet d'accroître encore la subordination canadienne aux marchés européens et à la finance de Londres. Mais, par suite de cette nouvelle direction imprimée à l'activité économique sous la pression des circonstances, on réalisa un système plus complet d'économie

---

4. A. R. M. Lower, *Geographical Determinants in Canadian History* in *Essays in Canadian History,* R. Flenley, ed., Toronto 1939.
5. H. A. Innis, *The Fur Trade in Canada,* New Haven 1930, Part III.

complémentaire, mieux adapté aux exigences mercantilistes de la Grande-Bretagne. Evidemment, le nouveau système eut ses nécessités internes, ses problèmes de fiscalité, qui se traduisirent par un besoin de centralisation politique [6].

La géographie et le commerce du bois

Le blocus continental de Napoléon, en obligeant l'Angleterre à venir s'approvisionner en bois dans les régions du Saint-Laurent et des Grands Lacs, redonna à celles-ci leur antique vitalité. Car le commerce du bois constituait une réplique de la traite des fourrures en ce qu'il était, comme celle-ci, un commerce d'extraction et d'exportation. Un déboisement rapide amena par ricochet le développement de l'agriculture. Les forêts firent d'abord place aux champs de blé, puis, avec l'introduction de la technique américaine, l'industrie laitière et l'élevage prirent un essor marqué [7].

Ainsi, pour résumer, la première forme d'unité canadienne, qui s'était édifiée sur une base géographique par le moyen de la traite des fourrures, se trouvait rompue par suite de la fusion des deux compagnies du Nord-Ouest et de la Baie d'Hudson. Le déséquilibre entre l'Ouest et l'Est renaissait et le problème de l'unité canadienne se posait dans des termes nouveaux.

La géographie et l'unité canadienne

Dans les tentatives de restauration de l'unité, le facteur géographique se retrouve toujours présent. Cette fois, cependant, il joue contre elle et suscite contre l'obstacle, c'est-à-dire contre la concurrence américaine, l'aménagement des transports. Le problème se dénoue, en définitive, par cette grande aventure que fut la construction d'un chemin de fer transcontinental. On ne peut nier que cette aventure, fort hasardeuse pour l'époque, n'ait été entreprise sous le coup du désir de conserver au Canada son entité britannique. Mais ce désir tenait compte des conditions géographiques et techniques du raccordement des activités commerciales du Canada avec les marchés anglais [8].

D'autre part, le principal obstacle à l'unité résidait dans la structure géographique des régions situées au-delà des Grands Lacs, longtemps disputées entre l'empire britannique et la nouvelle république, et qui firent

6. *Id. Ibid., Part* IV.

7. A. R. M. Lower, *The Trade in Square Timber* in *Contributions to Canadian Economics* VI, University of Toronto 1933; J. A. Ruddick, *The Development of the Dairy Industry in Canada* in *The Dairy Industry in Canada,* H. A. Innis, ed., Toronto 1937.

8. W. A. Mackintosh, *Economic Factors in Canadian History* in *Canadian Historical Review* vol. IV, ch. 1, March 1923; H. A. Innis, *Significant Factors in Canadian Economic Development* in *Canadian Historical Review,* XVIII, 4, Dec. 1937.

l'objet de traités inefficaces. La rivière Rouge déclenchait un mouvement nord-sud et vice versa, au centre même de ce vaste domaine que l'on considérait comme le prolongement de l'empire traditionnel du Saint-Laurent. Les exploitants de cet empire voyaient, dans les régions des Grands Lacs et du Saint-Laurent, dans le grand fleuve qui les conduisait à la mer, vers les marchés britanniques, la base d'une unité possible qui les rendrait maîtres d'un dominion *a mari usque ad mare.*

Cette unité qui, au point de vue géographique, ne comportait rien de nécessaire, sera l'œuvre d'artisans économiques et politiques. Et cependant, en cette œuvre, on retrouvera l'influence de la géographie. En effet, la conformation du Bouclier canadien, conditionnant tantôt la reprise de l'unité canadienne et tantôt sa rupture, retardera le rajustement en favorisant les positions monopolistiques de la Compagnie de la Baie d'Hudson dans l'Ouest canadien, mais aussi en déclenchant une migration vers les Etats de l'Ouest américain. Et parce qu'elle favorise la pénétration de l'Ouest canadien et de la Colombie, cette migration servira de base au projet d'un chemin de fer transcontinental; elle contribuera à la restauration de l'unité canadienne [9].

L'unité canadienne et l'immensité géographique

La construction d'une ligne transcontinentale, exigence d'une économie d'exportation axée sur les marchés financiers et commerciaux de l'Angleterre, comportait une capitalisation massive et allait entraîner des charges fixes et des dépenses incompressibles. Il fallait, en plus, immobiliser une masse importante de capitaux dans l'organisation agricole à travers la Prairie, depuis les Grands Lacs jusqu'aux Rocheuses. Enfin, telle était l'immensité géographique qu'elle alourdissait l'économie et la rendait vulnérable, surtout en période de récession économique. Dans cette rigidité s'inscrivait le besoin d'accroître les revenus d'opération dérivés d'un trafic transcontinental. C'était amener le nationalisme économique, politique dominante du régime Macdonald.

* * *

Ainsi, sous un certain aspect, l'Amérique Britannique du Nord fut une création mercantiliste reposant sur une base géographique, une base qui favorisa l'unité transcontinentale, tantôt directement tantôt indirectement. La relation entre la géographie et l'unité transcontinentale eut pour fondement la trame commerciale du pays, composée des industries primaires d'exportation, telles que le commerce des fourrures, l'industrie forestière et la culture du blé. Les voies de transport naturelles facilitèrent

---

9. W. N. Sage, *Geographical and Cultural Aspects of The Five Canadas* in *Canadian Historical Association,* Report 1937.

la liaison avec les marchés britanniques; et cette liaison, en accentuant l'importance du fleuve Saint-Laurent, souleva des problèmes de transport, et, par suite de nécessités fiscales, créa le besoin de centralisation et de fédération.

II. *Le point de vue technologique*

Avant la rupture du premier empire britannique, soit de 1763 à 1783 environ, les colonies anglaises de l'Amérique du Nord, tout en étant soumises à la même allégeance politique, vivaient dans des conditions géographiques bien différentes. Elles formaient, pour ainsi dire, deux types distincts de développement économique. La géographie et l'histoire avaient déjà marqué la divergence de leurs destinées respectives. La province du Canada apparaissait sous les traits d'une économie continentale, tandis que les colonies du sud et du littoral avaient développé un type d'économie maritime.

Ce contraste, qui surgit en pleine lumière dès leur naissance, laissait présager la divergence de leurs destinées politiques. Sur le continent, le fleuve Saint-Laurent, longeant le précambrien, ouvrait la voie à l'intérieur, vers les Grands Lacs et vers le Nord-Ouest, par l'Outaouais. Mais il y avait là un danger d'éparpillement; d'où la nécessité d'une intervention de l'Etat.

Sur le littoral de la Nouvelle-Angleterre, les vallées, les baies et les ports naturels donnaient directement accès à la mer, favorisant ainsi la densité des agglomérations. La chaîne des Apalaches, qui retint longtemps les Anglais sur le littoral, amena comme conséquence la concentration littorale; la densité relative de la population y faisait contraste avec la facilité d'expansion territoriale du type continental [10].

Du point de vue technologique, un contraste analogue se fit sentir. Sur le littoral, l'adaptation technologique dut être assez facile; elle se résolut par l'application, ou réadaptation, de méthodes anciennes à l'industrie de la pêche. Ces méthodes, depuis longtemps éprouvées, étaient simples, en définitive, puisque les mêmes unités qui faisaient la pêche au large, transportaient leurs produits sur les marchés européens.

Sur le continent, l'adaptation technologique devenait de beaucoup plus complexe, en raison, cette fois, de la nature du produit primaire exploité, en l'occurrence, la fourrure, et particulièrement dans le cas de celle du castor. La réalisation technique de ce commerce exigeait une sorte de double emploi des efforts et devait s'appuyer sur deux organisations différentes, chaînons nécessaires d'un même processus: la première, d'ordre local, aménagée en fonction de la production, et la seconde, d'ordre

---

10. J. B. Brebner, *North Atlantic Triangle,* Toronto 1945, ch. III-IV.

intercontinental ou mieux transatlantique, créée en tenant compte de l'écoulement des produits et de leur transport à des distances considérables [11].

L'organisation commerciale et la centralisation politique

Du fait de ces problèmes techniques, l'organisation commerciale exigeait la centralisation, c'est-à-dire un contrôle unique, visant à coordonner et à synchroniser les tâches diverses de l'extraction du produit et de son expédition outre-mer. La concentration des activités extractives aux confluents laurentiens facilitait ce contrôle, et le raccordement des deux genres d'opérations, l'interne et l'externe, l'appelait de toute nécessité.

L'industrie de la pêche, exempte de ce problème de raccordement, ne nécessitait pas de contrôle central. Et il est tout à fait significatif que le régime français n'ait jamais pu appliquer à l'industrie de la pêche le système des compagnies monopolistiques. L'on peut même affirmer que l'une des causes de l'échec de Champlain à Port-Royal fut la répugnance de cette industrie, caractérisée par de petites unités opérant indépendamment d'un contrôle central, à l'égard de toute direction monopolistique [12].

Sur le continent, une corporation ou des intérêts ligués assumaient le contrôle en s'appuyant sur une finance à plus long terme, en raison de la lenteur de roulement du capital. La lenteur du roulement, la nécessité de voyages au long cours, paralysaient l'initiative individuelle, et justifiaient le régime des compagnies ou le régime d'Etat [13].

Le contraste entre les colonies du Nord et les colonies de la Nouvelle-Angleterre

Dans l'économie maritime du littoral les unités privées prévalaient, les distances étaient moins considérables, la technique plus simple, et le roulement de capital plus rapide. On pouvait se passer d'un contrôle central. L'interdépendance des colonies ne détruisait pas leur autonomie [14].

Un autre facteur venait de compliquer la structure commerciale du continent et lui conférer un nouvel élément de rigidité relative, en contraste avec la structure commerciale du littoral: l'étroite dépendance des groupements aborigènes à laquelle l'économie continentale était assujettie. Sur le continent, le type de produit primaire, sa technique de production, rendaient nécessaire cette dépendance, tandis que sur le littoral la poli-

---

11. H. A. Innis, ed., *Select Documents in Canadian Economic History, 1497-1783,* Toronto 1929, Part II.

12. *Idem, The Cod Fisheries,* Toronto 1940, ch. IV-V.

13. *Idem, Select Documents,* Part II.

14. C. W. Wright, *Economic History of The United States,* New York 1941, Part I, ch. 5. Part II, ch. 11; Mary Quayle Innis, *An Economic History of Canada,* Toronto 1945, ch. V.

tique de collaboration avec les groupements aborigènes résultait non pas de la nécessité absolue, mais de la simple utilité. L'embauchage des Sauvages dans l'extraction des fourrures créait des consommateurs pour les produits européens et accentuait la dépendance des Canadiens vis-à-vis les marchés spécialisés d'Europe.

Il importe de rappeler ces caractéristiques particulières à deux types d'économie nord-américaine pour comprendre leur évolution respective, et en particulier l'émancipation des colonies américaines de la tutelle mercantiliste de la Grande-Bretagne. Deux systèmes économiques, à leur origine concentrés sur un produit d'exportation, l'un le poisson, l'autre la fourrure, vont s'exprimer en deux modes d'évolution: le type maritime vers la diversification, la spécialisation, et la décentralisation; le type continental vers la concentration, la centralisation, vers l'amplification des malaises de l'économie primaire qui impliquent la concentration exagérée sur un produit d'exportation et, subséquemment, le changement brusque d'un produit de base à un autre. Ces produits furent, successivement: la fourrure, le bois, le blé. Presque tous les grands problèmes de l'économie canadienne ont gravité autour du transfert d'un produit d'extraction intensive à un autre pour l'exportation, entraînant la désuétude, nécessitant la levée de nouveaux capitaux et créant toujours de nouveaux problèmes de transport, et en définitive suscitant l'intervention de l'Etat.

Le type d'évolution maritime impliquait souplesse d'adaptation et diversification. Il put graduellement, en s'appuyant sur l'industrie de la pêche qui favorisait le transport et la production rapide de capital, organiser un commerce sur une variété de produits primaires, en relation avec les colonies du sud et les Indes Occidentales. L'amélioration des techniques de transport, le développement des chantiers maritimes, l'organisation de nouvelles routes commerciales, et enfin le renouveau technologique du XIXe siècle, favorisèrent l'industrialisation rapide des Etats-Unis. Au contraire, dans l'économie continentale, l'assujettissement aux techniques primaires, aux charges fixes imposées par le capital de transport, et, par suite de rajustements à de nouveaux types de production, la nécessité d'atteindre de nouvelles frontières économiques, firent échec à la diversification en liant le pays aux exigences d'une économie primaire et créant une espèce de cercle vicieux auquel le Canada ne s'est pas encore totalement arraché [15].

L'économie canadienne dans l'histoire coloniale

Le Canada n'a guère évolué du type d'économie primaire et complémentaire; il reste à plusieurs points de vue, un pays neuf: l'exploitation

---

15. H. A. Innis, *Problems of Staple Production in Canada,* Toronto 1933; A. F. W. Plumptre, *The Nature of Political and Economic Development in The British Dominions* in *Canadian Journal of Economics and Political Science,* Nov. 1937.

intensive de produits bruts pour l'exportation, la dépendance de quelques marchés où il n'occupe pas, tant s'en faut, de positions monopolistiques; l'accessibilité de nouvelles régions économiques, l'adaptation technologique à ces régions, constituent quelques-unes de ses caractéristiques principales. La faible densité de sa population aggrave le malaise de structure en privant le pays de marchés de consommation essentiels à la spécialisation industrielle, en favorisant la concentration des efforts sur l'industrie d'exportation et de là, sa dépendance des marchés étrangers. Les fluctuations sur les marchés plus évolués économiquement acculent souvent le pays vassal à des rajustements onéreux et à des expédients [16].

De tels malaises plongent leurs racines dans l'histoire de la colonie: on en trouve l'explication dans la géographie physique et commerciale. Après s'être manifestés sous le régime français ils se sont accusés et amplifiés sous le régime britannique. Le code de navigation anglais, la politique de tarifs préférentiels aux colonies, ont confirmé le rôle complémentaire du Canada vis-à-vis de la Grande-Bretagne.

Les commerçants de la Nouvelle-Angleterre ont pu imputer dédaigneusement la centralisation commerciale et l'ingérence politique de la Nouvelle-France à un legs du système mercantiliste français. En cela, ils ont omis de considérer que la machine de contrôle métropolitaine avait été mise en branle pour répondre aux exigences géographiques et commerciales de la traite des fourrures et à la nécessité de résister à l'invasion commerciale de la part de régions économiques telles que la Baie d'Hudson et la vallée des rivières Richelieu et Hudson. Aussi bien, les commerçants qui firent l'occupation commerciale après la conquête, tout confiants dans l'individualisme de leur système, durent-ils, quand même, recourir à la concentration et à la centralisation, comme leurs devanciers. Les excursions commerciales au long cours nécessitèrent la concentration et la consolidation des unités économiques. Et de cette nécessité de consolidation naquit la Compagnie du Nord-Ouest [17].

Un autre élément militait en faveur de la consolidation des unités de commerce à Montréal, et c'était la défense contre les menaces d'envahissement de la part d'organisations concurrentes, principalement de la Compagnie de la Baie d'Hudson. Le malaise de la Nouvelle-France, qui lui avait coûté tant d'énergie militaire, se perpétue sous le nouveau régime, entre citoyens britanniques. L'imminence des anciennes invasions commerciales, qu'on avait considéré comme un phénomène de races en conflit, apparaît maintenant sous un jour nettement commercial et comme la manifestation de heurts entre régions économiques.

---

16. Rapport de la Commission Royale sur les Ecarts de Prix, Ottawa 1937, ch. II.
17. M. Q. Innis, *An Economic History,* ch. V; H. A. Innis, *The Fur Trade,* ch. III.

La naissance d'un empire au sein de l'Empire

Les nouveaux lords de la fourrure, placés dans le contexte d'une organisation commerciale en concurrence avec des entreprises rivales, et obligés d'atteindre les régions lointaines du Nord-Ouest, eurent recours à l'intégration des unités. Et ils conçurent le rêve d'un empire commercial — *Commercial empire of the Saint Lawrence,* comme l'a désigné un historien canadien, — pour l'organisation et la défense duquel ils firent plus tard appel à la centralisation politique. L'objectif de cet empire dans l'Empire consistait à attirer dans son chenal tout le commerce du hinterland s'étendant jusqu'au Pacifique. L'Acte d'Union, la Confédération, furent au sens économique le résultat des influences centripètes de l'organisation commerciale du Saint-Laurent [18].

Ainsi, les intérêts anglo-américains qui réalisèrent l'occupation commerciale après la conquête de la Nouvelle-France étaient des entreprises individuelles; mais ils ont bientôt compris que l'unité de leur empire commercial était gravement menacée. Lorsque l'indépendance américaine devint un fait accompli, soit après 1783, ils durent organiser la défense de leur domaine commercial contre les envahisseurs d'un empire voisin, comme jadis les Français l'avaient fait. Et bien plus, les intérêts du nouvel empire laurentien durent organiser la lutte contre leurs adversaires campés à la Baie d'Hudson.

Nous trouvons en cela des exemples de concurrence entre monopoles localisés dans des bassins de drainage différents. La centralisation, le monopole, s'imposèrent comme conditions de survie. Plus tard, pour la même raison, l'on en arriva à l'Acte d'Union puis à la Confédération.

Après 1783, l'on réussit à mieux coordonner les intérêts et à maintenir l'unité territoriale, parce qu'on s'appuya sur une organisation agraire en élaboration à la fin du siècle, après l'immigration des Loyalistes; ce qui eut pour effet d'accroître la valeur des terres. Le commerce des fourrures s'étendit au-delà des frontières où les Français l'avaient d'abord porté; il adopta de nouvelles techniques de commerce et de transport et un type de coordination inspiré des apports français, anglais et américain. Après 1783, et particulièrement après l'absorption de la XY Company en 1804, l'organisation unique, c'est-à-dire la Compagnie du Nord-Ouest concurrente de la Compagnie de la Baie d'Hudson, traça les dimensions du futur dominion en portant le commerce jusqu'au Pacifique.

Mais l'amalgame des deux compagnies en 1821 porta un coup sérieux à la structure commerciale du Saint-Laurent en détournant le commerce de l'ouest vers les routes de la Baie d'Hudson. L'empire commercial du

---

18. D. G. Creighton, *The Commercial Empire of The St. Lawrence 1760-1850,* Toronto 1937.

Saint-Laurent put se relever grâce à l'exploitation intensive du bois qui devint la principale source de revenu. En effet, ce produit d'exportation avait trouvé un marché par suite du blocus continental imposé à l'Angleterre par Napoléon. Conséquemment, l'industrie forestière obtint des préférences substantielles sur les marchés britanniques, après qu'on eût ainsi fermé les sources de la région balte. Grâce à cette industrie, le Nouveau-Brunswick, et le Bas-Canada surtout, connurent un essor sans précédent. Des marchands britanniques en provenance des ports de l'ouest — Liverpool et Glasgow — établirent des succursales en Amérique du Nord et y achetèrent bois et bateaux pour répondre à la demande de l'industrialisme anglais dans ses constructions urbaines et ferroviaires [19].

Dans ces conditions, le « commercialisme » agressif de Montréal et de Kingston, intéressé avant tout à l'exportation des céréales et du bois de construction, heurta une certaine tradition agraire ou seigneuriale. Une querelle s'ensuivit, qui dégénéra en conflit de races dans le Bas-Canada. Dans l'un et l'autre cas, les tensions se manifestèrent surtout en chaleur politique.

Dans le but de mater l'élément réactionnaire, les commerçants demandèrent un système favorable à leur activité commerciale, des institutions financières et bancaires, et surtout de nouveaux moyens de transport: des canaux d'abord, des chemins de fer ensuite; et ceci entraîna la nécessité d'un rajustement politique qui s'effectua après le rapport Durham, par l'Acte d'Union, en 1841 [20].

Le déclin des préférences sur le marché britannique et l'inauguration du système Erié aux Etats-Unis fournissant une voie de transport jusqu'à New York, via Welland-Erié, ou Oswego-Erié et Albany, hâtèrent le projet de canalisation laurentienne et exigèrent l'union des gouvernements du Haut et du Bas-Canada, comme moyen de former une base financière au système laurentien menacé de faillite.

Ainsi, le mercantilisme canadien avait posé le pas décisif vers la centralisation politique, dans sa lutte contre l'abandon graduel de ce système économique déjà mis en désuétude en Grande-Bretagne et dans sa résistance à l'attraction d'un système rival moins dispendieux et orienté vers New York. [21].

---

19. H. A. Innis, *The Fur Trade,* ch. IV; A. R. M. Lower, *The Trade in Square Timber.*

20. A. R. M. Lower & H. A. Innis, *Select Documents in Canadian Economic History 1783-1885,* Toronto 1933, Part I, Section IV, Part II, Section I, subsection A.

21. F. W. Burton, *Staple Production and Canada's External Relations* in *Essays in Political Economy,* H. A. Innis, ed., Toronto 1938.

L'impérialisme de la finance britannique et la structure fiscale de l'empire laurentien

L'industrialisme anglais, qui rendit désuet l'ancien système mercantiliste, et qui prépara la concession du gouvernement responsable à la Colonie, inspira l'œuvre de financiers tels que Hincks et Galt. En effet, ces agents du nouvel impérialisme, celui de la finance britannique, entreprirent d'adapter la production canadienne aux besoins de l'économie industrielle de la Grande-Bretagne: par exemple, l'industrie minière de la Nouvelle-Ecosse et l'agriculture dans les provinces du centre. Or, l'une des conditions fondamentales de cette adaptation résidait dans la construction de voies ferrées et de canaux. D'autre part, une telle construction exigeait une armature fiscale adéquate aux responsabilités financières qu'elle allait entraîner. Aussi bien la nécessité d'un revenu permanent dût-il constituer un nouvel argument en faveur de la centralisation fédérative [22].

Ainsi, l'orientation de la demande industrielle de la Grande-Bretagne vers la Nouvelle-Ecosse et les provinces du centre avait influencé le Canada dans sa politique de travaux publics et dans le rajustement de son système tarifaire. Il devait en résulter une plus grande dépendance des marchés britanniques, et par la suite, une subordination plus étroite à la finance de Londres.

Le Grand Tronc inaugura l'aventure ferroviaire, aventure qui se prolongea dans la construction du Pacifique Canadien terminée en 1885, pour aboutir enfin à l'addition de deux réseaux transcontinentaux au XXe siècle. Soutenu par la finance de Londres mais subissant la concurrence du système de canaux (entreprise d'Etat), le Grand Tronc présageait l'avenir épique du pays dans les entreprises d'utilité publique.

Les travaux publics du Canada entraînèrent de nouvelles responsabilités et soulevèrent des difficultés fiscales qui expliquent, dans une certaine mesure, le rajustement tarifaire de 1866. L'abrogation du traité de réciprocité répondait au besoin d'accroître les revenus canadiens tout autant qu'au désir d'organiser la résistance à l'invasion économique des Etats-Unis, après la guerre de Sécession. D'autre part, la liberté des relations entre régions économiques du pays, liberté qu'une politique de centralisation pouvait assurer, naquit du besoin d'accroître le trafic sur les voies de transport, privées et publiques, dont les charges fixes grevaient l'empire commercial du Saint-Laurent [23].

La fédération de Québec, Ontario, Nouvelle-Ecosse et Nouveau-Brunswick, en 1867, réalisa une armature fiscale à cet empire; et cette

22. G. P. de T. Glazebrook, *Nationalism and Internationalism on Canadian Waterways* in *Essays in Transportation*, H. A. Innis, ed., Toronto 1941.
23. G. N. Tucker, *The Canadian Commercial Revolution 1845-1851*, New Haven 1936.

armature servit d'appui à la construction d'un chemin de fer jusqu'en Nouvelle-Ecosse (Intercolonial), et jusque dans l'Ouest (Pacifique Canadien). La production minière sur la Columbia et sur la Fraser justifia l'entreprise du Pacifique Canadien: et celle-ci favorisa l'adhésion de la Colombie au pacte confédératif, et suscita l'organisation de la culture intensive du blé dans l'Ouest canadien.

III. *Le point de vue politico-économique*

La réalisation du fédéralisme canadien constitue le fait capital du XIXe siècle, et l'héritage légué aux Politiques inquiets du XXe, dont quelques-uns semblent considérer le statut comme immuable. Notre inquiétude porte particulièrement sur le fait qu'on veut aujourd'hui soumettre à un plan rigide des régions que l'histoire économique a marquées d'un signe particulier. Car, s'il faut reconnaître les caractéristiques d'un pays que son histoire aide à définir, il faut bien aussi admettre que la Confédération fut un compromis. L'unité canadienne fut réalisée dans le compromis et sous la pression de forces capitalistes; et il semble bien que telle soit la condition de l'unité canadienne à maintenir qu'on doive accepter un *modus vivendi*. L'unité canadienne fut et doit demeurer un jeu d'équilibre entre les gouvernements fédéral et provinciaux; et toute tentative de centralisation outrée comme toute velléité d'autonomie inconsidérée pourraient ruiner l'unité canadienne [24].

André Siegfried a écrit que le Canada lui semblait un compromis entre la Grande-Bretagne et les Etats-Unis. L'on pourrait ajouter que le Canada fut en lui-même un compromis, à cause de certaines divergences d'intérêts dans les parties qui le composent. Or cela suggère qu'on doive écouter avec respect toute résistance provinciale à une centralisation excessive qui voudrait confondre le gouvernement central avec son ministère de la Finance.

L'unité canadienne fut une entreprise onéreuse, et elle le demeure; elle fut beaucoup moins l'œuvre d'un idéal que le fruit d'un commun besoin de finance, et elle doit être discutée en termes plutôt prosaïques. Il ne faudrait donc pas qu'un besoin croissant de renforcer la puissance fiscale du gouvernement central fût pour les Canadiens l'occasion de sacrifier tout idéal au ministère de la Finance. Il est vrai que de nouveaux services de sécurité exigent la réorganisation de ce ministère; mais ceci peut-il excuser ou justifier toute manœuvre de centralisation? Les Pères de la Confédération ont tenu compte des griefs des provinces; c'était nécessaire, même s'ils durent obéir à la finance; cette espèce d'obéissance était aussi nécessaire. Or cette double nécessité existe encore. Et même, si les circonstances

---

24. J. B. Brebner, *North Atlantic Triangle,* ch. X; F. H. Underhill, *The Conception of National Interest* in *Canadian Journal of Economics and Political Science,* vol. I, n. 3, Aug. 1935.

économiques et sociales ont évolué, les provinces restent unies, *mutatis mutandis*, par les motifs qui les unirent en 1867, et par la suite. La mathématique et la comptabilité disposent aux compromis souvent nécessaires, mais elles n'ont jamais engendré les unions que seule la culture peut réaliser. On peut donc accepter avec un grain de sel les allégués idéalistes de D'Arcy McGee à l'époque de la Confédération: « j'aperçois au loin l'image d'une grande nation encadrée, à l'instar du Bouclier d'Achille, par les ondes bleues de l'océan. »

L'interprétation économique de la Confédération

C'est pourquoi, d'un certain point de vue l'on peut soutenir que, parmi les causes fondamentales de la centralisation fédérative, il y en a qui tiennent à des problèmes inhérents à la structure économique du pays; et ces problèmes tirent leur origine loin dans l'histoire. De la sorte, la Confédération peut être considérée comme l'aboutissant de lignes de force tracées par le commerce des fourrures, accentuées et amplifiées par le « commercialisme » colonial, et enfin concentrées en un foyer unique par la révolution commerciale, l'industrialisme et le capitalisme d'état; avec quoi coïncidèrent l'organisation du système fédéral et central et l'élaboration d'une politique dite nationaliste sous le régime MacDonald [25].

Cette mise en évidence de facteurs sous-jacents au système fédératif de centralisation ne peut induire à nier l'importance d'autres facteurs non économiques: le patriotisme, le loyalisme, le sentimentalisme, par exemple, se mêlent toujours aux questions de cette espèce. Sous cette réserve, qu'il nous soit permis de rappeler quelques faits historiques tendant à montrer comment la montée du fédéralisme au Canada a suivi sensiblement la courbe du développement économique et de la consolidation des intérêts capitalistes.

La première structure économique

Le commerce des fourrures a marqué le premier trait de la personnalité économique du Canada. La Compagnie du Nord-Ouest, précurseur de l'unité actuelle, fut elle-même le résultat d'une fédération d'unités pour fins d'activité transcontinentale. Les exigences du commerce des fourrures portèrent sur la concentration et la centralisation. L'opposition à la colonisation — si ce n'est dans la mesure où l'agriculture pouvait soutenir ce commerce — fut sa politique. L'agriculture devint fonction du commerce; mais à mesure que celui-ci pénétrait à l'intérieur, la colonisation et l'agri-

---

25. L. Warshaw, *The Economic Forces leading to centralized Federalism in Canada* in *Essays in Political Economy,* H. A. Innis, ed., Toronto 1938; R. S. Longley, *Sir Francis Hincks, a study of Canadian Politics, Railways and Finance in the Nineteenth Century,* Toronto 1943, ch. VIII; D. C. Creighton, *L'Amérique Britannique du Nord à l'époque de la Confédération,* Etude préparée pour la Commission Rowell-Sirois, Ottawa 1940.

culture prenaient de l'importance en tant que subsidiaires, et menaçaient souvent même d'envahir les domaines de chasse. Dans Québec, où le système seigneurial retenait l'habitant sur la terre ancestrale et le liait à une économie de subsistance, contre toute tendance à l'expansion, l'agriculture ne pouvait porter préjudice au commerce. Aussi bien le système seigneurial fut-il bien vu des nouveaux intérêts commerciaux après la conquête. S'il devint plus tard un sujet de grief, ce fut parce qu'il servit de base à des institutions bureaucratiques et réactionnaires, à un régime réfractaire au dynamisme commercial.

Dans les régions du centre et dans l'Ouest où l'empire commercial n'était pas protégé contre les vagues de colonisation et d'immigration, on eut recours à une politique de réserves, soi-disant philanthropique envers les Sauvages. Quatre-vingt-dix pour cent environ du futur dominion fut érigé en domaines de chasse et réservé aux aborigènes. Cette politique favorisa la Compagnie de la Baie d'Hudson, organisation centralisatrice contre laquelle s'éleva une autre centrale, la Compagnie du Nord-Ouest. En 1791, l'Acte Constitutionnel concéda une part du pouvoir impérial aux lords de la fourrure établis à Montréal, créant une concurrence monopolistique entre deux régions économiques.

Après l'arrivée des Loyalistes, le commerce des fourrures de la Vallée du Saint-Laurent entrait dans une nouvelle phase. Les potentats de la fourrure avaient commencé de capitaliser sur les terres, et préparaient ainsi un type nouveau de centralisation et de contrôle.

La nouvelle structure au XIXe siècle

La nouvelle structure commerciale édifiée par l'énergie loyaliste demandait plus qu'un contrôle sur les terres; elle exigeait en outre le contrôle des services d'expédition et de transport, des instruments de crédit, privé et public, des subsides et, en définitive, des institutions. Les intérêts nouveaux, en minorité mais organisés pour contrôler les ressources et les instruments essentiels à leur commerce, formèrent le *Family Compact* dans le Haut-Canada et la « Clique » dans le Bas-Canada. Vers 1837, les potentats possédaient ou contrôlaient à peu près 10,000,000 d'acres de terre dans le Haut-Canada, dont 2,395,687 étaient à l'usage de l'Eglise d'Angleterre, 2,484,413 à la disposition de la Canada Land Company, et une portion, soit 2,911,787 acres concédés aux United Empire Loyalists.

Le *Family Compact* et la « Clique » de Québec, groupés autour de la British American Land Company, s'appuyaient sur le sol pour contrôler la vie sociale et économique du pays. William Lyon Mackenzie, dans ses *Sketches of Canada and the United States,* exposa le programme du *Family Compact* et y énuméra les points sur lesquels le monopole devait concentrer ses esprits: la Chambre d'Assemblée, le Conseil Législatif, les banques d'York et de Kingston, The Law Society Incorporation; Eleven sets of district Magistrates, Canada Company, Court of King's Bench, Upper Canada College, le Lieutenant-Gouverneur, i.e. l'agent du Colonial Office [26].

L'ère du capitalisme colonial

L'ère du capitalisme colonial fut caractérisée par la demande de crédit à long terme, corollaire de la demande de services publics et de moyens de transport. L'Union des deux Canadas exigée de la part de Londres en garantie d'un prêt devait constituer l'armature fiscale du capitalisme colonial. Elle eut pour artisans des spéculateurs et des commerçants de Montréal liés à la finance de Londres; et elle fut pour eux l'étape décisive vers la centralisation politique et l'occasion d'une concentration de leurs entreprises [27].

Le *Family Compact*, qui avait toujours protesté de sa crainte d'être absorbé par la finance du Bas-Canada, trouva sa crainte justifiée dans le fait même de l'Union qu'accompagna une consolidation financière. The Farmers' Joint Stock Banking Company, l'une des entreprises du *Family Compact,* fut absorbée par la Banque de Montréal; the Bank of the People, œuvre des Réformistes (1835), devint une simple succursale de la Banque de Montréal qui avait besoin d'une succursale dans le Haut-Canada; The Canada Land Company se vit forcée de coopérer avec la British American Land Company, sous la surintendance générale de A. T. Galt. La nouvelle organisation pouvait maintenant canaliser tous les profits de la fourrure, du bois, du blé et des terres, vers des objectifs à long terme, avec l'appui d'un gouvernement central. Le Grand Tronc devint l'objectif immédiat.

A. T. Galt, surintendant de la North American Land Company, (nom donné aux deux compagnies fusionnées) et ses associés, se lancèrent dans l'entreprise ferroviaire et obtinrent une charte pour la Saint Lawrence and Atlantic Line — de Montréal à Portland. Entre-temps, la firme britannique Peto, Brassey, Jackson & Betts, qui avait construit un tiers des voies ferrées en Grande-Bretagne et qui entretenait des relations amicales avec le cabinet britannique, obtint de ce dernier qu'il contremandât la garantie britannique sur un emprunt de sept millions pour la construction d'un réseau en Nouvelle-Ecosse et au Nouveau-Brunswick. La firme obtint ensuite du gouvernement d'Union, au bénéfice de monsieur Galt et, selon toute vraisemblance, par son intermédiaire, une charte pour construire la ligne lac Huron-Portland, avec privilège d'obtenir toutes chartes additionnelles pour réseaux supplémentaires.

Galt, MacPherson, Holton, détenteurs de presque tous les permis de construction, confondirent leurs intérêts avec ceux des entrepreneurs pour

26. G. Meyers, *History of Canadian Wealth,* Chicago 1914.
27. H. A. Innis & A. R. M. Lower, *Select Documents 1783-1885,* Part II, Section I, subsection i.

former la Compagnie du Grand Tronc. Cette dernière compagnie obtint du Gouvernement d'Union une garantie de £ 3,000 par mille de construction. Les entrepreneurs, eux-mêmes détenteurs de £ 3½ millions dans la compagnie, se mirent à l'ouvrage libéralement, après s'être voté en tant que directeurs des gratifications substantielles. Du Gouvernement — auquel ils s'étaient quasiment confondus — ils obtinrent des concessions additionnelles: une somme de £ 900,000 d'abord, et ensuite (1857), le paiement des intérêts sur la dette obligataire qui s'élevait à quelque £ 20 millions.

La Législature devint une officine de transactions, un laboratoire de chartes. Les municipalités contractèrent la fièvre ferroviaire. En 1861, une trentaine d'entre elles flottaient une dette assez considérable dans le Haut-Canada et accumulaient des arrérages d'intérêts dus au Gouvernement d'Union. Les représentants du peuple étaient devenus des financiers et spéculateurs et ne refusaient plus les gratifications de leurs protégés, dont ils étaient d'ailleurs les serviteurs. Toutefois, cet optimisme eut son bon et beau côté puisqu'il porta la longueur des voies ferrées de 60 milles à 1,881 milles en huit ans.

La solution du problème ferroviaire

Mais, en 1861, le Gouvernement d'Union se sentait épuisé et hésitait devant le projet de construction d'un Intercolonial. Les obligataires et les actionnaires de Londres furent saisis de la situation et désistèrent les entrepreneurs de leur tâche. Watkin, président du Grand Tronc, délégua un commissaire au Canada pour y faire enquête et pour conférer avec les représentants de toutes les provinces sur les possibilités d'un Intercolonial, celui-ci devant comporter une consolidation de toutes les lignes, une liaison au terminus maritime et, vraisemblablement, une extension jusqu'au Pacifique. En 1863, le contrôle de la Compagnie de la Baie d'Hudson passa aux mains des intérêts financiers du Grand Tronc, et l'agitation, par l'intermédiaire de l'International Financial Society, commença de se créer autour d'un projet d'unité canadienne de type confédératif. Mais les Maritimes devaient constituer l'obstacle majeur.

L'économie des Maritimes reposait encore en grande partie sur des industries primaires et sur l'industrie de construction et de transport maritimes. Or la fédération aux provinces centrales signifiait pour cette économie, d'abord la subordination à l'économie du Centre, subordination qui devait rompre son développement naturel et traditionnel, ensuite la dislocation de cette économie en face du système tarifaire abusif du Centre, et enfin, divorce avec les Etats-Unis. Par ailleurs, deux groupes d'intérêts exigeaient ce sacrifice des Maritimes; d'abord le groupe du Grand Tronc qui voulait augmenter le revenu du Canada Uni, et ensuite le groupe des industriels et des financiers qui désiraient agrandir leur marché. Les deux groupes du Canada dont les intérêts étaient complémentaires, et identiques à plusieurs points de vue, firent cause commune, et entreprirent de soumettre les Maritimes au contrôle de l'axe Toronto-Montréal-Londres. L'on sait que cet axe avait été forgé par les lords de la fourrure, qui se muèrent en spéculateurs et en financiers dans leur rêve d'un empire laurentien, et que l'entreprise ferroviaire confondit dans un objectif commun. Le Grand Tronc avait fusionné en effet le monopole de la fourrure, personnifié dans une oligarchie dont A. T. Galt était le chef. Tels furent les héros d'une épopée financière, les ouvriers de l'axe Toronto-Montréal-Londres, les artisans de la deuxième unité canadienne dont nous sommes les héritiers et qu'un type nouveau d'évolution semble vouer à la précarité.

Les Pères de la Confédération gagnèrent au projet le Nouveau-Brunswick et la Nouvelle-Ecosse, qui en furent saisis en des circonstances de stagnation économique, conséquentes à l'abrogation du traité de réciprocité. L'Ile du Prince-Edouard qui maintint une majorité anti-unioniste jusqu'en 1870 fut obligée de se fédérer en 1873 sous l'imminence d'une faillite de ses entreprises de transport [28].

Les Pères de la Confédération, qui furent bien aussi un peu les Fils de la Finance, avaient réalisé une synthèse magnifique, en formant une unité favorable au capitalisme canadien issu de l'empire commercial du Saint-Laurent au cours d'une lutte qui connut des épisodes sanglants. Les partisans de cet empire pouvaient alors psalmodier: *Et dominabitur a mari usque ad mare.*

*   *   *

Depuis 1867, la concentration de la richesse et la centralisation du pouvoir se sont accusées parallèlement et en proportion de l'expansion économique. Durant le processus de concentration, la distribution du revenu a pu se faire au profit d'un groupe localisé au centre: phénomène capitaliste que des enquêtes royales ont tenté de révéler, (l'enquête sur les écarts de prix, l'enquête sur les relations fédérales-provinciales), mais que d'autres forces tendent à minimiser en réduisant trop l'explication des malaises au phénomène fédéraliste. La concentration économique eut pour corollaire la centralisation politique; mais le fédéralisme et les disputes autour du fédéralisme ont voilé le processus de concentration économique.

L'habitude qu'on a de traiter trop facilement d'unité canadienne en termes politiques, culturels ou autres, incline à omettre de la discussion certains autres aspects fondamentaux, ou à réduire uniquement à certaines causes d'ordre ethnique ou impérialiste des malaises plus attribuables en

---

28. Sénat du Canada, Session de 1939, *Rapport à l'honorable président du Sénat au sujet de la mise en vigueur de l'Acte de l'Amérique britannique du Nord.* W. F. O'Conner, conseiller parlementaire du Sénat, Ottawa 1939; J. C. Hemmeon, *Trade and Tariffs in British North American Provinces before Confederation,* Proceedings of The Canadian Political Science Association 1934.

fait à la géographie ou à la structure d'un pays neuf. On n'a peut-être pas suffisamment distingué entre les problèmes de structure, géographique et économique, et les problèmes sociologiques et politiques que les premiers conditionnent nécessairement. C'est pourquoi on peut trop facilement attribuer les malaises canadiens à l'absence d'homogénéité ethnique ou à la forme fédéraliste qui, en absorbant nos attentions, voilent des faiblesses de structure ou des vices capitalistes. D'où la tendance à réduire le problème de l'unité canadienne à des dimensions purement ethniques ou légales. Que cette tendance soit fondée, nous ne le nions pas; mais nous croyons qu'elle dépasse la mesure et la vérité lorsqu'elle exclut les facteurs de base antérieurs à toute forme ethnique ou à quelque structure légale ou construction juridique. Ces facteurs de base, que l'histoire économique nous aide à comprendre et que cet essai veut mettre en évidence, laissent croire que l'unité canadienne ne se maintient qu'à grands frais. Elle se maintient à coups de tarifs; elle est coûteuse. Son économie demeure encore peu évoluée, car elle dépend encore pour beaucoup de la production de matières brutes pour l'exportation. Elle présente à maints égards les traits d'une économie dépendante.

La Confédération repose sur une base de compromis; son fondement est pragmatique et non idéologique. Elle reflète une conception des valeurs qui privilégie l'économique. Mais les politiques confédératives n'ont jamais eu raison des divergences qui, au niveau de la culture, continuent d'en compromettre l'efficacité. Même au niveau strictement économique, les conflits d'intérêts entre régions et classes sociales la remettent perpétuellement en question.

La crise qui ébranle présentement l'unité canadienne plonge donc ses origines loin dans l'histoire. Elle ressort de divergences régionales et culturelles, sans doute; mais elle n'en demeure pas moins, par ailleurs, un conflit d'intérêts: le fait d'une minorité économique qui contrôle les sources de la richesse et le pouvoir politique au détriment d'une majorité sociale, d'ailleurs victime de la propagande. Les tensions inhérentes au système capitaliste se perpétuent ici dans un cadre fédéraliste. Et les luttes tendent à se conformer au moule historique d'un conflit entre intérêts agraires et intérêts industriels.

2

La condition nord-américaine des provinces britanniques et l'impérialisme économique du régime Durham-Sydenham, 1839-1841 *

En 1839, Lord Durham recommanda l'union législative des deux Canadas comme solution aux problèmes économiques et politiques de ces deux provinces [1]. La même année, Lord John Russell, Secrétaire aux colonies, faisait part de ce projet à ses collègues de la Chambre des Communes. Le bill de l'Union fut présenté le 23 mars et voté le 23 juillet 1840. La Loi d'Union des deux Canadas (3 et 4 Victoria, ch. 35) entra en vigueur après une proclamation officielle du 5 février 1841. La proclamation fut transmise à l'Assemblée canadienne par Lord Sydenham, le 10 février de la même année. C'est ainsi qu'entre la publication du Rapport de Lord Durham, à l'automne de 1839, et la proclamation de la Loi d'Union, en 1841, s'est déroulé le stratagème politique qui aboutit à l'union effective de deux Canadas, prélude à la Confédération de 1867.

Lord Durham et Lord Sydenham ont été les personnages clé de ce drame impérial qui eut pour théâtre l'Amérique du Nord. L'un et l'autre y ont joué des rôles différents mais complémentaires: Durham en tant qu'enquêteur et architecte, Sydenham en qualité d'exécutant. Le plan de Durham fut conçu dans la perspective de la juridiction impériale, en

---

* Article publié dans *Recherches sociographiques,* vol. VIII, n. 2, mai-août 1967.

1. *Report of the Affairs of British North America from the Earl of Durham. Her Majesty's High Commissioner,* 1839.

fonction de l'intégrité du territoire canadien, sans égard pour la population francophone. Celle-ci devait, dans le cadre politique d'un Canada unique, être assimilée par la population anglophone et impérialisante. Le plan d'action de Sydenham ne réservait aucune place à la consultation des Canadiens français; il méprisait même l'opinion des factions réformistes du Haut-Canada; il s'affirmait comme impérial et supracolonial [2].

Cette étude veut rappeler les recommandations économiques du Rapport de Lord Durham, mesurer les dimensions du plan de Sydenham, évaluer la condition nord-américaine des provinces britanniques et leur évolution en tant que limites ou obstacles à ce plan et à la volonté de son exécutant.

I. *La situation économique canadienne avant Durham*

Le développement économique des pays neufs

Adam Smith a défini les conditions générales du développement économique des pays neufs [3]. Les ressources du sol et de la forêt s'y trouvent en abondance, dit-il, mais que représentent ces ressources de la terre sans les autres facteurs, sans le génie d'adaptation et d'invention et sans la liberté d'action politique ? Les richesses de la nature, en effet, n'existent pas comme telles. Elles n'acquièrent de réalité que par les efforts et les artifices qu'on y applique pour en tirer des valeurs. Elles résultent d'une combinaison de facteurs. Elles sont, en définitive, le produit de l'entreprise. Parmi ces facteurs, le plus important, selon Durham et Sydenham, aurait été le capital d'infrastructure tel que les routes et les voies navigables. Sans cette espèce de capital, on ne savait que faire des autres facteurs de la richesse, si abondants fussent-ils. L'élément humain est également important, étant donné que l'outillage n'a aucune valeur sans la présence d'une population, alors que les terres sont abondantes. C'est cette situation de déséquilibre qui définit le niveau de prédéveloppement où se trouvent les provinces britanniques du Canada après les troubles de 1837-1838. Pour sortir l'économie de la stagnation à laquelle l'a réduite ce déséquilibre, il s'agit de rien moins que d'améliorer le dosage des facteurs de la richesse collective, — en l'occurrence, intensifier le capital et accélérer le peuplement. On voit ainsi s'imposer les deux conditions fondamentales de la mise en valeur des richesses naturelles en pays neufs: l'organisation des moyens de transport et de communication; l'immigration.

---

    2. Denis Vaugeois, *L'Union des deux Canadas*, Montréal 1962; Mason Wade, *Les Canadiens français, de 1760 à nos jours*, Montréal, le Cercle du Livre de France, 1963, Tome I, ch. V; Fernand Ouellet, *Histoire économique et sociale de la Province de Québec. 1760-1850*, Montréal, Fides, 1966, ch. XIV, XV.
    3. Adam Smith, *The Wealth of Nations*, Book IV, ch. VII, Part II.

Les besoins de l'économie canadienne avant 1837

Les voies de transport prennent dans les pays incultes une importance primordiale. Elles sont dans ces pays ce qu'est la défense dans les pays évolués. Adam Smith avait déjà indiqué l'importance de la défense dans l'économie des vieux pays: « *of much more importance than opulence* ». Durham estime que l'axiome perd son sens lorsqu'on veut l'appliquer aux pays neufs et qu'il vaut mieux donner priorité à l'organisation de l'espace: « *war on wilderness* ». Avant même que Durham ne l'ait constaté, les politiciens coloniaux avaient compris l'importance que les Canadiens accordaient à cette question de routes et de ponts, tant dans le Haut-Canada que dans le Bas-Canada. C'était l'efficacité gouvernementale en matière de travaux publics qui comptait avant tout dans l'attitude des citoyens à l'égard du pouvoir public. Or les travaux publics pouvaient revêtir plusieurs formes, de la grande entreprise de canalisation au petit pont de paroisse.

A l'époque où Durham mena son enquête, un des grands problèmes politiques consistait dans le fait que les travaux publics de toute espèce relevaient des administrations provinciales, par suite du manque d'organisation municipale. Dans aucune province, il n'existait de système d'administration municipale, en sorte que l'Assemblée s'occupait de besognes qui normalement auraient dû relever des paroisses. En outre, à cette époque, les députés avaient le privilège de proposer à la Chambre des mesures qui engageaient la responsabilité financière du gouvernement. On s'explique ainsi facilement la tendance à sacrifier les grands projets aux affaires locales qui pesaient davantage dans la balance électorale, ou encore, la tendance à diminuer certaines dépenses civiles en vue de satisfaire les demandes locales de travaux publics. Durham le rappelle en termes pittoresques: « *When we want a bridge, we take a judge to build it.* »

Ainsi, faute d'un système municipal qui eût prélevé les sommes nécessaires à l'entretien des routes, les deux gouvernements provinciaux se voyaient contraints de voter des subsides à des travaux de caractère local, subsides que l'on attribuait souvent de façon arbitraire ou, à tout le moins, sans tenir compte d'une hiérarchie des besoins [4].

De cette situation découlait un double inconvénient. Premièrement, les deux provinces se trouvaient non seulement opposées l'une à l'autre, Haut-Canada, Bas-Canada, mais chacune était divisée en deux clans sur la question de l'emploi des deniers publics: l'un donnait priorité aux travaux de caractère local; l'autre aux travaux d'importance générale et que l'on disait commune à l'ensemble de la population. En second lieu, ces deux provinces ne s'entendaient pas sur un plan général d'amé-

---

4. *Journaux de l'Assemblée Législative* (ci-après JAL), Canada 1841, Message de son Excellence le Gouverneur, 20 août 1841.

nagement. La province du Bas-Canada, faut-il s'en étonner, se montrait assez peu enthousiaste à l'égard des grands projets de canalisation. Elle inclinait plutôt à favoriser la classe rurale en exécutant des travaux de caractère paroissial. Ses commerçants, jouissant déjà d'un débouché sur la mer, n'éprouvaient pas, comme leurs congénères du Haut-Canada, le besoin d'un plan général de canalisation. De leur côté, les commerçants de Montréal demeuraient réticents devant un plan de canalisation susceptible de compromettre leur hégémonie dans le commerce océanique.

Objectifs économiques et besoin d'un centre de décision: Un Bas-Canada préjudiciable au plan britannique?

Enfin, cette division d'intérêts soulevait la question du pouvoir de décision économique. Qui sera l'entrepreneur en ce domaine de l'aménagement d'un espace commercial? Déjà en 1838, il était reconnu que les intérêts privés seuls ne pouvaient réaliser pareil programme. Au gouvernement incombait donc l'initiative du plan et sa réalisation. Mais quel gouvernement? Le gouvernement de la province du Haut-Canada? Sa finance était délabrée; il fallait trouver avant tout un moyen de la restaurer. De plus, à cause de sa situation géographique, le Haut-Canada ne pouvait éluder un certain contrôle de la part du Bas-Canada, celui-ci lui barrant géographiquement la route. On ne pouvait aménager une voie de navigation complète jusqu'aux Grands Lacs sans l'assentiment ou sans le concours du Bas-Canada. Pouvait-on compter sur la collaboration de l'Assemblée du Bas-Canada? Déjà en 1838, Lord Grey écrivait à Durham, comme pour le mettre en garde contre une telle anticipation:

> En examinant l'histoire déjà longue des dissensions dans le Bas-Canada, il convient de se rappeler qu'un des principaux sujets de grief de la minorité contre la majorité de l'Assemblée a été la législation d'inspiration anti-commerciale de cette majorité, ou sa soi-disant indifférence à l'égard de mesures visant à promouvoir l'industrie de la colonie et le développement de ses richesses naturelles [5].

La même attitude devenait pernicieuse à l'ensemble des deux provinces, ou du moins elle était considérée comme telle « par les habitants du Haut-Canada, étant donné que cette province est absolument dépendante de la législation du Bas-Canada en tout ce qui touche le commerce extérieur » [6].

On avait envisagé diverses solutions à ce problème d'un Bas-Canada faisant obstacle à la réalisation des plans du grand commerce: l'indépendance des Canadiens français; l'annexion de Montréal à la province du Haut-Canada; la fusion des deux provinces [7]. Naturellement, la solution

---

5. *Archives Publiques du Canada* (ci-après APC), Grey of Howick Collection, Film A-403, Grey à Durham, Jan. 6, 1838.
6. *Ibid.*
7. APC, *Durham Papers*, M. G. 24, Glenelg to Durham, January 20, 1838.

la plus acceptable devait être celle qui postulerait le maintien de la souveraineté britannique et la primauté des intérêts de l'Empire britannique dans les relations commerciales. En toute justice pour Lord Durham et Lord Sydenham, ne convient-il pas de les juger dans cette perspective de la souveraineté britannique et de l'objectif mercantiliste ? Car tel nous paraît être le premier critère de leur efficacité. De plus, ne convient-il pas d'envisager leur plan de développement économique à partir de la vision d'une *Greater England* ? En effet, une fois admise la solution politique du problème, que restait-il à faire sinon de « restaurer la prospérité », c'est-à-dire de relancer l'économie dans la voie du développement normal ?

Essayons de dégager les grandes lignes du plan qui va s'élaborer. Reprenons le schéma des principaux facteurs de production esquissé ci-haut pour expliquer les conditions générales de développement économique dans les pays neufs, par opposition au développement dans les pays évolués. La rareté de la main-d'œuvre et du capital, associée à l'abondance des terres, est caractéristique des pays neufs. Comment attirer de la main-d'œuvre sur ces terres, comment y appliquer un travail productif ? Le Rapport Durham faisait mention des possibilités énormes de peuplement, mais il n'avait pas expliqué comment, à toute fin pratique, on pouvait organiser le peuplement.

Charles Buller, le secrétaire de la Commission Durham, n'en était pas moins sympathique aux théories d'Edward Gibbon Wakefield sur la colonisation. Wakefield avait d'ailleurs accompagné Buller au Canada. Or, au sujet des pays neufs au sens économique où nous les avons définis, pour ce qui est du dosage des fonds productifs, Wakefield avait suggéré que ces pays pourraient, par la seule vente des terres, défrayer le coût de l'immigration, suggestion qui inspire certaines recommandations du Rapport Durham. Mais, en homme d'affaires qu'il était, Sydenham crut plutôt voir là un raisonnement en cercle vicieux: la vente des terres ne rapporte guère au trésor; l'abondance de terres déprécie les terres; la situation en est une d'où on ne peut sortir sans importer du capital, — à moins qu'on ne veuille répéter en Amérique le processus de paupérisation qui eût permis d'amorcer une accumulation de capital. Si l'on ne trouve pas de capitaliste pour exploiter les terres et, en conséquence, provoquer une hausse du prix des terres, celles-ci demeurent facilement accessibles aux immigrés. Ceux-ci, en ce cas, de simples manœuvres qu'ils sont, deviennent vite des propriétaires, de petits propriétaires qui n'emploient pas eux-mêmes de manœuvres. Ce procédé ne crée pas un marché du travail qui permette d'employer les immigrants dès leur arrivée. Pour constituer un marché du travail, et même un marché des terres, il faut des capitalistes, il faut des pauvres et des capitalistes qui les utilisent à bon escient. Ce n'est pas le lieu ici d'aborder cette question de l'accumulation de capital en pays neuf. Nous en traiterons en une autre occasion.

*L'importance des voies de transport dans un pays vaste et inculte:
le rôle de l'Etat comme entrepreneur*

Avec Sydenham, posons la question: « Comment organiser un fonds d'immigration par la vente des terres publiques alors que celles-ci n'ont aucune valeur marchande » ? Pour que les terres acquièrent de la valeur, c'est-à-dire, pour qu'il y ait un marché des terres, il faut du capital, il faut de la main-d'œuvre. Il faut également des routes qui rendent possible une certaine mobilité géographique de cette main-d'œuvre. Il faut des voies navigables à l'échelle du pays qui permettent la pénétration des immigrants, qui assurent une demande bien répartie des terres et qui procurent un marché aux produits des terres cultivées. Autrement, comment les provinces britanniques pourraient-elles compter sur le produit de la vente de leurs terres, puisque celles-ci, dans le Haut-Canada et dans le Bas-Canada, ne rapportent guère plus de vingt mille livres sterling par année — ce qui défraie à peine le transport de 3,000 colons ? Décidément, selon Sydenham, il ne fallait pas s'illusionner sur la demande effective de main-d'œuvre au Canada.

Ainsi, la suggestion de Durham demeurait une proposition théorique. Pour stimuler la demande de travail, pour rendre pratique la proposition de Durham, il fallait recourir à quelque formule novatrice, provoquer un éclatement du cercle qui empêchait les provinces de franchir l'étape décisive de leur évolution.

Ecoutons Sydenham lui-même exprimer ce qu'il pense, pour le Canada, d'une demande de main-d'œuvre qui eût permis d'anticiper, par ricochet, une demande de terres de colonisation:

> C'est vrai qu'on fait de la grande réclame pour avoir de la main-d'œuvre, et encore de la main-d'œuvre; qu'arrive-t-il ? Aucune demande effective, à moins que ce ne soit durant les récoltes. En dehors de cette période, les fermiers du Haut-Canada vous diront qu'ils sont incapables de les payer. Cette année même 22,000 immigrants sont entrés et la moitié de cet effectif n'aurait pas trouvé d'emploi ou s'en serait allée aux Etats-Unis, s'il n'y avait pas eu, grâce à mon intervention, de travaux publics [8].

Ce « grâce à mon intervention » *(But for the public works I was carrying on)* énonce, nous n'en doutons pas, ce que Sydenham croyait être une tâche normale de l'Etat.

C'est donc dans l'intervention de l'Etat que Sydenham va chercher la solution au problème de l'immigration et de l'utilisation de nouvelle main-d'œuvre en colonie canadienne. Que les migrations soient libres,

---

8. Sydenham, *Letters,* Montréal, November 23, 1840, dans G. Poulett Scrope, M. P., *Memoirs of the Life of Charles Lord Sydenham;* London 1843, 207. Charles Poulett-Thompson fut élevé à la pairie durant son séjour au Canada et prit le nom de Baron Sydenham.

d'accord, mais, au Canada, il faut que les immigrants puissent trouver de l'emploi dès leur arrivée. Or, la meilleure façon de procurer de l'emploi aux arrivants, c'est de les rendre jusqu'au marché du travail, c'est-à-dire, chez ceux qui peuvent effectivement les employer.

On a pensé à la possibilité de distribuer gratuitement des terres à des colons *bona fide*, à condition qu'ils coopèrent à la construction des routes. Il ne restait cependant plus de terres à donner, sauf des terres rendues inaccessibles par l'encerclement des propriétés des spéculateurs (*land jobbers*). Une politique de concession inconsidérée des terres à quelques individus avait singulièrement compliqué la colonisation des deux provinces. Dans le Haut-Canada, la seule province qu'il convenait de coloniser, selon Sydenham, les trois quarts de la superficie colonisable étaient devenus inaccessibles. On avait fait des concessions à deux grandes compagnies, sans y mettre de conditions de peuplement, et ces deux compagnies avaient investi le produit de leurs ventes dans l'achat de terres nouvelles. Sydenham aurait été en faveur d'un prélèvement d'une taxe impériale mais il s'est vite rendu compte qu'une telle taxe n'aurait pas été acceptée par les colonies. C'est pourquoi il a songé à l'organisation de conseils de district qui se seraient chargés de prélever un impôt sur les terrains vacants, ce qui eût permis à ces districts d'entretenir leur voirie.

Tel nous paraît être l'ordre des problèmes auxquels ont fait face les administrations de Durham et de Sydenham. Ces deux administrations nous apparaissent comme les deux étapes de la réalisation d'un même programme. Elles constituent, à notre avis, une phase décisive de la survivance canadienne dans le contexte nord-américain. Durant cette phase, les mesures d'intervention du gouvernement, la façon de les justifier, la manière de les préparer et de les appliquer, allaient marquer la politique économique du Canada de pragmatisme et d'opportunisme.

Nous tenterons maintenant de comprendre les vues de Durham sur l'économie des deux Canadas et de rappeler, autant que possible dans ses propres termes, les points de son Rapport qui nous paraissent avoir valeur de recommandations économiques. Quant à Sydenham, nous essaierons d'abord de comprendre sa façon d'envisager les solutions possibles. Nous tâcherons ensuite de dégager, s'il s'en trouve, les éléments d'une économie politique inhérents aux décisions majeures de son régime.

II. *Les recommandations économiques du rapport Durham*

Les provinces du Canada manquent de capital

Afin de mieux apprécier l'immensité de la tâche de Lord Sydenham, essayons de recueillir et d'assembler les éléments d'une description de l'économie canadienne vers 1840, éléments que nous trouvons dans le célèbre Rapport de son prédécesseur, Lord Durham.

La crise financière et commerciale de 1837 et les troubles qui l'ont accompagnée, la situation pitoyable de l'agriculture dans le Bas-Canada, le détraquement financier du Haut-Canada, tout cela avait plongé l'économie canadienne dans un état de crise. Le Bas-Canada avait contribué à la construction du canal Lachine grâce à un subside du gouvernement impérial de £ 10,000 pour un droit de passage libre des cargaisons militaires. Ce Bas-Canada, qui avait même consenti un prêt à l'entreprise du canal Welland, s'était détourné de toute entreprise commune aux deux provinces et il s'était, au dire de Lord Durham, replié sur lui-même et absorbé dans le problème de la résistance « raciale ».

Le Haut-Canada, de son côté, avait entrepris plus qu'il n'était capable de payer et il avait compromis l'avenir de ses ressources financières. Le gouvernement supportait un déficit annuel de £ 75,000, montant qui dépassait son revenu. Tous les travaux publics étaient suspendus, le flot d'immigration était interrompu et la valeur de la propriété avait décliné de cinquante pour cent. Dans cette province, on avait exécuté de grands travaux jusqu'à la crise de 1837. A ce moment, dans l'opinion de Keefer, « *canal mania reached its height* », lorsque le gouvernement donna l'autorisation de souscrire £ 245,000 pour l'achèvement du canal Welland et £ 930,000 pour divers travaux d'aménagement. La construction du canal Cornwall, aux rapides du Long-Sault, commencée en 1834, fut interrompue en 1837.

Le Bas-Canada, stratégiquement bien situé pour le grand commerce étant donné qu'il en contrôlait l'entrée, se refusait à toute collaboration. Il la considérait comme un obstacle au développement économique. Et pourtant, il fallait relancer l'économie dans la voie du progrès. La solution était d'agrandir l'aire des entreprises, d'accepter un plan d'ensemble, c'est-à-dire, un engagement commun aux deux provinces. C'est dans cette perspective que fut proposé l'Acte d'Union. Toutes les raisons alléguées en faveur de l'union des deux provinces, dit Sydenham, peuvent se ramener, dans la conjoncture de 1840, à cet objectif vital: la restauration de la prospérité.

Cette vue d'ensemble nous permet de cerner de plus près certaines observations de Lord Durham et de dégager de son Rapport des propositions qui ont tous les caractères de recommandations économiques.

Durham évoque la notion fondamentale de son « capital ». En effet, sa principale observation porte sur un défaut de structure qui résulte d'une insuffisance chronique de capitalisation. De la sous-capitalisation dans le Haut-Canada, il écrit en ces termes:

> Une section très considérable de la province n'a ni chemins ni bureaux de postes, ni moulins, ni écoles, ni églises. Les gens peuvent économiser assez pour leur propre subsistance, voire jouir d'une abondance grossière et sans confort, mais ils peuvent rarement acqué-

rir la fortune. Même les riches propriétaires terriens ne peuvent pas empêcher leurs enfants de grandir dans l'ignorance et dans la rusticité, pour leur léguer une condition morale, intellectuelle et sociale de beaucoup inférieure à la leur. Leurs facilités de communications entre eux et avec les villes principales de la province sont limitées et incertaines. A l'exception de la classe ouvrière, presque tous les émigrés qui sont établis depuis dix ans sont plus pauvres aujourd'hui qu'ils ne l'étaient au moment de leur arrivée dans la province. Il n'y a pas de cotisations locales pour faire progresser les moyens de communications. Les fonds votés de temps en temps pour cette fin, d'après le système actuel, sont à la disposition de l'Assemblée... (et) ont presque tous servi à cette partie du pays où le besoin était le moindre [9].

En somme, Durham observe qu'on manque de capital, que la plupart des gens vivent au niveau de la subsistance et qu'ils ne peuvent pas assez épargner pour se donner des cadres de vie meilleure. Peut-être l'épargne aurait-elle été suffisante pour s'organiser au moins localement, dans le cadre municipal. Mais la plupart des citoyens voyaient d'un mauvais œil l'organisation municipale parce que celle-ci exigeait des prélèvements fiscaux sous forme de taxation directe. C'est là, dit Durham, de la fausse économie. « Si les habitants du Bas-Canada avaient été soumis, ou plutôt avaient appris à se soumettre, à un système plus onéreux de taxation, ils seraient aujourd'hui un peuple plus riche, beaucoup mieux gouverné, beaucoup mieux civilisé et beaucoup mieux satisfait. » [10]

On peut toutefois se demander, bien que Durham lui-même ne se pose pas la question, si les habitants du Bas-Canada s'apitoyaient vraiment sur leur sort ou si, tout simplement, ils ne s'indignaient pas de ce que la politique officielle, en grande partie représentée par une minorité puissante, s'affairait trop à modifier leur destinée.

Cette situation de pauvreté relative des habitants du Bas-Canada ne lui est pas exclusive. Il règne une pauvreté semblable dans le Haut-Canada. Là, cependant, l'état de pauvreté est dissimulé par l'activité d'un petit groupe de riches. Avec les dons de terres pour fins d'éducation, on a bâti un collège à York, — un collège que seuls les enfants des riches peuvent fréquenter, les frais annuels de scolarité étant de £ 50 par élève. Dans les régions populeuses, le nombre des écoles est restreint et leur qualité est inférieure. Dans les régions éloignées, il n'y a pas d'école du tout. La présence d'îlots de richesse dans une province pauvre accentue davantage les malaises de structure et le phénomène de sous-développement.

---

9. *Le Rapport de Durham*, Marcel-Pierre Hamel, éd., Québec 1948 (ci-après RD), pp. 214-215.
10. RD, p. 182.

Dans le Haut-Canada, le régime constitutionnel fut longtemps

> sous la tutelle d'un parti qu'on désigne d'ordinaire dans la province
> sous le nom de « Family compact », une étiquette qui ne convient
> guère aux désignations habituelles de partis, d'autant qu'à la vérité,
> il existe très peu de liens de consanguinité entre les personnes du
> groupe... Le banc, la magistrature, les hautes fonctions de l'Eglise
> épiscopale, en grande partie du barreau, tout est occupé par les adhé-
> rents à ce parti. Au moyen d'octrois ou d'achats, ils ont acquis presque
> toutes les terres incultes de la province; ils sont tout-puissants dans les
> banques à charte, et jusqu'à ces derniers temps, ils ont partagé à
> l'exclusivité entre eux, les postes de confiance et de rémunération.
> L'ensemble de ce parti est composé de gens nés dans la colonie ou
> d'émigrés qui s'y sont établis avant la dernière guerre avec les Etats-
> Unis. Ses membres principaux appartiennent à l'Eglise d'Angleterre.
> La défense des prérogatives de cette Eglise a toujours été l'une de
> ses marques distinctives [11].

Les *Clergy Reserves* affectaient un septième des terres à l'entretien du clergé officiel, l'Eglise d'Angleterre. On comprend la sollicitude du *Family Compact* envers cette Eglise. On comprend aussi l'indignation populaire. Lorsque Colborne établit 42 rectorats pour le seul bénéfice de l'Eglise d'Angleterre, il jouait avec de la dynamite. Ce que voulait le parti populaire, c'était un traitement égal pour toutes les Eglises (plusieurs confessions religieuses avaient en effet immigré au Canada) ainsi que l'affectation d'une partie du revenu des terres aux dépenses courantes du gouvernement et à un système général d'éducation [12].

Durham a aussi insisté sur l'absence d'organisation fiscale dans le Bas-Canada. Il déplore cette situation, mais les citoyens du Bas-Canada ne voyaient pas la chose du même œil. Ils se vantaient plutôt de l'absence de fisc sous forme de taxe directe. Ils se réjouissaient également du manque d'organisation municipale, alléguant qu'ils réalisaient ainsi des économies dans l'administration publique. Ils croyaient que l'exemption de taxes, jusqu'à la limite du possible, constituait une forme recommandable d'épargne. Et pourtant, les économies réalisées par l'exemption de taxes directes dont semblaient se réjouir les politiciens auprès de leurs commettants caractérisaient, selon Durham, une politique à courte vue:

> ... L'épargne manifeste des deniers publics n'est due qu'à l'absence
> de nombreuses institutions que toute société policée s'honore de
> posséder. On ne peut pas féliciter un peuple de s'être procuré à peu
> de frais une administration de la justice primitive et imparfaite, un
> fantôme de police, un système d'instruction publique nul, aucun éclai-
> rage des rues, des mauvais pavages dans les villes, des moyens de com-
> munication si rudimentaires que la perte du temps et l'usure des

---

11. RD, pp. 186-187.
12. Aileen Dunham, *Political Unrest in Upper Canada, 1815-1836*, The Carlton Library, n. 10, 1963, ch. VI.

voitures, qui vont au marché, peuvent s'estimer dix fois la dépense pour la construction de bons chemins. Si les habitants du Bas-Canada avaient été soumis, ou plutôt avaient appris à se soumettre à un système plus onéreux de taxation, ils seraient aujourd'hui un peuple beaucoup plus riche, beaucoup mieux gouverné, beaucoup mieux civilisé et beaucoup plus satisfait [13].

La situation financière du Haut-Canada résulte de l'insuffisance des sources de revenu et celle-ci est caractéristique d'un stade de développement économique et social. La province a pu rejeter sur certaines organisations locales l'achèvement de quelques travaux publics. L'insuffisance persistait quand même et force était soit de recourir à la taxation directe, soit d'augmenter le tarif douanier, ce qui ne pouvait se faire sans le consentement du Bas-Canada. Il était inutile de songer à pareille entente avec le Bas-Canada depuis la suspension de la Constitution [14]. Rappelons ce que dit Durham à ce sujet:

> Les relations financières des deux provinces sont une source de difficultés croissantes. Comme la plus grande partie, presque la totalité des importations du Haut-Canada, parviennent aux ports du Bas-Canada, la province supérieure a réclamé une proportion des droits perçus dans le Bas-Canada. La proportion est déterminée de temps à autre par des commissaires nommés dans chaque province. Le Bas-Canada touche aujourd'hui les trois cinquièmes et le Haut-Canada, les deux cinquièmes du revenu. Ce n'est pas encore là la grande difficulté. Le revenu actuel du Haut-Canada ne suffisant pas à faire face aux dépenses, le seul moyen qui reste à cette province de payer les intérêts de sa dette, c'est de hausser le tarif des douanes. Comme presque tous les droits sont perçus dans le Bas-Canada, l'opération ne peut s'effectuer sans élever également le tarif pour les habitants de cette province, laquelle possède déjà un excédent de revenu. C'était pour rajuster cette différence que fut proposée en 1822, l'Union des deux Canadas [15].

Autre source possible de revenu: les postes. Or celles-ci sont subordonnées au Bureau général des postes en Angleterre. L'excédent budgétaire des postes que les provinces remettent à l'Angleterre chaque année s'élève à quelque dix mille livres. Durham est d'avis:

> que si l'on n'adopte pas un régime quelconque de gouvernement fédéral pour les provinces, on devrait laisser à la colonie le contrôle et le revenu du bureau des postes [16].

Trafic, douanes, relations inter-régionales, fiscalité

Une autre observation de Durham porte sur les difficultés du trafic commercial et insiste sur les liens de dépendance du Haut-Canada envers

---

13. RD, p. 182.
14. RD, p. 218.
15. RD, p. 181.
16. RD, p. 182.

le Bas-Canada. Dans les structures de l'époque, le Haut-Canada ne pouvait se donner un régime de transport adéquat sans le consentement, sans
l'engagement même, de la province voisine. Dans le dessein de vaincre
les obstacles à la navigation, la Chambre d'Assemblée du Haut-Canada

> acquit une grande partie des actions du canal Welland commencé
> par des particuliers entreprenants. On entreprit alors le grand canal
> de Cornwall, afin d'éviter aux vaisseaux à gros tirant d'eau les rapides
> du Long-Sault. Les travaux furent presque complétés, mais avec des
> frais immenses. On dit qu'il y eut beaucoup de mauvaise administra-
> tion et d'agiotage dans le maniement des fonds et dans l'exécution
> des travaux. Mais la grande erreur, ce fut d'avoir commencé les
> travaux dans le Haut-Canada sans s'assurer de leur continuation dans
> le Bas. Car cet ouvrage de la province supérieure, une fois achevé,
> sera tout à fait inutile, s'il n'est pas continué sur le St-Laurent entre
> la frontière de la province et Montréal. La Chambre d'Assemblée du
> Bas-Canada refusa négligemment d'y apporter sa collaboration: les
> travaux du canal Cornwall sont aujourd'hui presque suspendus, parce
> qu'il semble inutile de les compléter [17].

Durham ne pouvait être plus clair: on ne canalise point à moitié. A
quoi servirait, en effet, une section du pays bien aménagée, sans le concours de l'autre section qui en est la continuation géographique ? Il faut
un plan. Il faut un centre unique de décision économique. Les marchands
et les Britannisants de calibre anti-*yankee* et anti-canadien-français (qui des
Britanniques ne l'était point de quelque façon ?) se prononçaient en faveur
d'une telle centralisation.

Evoquons le problème auquel faisaient face les marchands impor-
tateurs et exportateurs. Les échanges du Haut-Canada avec les marchés
d'outre-atlantique se faisaient par la voie de l'Outaouais. Or, cette voie est
longue, elle expose à de coûteux délais, elle exige un capital de roulement démesurément lourd. Parce que cette voie coûte cher, le grand commerce qui l'emprunte devient le privilège des agents riches. En conséquence, les marchandises importées se vendent cher. D'où, la tendance du Haut-
Canada à utiliser la nouvelle voie américaine de l'Erié [18], tendance d'autant
plus forte que les investisseurs américains dans la vallée de l'Outaouais
avaient créé un courant commercial avec les Etats limitrophes. L'embranchement Oswego du canal Erié facilitait le courant des échanges
commerciaux nord-sud.

Avec des ouvertures vers le sud par l'Oswego et l'Erié, vers le nord
par le canal Rideau, le lac Ontario était devenu un carrefour. Les îlots
de colonisation agricole ayant accès au lac directement ou, indirectement
par les tributaires et par le canal Rideau, pouvaient écouler un surplus
agricole sur un marché croissant. Au point de vue technique, il était toute-

---

17. RD, p. 218.
18. RD, pp. 216-217.

fois plus facile d'accéder à un port maritime par la voie américaine que par la voie canadienne. Au point de vue économique, il n'était pas tellement avantageux d'importer par les Etats-Unis, par suite des droits d'entrée. Par ailleurs, en empruntant, par l'Outaouais, la voie du nord-est, on s'assujettissait au monopole des expéditeurs-importateurs de Montréal [19].

Devant ces difficultés économiques, on s'était déjà demandé si on ne devrait pas négocier avec les Etats-Unis un régime de transit. Il répugnait d'ailleurs aux Britanniques du Haut-Canada d'accepter la tutelle des marchands de Montréal ou de se soumettre au contrôle de la province voisine. Etant donné les difficultés dans la perception des douanes et l'avantage du Bas-Canada sur le Haut-Canada à cet égard, on avait demandé, dès 1822, un redressement de la situation en proposant l'union des deux Canadas [20].

Les Britanniques du Haut-Canada se sentaient prisonniers d'un espace géographique sans issue vers la mer ou débouchant sur la mer par des voies dont ils n'avaient pas le contrôle. Il était pourtant normal qu'ils s'orientent vers la voie du Saint-Laurent en territoire britannique:

> Les impôts sur les marchandises en provenance américaine, quelle que soit leur nature et d'où qu'elles viennent, sont actuellement tels que les importateurs sont obligés de faire commerce par la voie du Saint-Laurent... le système actuel place le monopole aux mains d'agents expéditeurs sur le Saint-Laurent et sur le canal Rideau [21].

Durham estime, lui aussi, qu'on devrait négocier avec les Etats-Unis un régime de transit. Ce régime allait d'ailleurs se réaliser quelque dix ans plus tard. Durham avait pressenti la force des déterminismes géographiques dans les pays neufs et il avait compris qu'ils s'exercent dans une proportion inverse au degré de développement technologique. Même s'ils ne dominent pas entièrement l'activité humaine, ces déterminismes lui imposent des modalités et stimulent le génie d'adaptation dynamique des commerçants et des politiques [22]. Dans le contexte où ils se trouvaient placés, les Canadiens du Haut-Canada qui avaient à cœur de conserver leur identité britannique contre les sollicitations américaines se devaient de rechercher une solution « britannique » à leur problème.

De ce côté toutefois, ils avaient un obstacle à surmonter: le Bas-Canada. Les Canadiens du Bas-Canada n'envisageaient pas les travaux de canalisation de la même façon, ils n'étaient pas économiquement motivés par les mêmes objectifs, ils n'envisageaient pas le problème de l'immi-

---

19. RD, p. 217. Pour une vue générale de ce problème, voir Albert Faucher, *L'émigration des Canadiens français* dans *Recherches sociographiques*, vol. V, n. 3, sept.-déc. 1964, pp. 277-317. (Reproduit ici pp. 255-296.)
20. RD, p. 181.
21. RD, pp. 216-217.
22. Albert Faucher, *loc. cit.*

gration du même œil. Pour surmonter l'obstacle, il fallait « britanniser » le Bas-Canada en le fusionnant avec le Haut-Canada dans une union législative. Quel mal y aurait-il à cela ? Si on ne le britannise pas, le Bas-Canada va s'américaniser. Laissé à lui-même, il deviendra simplement un Etat dans l'Union américaine. Et d'ailleurs, le Haut-Canada lui-même sera absorbé par les Etats-Unis si le gouvernement britannique décide d'abandonner ses colonies.

Le voisinage des Etats-Unis: Les Anglais ont peur des Américains

On ne saurait trop le répéter: Durham accorde une grande importance au voisinage des Etats-Unis. Pour lui, l'évolution économique, sociale et politique des colonies britanniques de l'Amérique porte la marque de ce voisinage. L'attrait des immigrants européens pour les Etats-Unis est indéniable et le système américain d'attribution des terres justifie pour une bonne part cet attrait:

> Le système américain paraît réunir les conditions essentielles de la plus grande efficacité... Le système a déclenché une immigration dont l'histoire du monde n'offre aucun autre exemple; il a procuré aux Etats-Unis un revenu annuel et moyen d'environ un demi-million de livres sterling, lequel s'est haussé une fois en douze mois à quatre millions de livres, soit plus que toutes les dépenses du gouvernement fédéral.

> Dans les colonies de l'Amérique du Nord, il n'y a jamais eu de système quelconque... Il n'y eut uniformité qu'en un seul point: partout a régné la prodigalité excessive... Néanmoins, dans toutes les colonies jusqu'à tout récemment, et encore maintenant dans quelques-unes, il est très difficile, sinon impossible, à une personne sans influence d'obtenir des terres publiques [23].

Les jeunes gens ont tendance à s'en aller aux Etats-Unis où ils trouvent facilement de l'emploi. Le capital déserte le Bas-Canada. Dans le Haut-Canada même, des colons ont abandonné leurs fermes [24]. Nombre de loyalistes du Bas-Canada ont vendu leurs terres à bon marché à des riches du Haut-Canada [25]. De là, les immenses étendues de terres incultes possédées par des citoyens absents. Le manque de routes, la faible densité du peuplement et du défrichement font que les immigrants se détournent du Canada. La question est capitale. Elle est étroitement liée au problème de la colonisation par les immigrants [26]. A moins qu'on ne résolve ce problème d'attribution de terres aux colons, inutile de songer aux autres réformes [27].

---

23. RD, pp. 234-235.
24. RD, pp. 292-293.
25. RD, p. 246.
26. RD, p. 337.
27. RD, p. 262.

Telles paraissent être les principales observations de Durham sur les problèmes des provinces britanniques du Canada. Il faut insister sur celles qui ont une portée économique et financière.

Après les épreuves des années 1830, le Haut-Canada et le Bas-Canada se trouvaient dans un état de prostration économique qu'on ne peut imputer entièrement aux troubles récents. Les troubles politiques et les impasses financières qu'on associe ordinairement à la révolte de 1837 révélaient des malaises chroniques et des défauts de structure. A preuve, la question des subsides.

Retenons aussi que Durham a particulièrement insisté sur le voisinage des Etats-Unis et sur l'organisation économique et sociale. Le voisinage des Etats-Unis invite l'observateur à la comparaison et fait ressortir la pauvreté relative du Canada. Cette pauvreté se manifeste dans l'urgence des travaux publics, c'est-à-dire, dans un manque de capital au sens où l'entend le rapport de Durham, à savoir qu'une « section très considérable de la province n'a ni chemins, ni bureaux de poste, ni moulins, ni écoles, ni églises », et qu'on n'y dépasse guère le niveau de la subsistance: l'épargne est nulle. Dans le Bas-Canada, absence de « nombreuses institutions que toute société policée s'honore de posséder ». La justice possède une administration primitive et imparfaite; l'instruction n'existe pratiquement pas; les villes sont mal organisées ou délabrées; la voirie est insuffisante ou simplement inexistante. En définitive, dans les deux Canadas, absence ou insuffisance de capital d'infrastructure, impossibilité d'édifier une richesse puisque les fondations manquent.

Au sujet des provinces de l'Est, Durham dit qu'elles ne jouissent pas d'une meilleure santé que les autres provinces britanniques. Le gouvernement représentatif y est associé à un exécutif irresponsable; l'organisation municipale fait défaut; le gouvernement impérial intervient constamment. En général, beaucoup de ressources, pas de richesses: « leurs ressources multiples et variées tournent à peu de choses... » Et de l'autre côté de la frontière politique ? De bons chemins, de bonnes écoles et des fermes florissantes « présentent un contraste violent avec la condition lamentable dans laquelle un sujet britannique trouve les possessions voisines de la Couronne ». Du côté canadien, « partout où l'on découvre des conditions meilleures, le progrès est attribuable à l'immigration des colons ou des hommes d'affaires américains » [28].

Dans la vallée de la Saint-Jean, le capital d'exploitation forestière vient de l'Angleterre: les riches commerçants de Halifax préfèrent placer leurs épargnes aux Etats-Unis plutôt qu'au Nouveau-Brunswick. Quant à Terre-Neuve, il faudrait l'incorporer dans une agglomération de provinces. D'ailleurs, signale Durham, les trois provinces de l'Est ont demandé d'étu-

---

28. RD, p. 225.

dier « les principes et les détails d'un projet de gouvernement unique pour toutes les colonies de l'Amérique du nord britannique » [29].

En somme, toutes les provinces britanniques souffrent d'une insuffisance de cadre technique et de capital social. Elles manquent d'institutions locales qui permettraient aux citoyens de s'initier à la pratique de la démocratie. Elles éprouvent de la difficulté à faire admettre le principe de l'organisation municipale à cause de l'opposition populaire à la taxation directe. *No taxation without representation ?...* Mais alors, pourquoi la représentation lorsqu'il n'y a pas de taxation ? Cette insuffisance d'organisation fait dire à Durham que les Canadiens ont été initiés au gouvernement représentatif par le mauvais bout: ils n'ont pas pratiqué la représentation au niveau local. L'absence de taxation que les Canadiens français regardaient comme le critère d'un gouvernement efficace finit par tourner en leur défaveur. Le manque de capital social ou technique qui en résulta les voua à la stagnation économique. L'appauvrissement des colons rendait plus difficile encore de leur imposer la taxation directe.

Le Rapport de Durham insiste sur le voisinage américain. Il insiste surtout sur le conflit ethnique qui divise le Bas-Canada, sans toutefois ignorer l'importance des déterminismes du milieu géographique et commercial. C'est par-delà cette insistance sur le conflit qu'il faut chercher la pondération qu'il réserve aux facteurs techniques et financiers. Ainsi, Durham observe qu'il y a absence de réseau interne de transport, donc sous-capitalisation sur le plan de l'organisation générale. Le Bas-Canada avait construit le canal Lachine; le Haut-Canada avait construit le canal Welland; les travaux avaient été interrompus, à l'occasion des troubles, dans la région de Cornwall. Durham affirme: il faut reprendre les travaux publics « selon un plan d'ensemble »; il n'y a pas d'autre moyen de relancer l'économie dans la voie du développement. A cette fin, il faut créer un cadre fiscal, une armature financière, une province, un système financier. La province du Canada, nécessité économique, sera le cadre d'exécution d'un plan de travaux publics. La province du Canada, création politique, aura la capacité de négocier avec le gouvernement impérial. C'était reconnaître que la division politique en Haut-Canada et Bas-Canada était devenue économiquement nuisible. C'était accepter un cadre administratif plus conforme aux réalités économiques. Il semble bien que, par-delà les problèmes financiers, par-delà l'idée d'absorption des Canadiens français dans la masse britannique, l'union des provinces se soit imposée à l'esprit de Durham comme la condition d'un programme de travaux publics:

> L'union favoriserait l'achèvement des travaux publics projetés et nécessaires. L'accès à la mer serait assuré au Haut-Canada. L'épargne des deniers publics, garantie par l'union des divers établissements dans les deux provinces, donnerait les moyens d'administrer le gouverne-

---

29. RD, pp. 220-221.

ment général sur une échelle plus efficace qu'il ne l'a été jusqu'à ce jour [30].

Bien sûr, l'union était aussi un moyen d'envisager l'absorption ou la « britannisation » des Canadiens français. Durham, d'ailleurs, l'affirme sans ambages. Et l'historiographie canadienne ne manque pas de nous le rappeler copieusement...

L'Union, cadre d'opération économique: le point de vue est britannique et anti-américain

A vouloir trop insister sur l'aspect technique de la question, comme nous y invite le Rapport de Durham lui-même, on court le risque de minimiser l'importance des raisons économiques, mercantiles et pragmatiques, des décisions politiques. On esquive une grande partie de la question. En effet, l'Union ne visait-elle pas aussi à constituer une barrière efficace contre l'américanisation ? Ne fallait-il pas protéger l'intégrité du caractère britannique du colon du Haut-Canada comme du Bas-Canada ? Car « l'influence des Etats-Unis l'encercle de toute part et lui est toujours présente » [31]. Dans le cadre nouveau de l'Union, il devenait normal que les citoyens pussent répondre eux-mêmes de leur engagement financier. C'est pourquoi, l'idée de responsabilité ministérielle survient dans le schéma de Durham comme corollaire de la responsabilité financière.

Il faut enfin signaler qu'aux réflexions de Durham sur le mode d'attribution des terres auxquelles nous avons déjà fait allusion, s'ajoutent les éléments d'un plan de colonisation. Au fait, peut-on trouver dans le Rapport Durham un plan de colonisation ? Chez Durham lui-même, rien de bien explicite. Le plan de colonisation se dessine plus nettement chez Sydenham qui en discute avec Buller et avec Wakefield en rapport avec les problèmes d'immigration et de travaux publics. Néanmoins, nous trouvons dans le Rapport Durham les principaux éléments de la discussion. Essayons de rassembler ces éléments.

Le programme de Durham repose sur un système d'administration des terres susceptible d'attirer les immigrants et qui réaliserait les conditions suivantes:

a) Fournir des fonds d'aide à l'émigration britannique;

b) Créer ou améliorer des voies de transport dans les deux provinces centrales ou dans la région d'un futur Canada uni;

c) Assurer de l'emploi aux immigrants dès leur entrée au pays;

d) Encourager l'investissement de capitaux au pays;

---

30. RD, p. 323.
31. RD, p. 325. Le voisinage des Etats-Unis est un donné dont il faut tenir compte politiquement, économiquement, démographiquement. Voir RD, pp. 313, 236, 237, 283, 287, 288, 292, 293.

e) Favoriser la consommation de produits britanniques;

f) Accroître le pouvoir d'achat des colons canadiens.

Voilà ce qui semble constituer les éléments d'un programme économique que Sydenham s'appliquera à exécuter. L'Angleterre endosserait ce programme comme solution à son problème d'émigration et, ainsi, l'émigration « ... n'entraînerait de dépenses ni pour les colonies ni pour la mère patrie » [32].

Retenons l'idée d'une colonisation payante (celle de Buller et de Wakefield, en somme). L'exposé de Durham sur ce point est incomplet et il implique un raisonnement *ex ante,* non explicite, en ce sens qu'il n'établit pas la preuve de la possibilité d'une colonisation « payante », ce qui le rend à la fois obscur et intéressant. Il situe Durham dans la lignée des visionnaires, avec Sydenham et d'autres qui le suivront et qui verront dans le « transcontinentalisme » canadien une entreprise rentable au minimum, c'est-à-dire, qui se paierait d'elle-même (*self-liquidating,* comme on dira plus tard au sujet de l'Ouest canadien).

Quelles sont les recommandations de portée économique du Rapport Durham ? Disons qu'elles se ramènent à cinq thèmes majeurs:

1. Il faut tenir compte du voisinage des Etats-Unis. C'est là une constante de la pensée politique jusqu'en 1839. Le Canada a besoin d'immigrants, mais à quoi sert d'en recevoir s'ils s'en vont aux Etats-Unis ? L'épargne canadienne même s'en irait aux Etats-Unis [33].

2. Il faut un système municipal. Il ne faudrait pas que le parlement provincial s'occupe d'affaires de paroisse.

3. Il faut unir les deux provinces. Durham a pensé à deux sortes d'union [34]. En arrivant en Amérique, il envisageait une fédération des provinces britanniques. Par la suite, il a pensé qu'il suffirait d'unir les deux provinces centrales sous une législature unique. Il a dit du régime fédéral qu'il aurait été un régime faible et encombrant. Immédiatement, il fallait utiliser les excédents budgétaires du Bas-Canada à bon escient: cela signifiait que les surplus du Bas-Canada devraient servir à compenser les déficits du Haut-Canada.

4. Il faut poursuivre de grands travaux publics dans les cadres de l'Union législative: « ... Les grands travaux publics... intéressent l'une et l'autre province... »

> L'Union favoriserait l'achèvement des travaux publics projetés et nécessaires. L'accès à la mer serait assuré au Haut-Canada. L'épargne des deniers publics, garantie par l'union des divers établissements dans

---

32. RD, p. 337.
33. RD, p. 288.
34. RD, pp. 319-320.

les deux provinces, donnerait les moyens d'administrer le gouvernement général sur une échelle plus efficace qu'il l'a été jusqu'à ce
jour...

Je me demande si on ne réussirait pas mieux encore en étendant
cette Union législative à toutes les provinces de l'Amérique du Nord
et si les avantages que je prévois pour deux d'entre elles ne pourraient
pas et ne devraient pas en justice s'étendre à toutes [35].

Une union forte protégerait l'intégrité du caractère britannique du
colon. En effet, « l'influence des Etats-Unis l'encercle de toute part et
lui est toujours présente » [36].

5. Il faut un système de colonisation axé sur la mise en valeur des
terres, ce qui exige d'abord une réforme de l'administration des terres.

III. La politique de Sydenham

L'inquiétude des Canadiens et la problématique des Anglais

Lorsque Sydenham arriva à Québec le 19 octobre 1839, comme gouverneur général du Canada, l'inquiétude politique était générale. Papineau
était en exil. Quelques-uns de ses amis étaient en prison. La constitution
avait été suspendue. La Province était gouvernée par un Conseil spécial
nommé par la Couronne. Les Canadiens français étaient considérés comme
des rebelles. Dans le Haut-Canada, Mackenzie avait fui; le peuple était
hostile au *Family Compact*, les Protestants aux Catholiques, les Wesleyens
aux Anglicans. Baldwin réclamait le gouvernement responsable mais les
dirigeants politiques croyaient que le temps n'était pas encore venu de
l'accorder. Aux Etats-Unis, le sentiment antibritannique semblait s'accentuer. Sur la scène internationale, la tension existait déjà entre la France
et l'Angleterre [37]. Sydenham n'était cependant pas un nouveau venu en
politique. Il avait fait partie du gouvernement de Melbourne. Il avait
surtout été au Board of Trade durant huit ans. Il connaissait bien les
disputes qui, depuis 1836, s'étaient déroulées en Angleterre sur les façons
possibles de régler la question du conflit des civilisations au Canada et
il n'en sous-estimait pas l'importance.

Déjà en 1836, devant l'imminence d'une révolte des Canadiens français, les dirigeants britanniques avaient réfléchi sur l'hypothèse de l'indépendance du Bas-Canada et sur ses conséquences éventuelles. On avait
jugé une telle solution irrecevable pour plusieurs raisons: l'indépendance

---

35. RD, p. 323.
36. RD, p. 325.
37. Paul Knaplund, *Letters from Lord Sydenham,* London 1931, p. 28;
Edgar McInnis, *The European Background of the 1840's* in *Canadian Historical
Association,* Report 1938.

du Bas-Canada pourrait susciter des troubles dans les autres colonies; l'indépendance n'éliminerait pas les conflits entre Anglais et Français à l'intérieur de la province; enfin, l'indépendance pourrait entraîner l'annexion du Bas-Canada à l'Union américaine. De toute façon, il en résulterait un démembrement de l'Empire et une humiliation du pouvoir souverain [38]. Ces messieurs du Colonial Office étaient donc d'avis qu'il fallait tenir tête aux Canadiens français et ils envisageaient diverses modalités de résistance. Suspendre la constitution ? C'eût été imposer la dictature. Les troubles n'en seraient que différés. Mieux valait compter sur la force d'inertie: les pacifistes, les timides, la masse en somme, travailleraient en faveur des Britanniques. Modifier la constitution de façon à diminuer l'influence de Papineau ? Ce serait violer la constitution. Proposer au Parlement l'abrogation de la Loi des subsides transférant à l'Assemblée l'appropriation des droits prélevés en vertu de la loi de 1774 ? L'Assemblée n'en demeurait pas moins puissante [39]. L'union des deux provinces ? Elle serait, disait-on, impopulaire dans les deux provinces: Quelle cohérence pourrait avoir une assemblée composée d'éléments aussi hétérogènes ?

On s'arrêta ensuite à une autre solution possible, plus acceptable que la précédente, la division du Bas-Canada en deux provinces auxquelles on offrirait la constitution suivante:

> En prenant le Saint-Laurent comme frontière commune, le territoire du Sud, ou Canada-sud, contiendrait la grande masse des colons anglais. Le territoire du Nord, ou Canada-nord, contiendrait la grande masse des habitants français. Le Canada-nord serait ensuite subdivisé vers le Nord, de façon à en soustraire les vastes régions encore inoccupées entre le Saint-Laurent et les lacs. C'est cette dernière subdivision qu'on ouvrirait à la colonisation britannique [40].

Telle était la façon dont le Colonial Office concevait la division du Bas-Canada en trois sections; les terres seigneuriales, les terres en commun socage du sud, les terres en commun socage du nord [41]. Les avantages d'une pareille division étaient manifestes aux yeux des Britanniques. L'influence des Canadiens français aurait été réduite à des proportions insignifiantes. En outre, grâce à cette division, il aurait été possible de modifier, au besoin, la constitution du Canada-Nord (subdivision réservée aux habitants canadiens-français), sans choquer les colons anglais. Enfin, les colons du Canada-Sud cesseraient de songer à l'annexion aux Etats américains comme un moyen d'échapper à la domination canadienne-française.

---

38. APC, Grey of Howick Collection, Film A-403, 30-31.
39. *Ibid.* 32-34.
40. *Ibid.,* 39.
41. *Ibid.,* 3, Colonial Office, Jan. 1837, point 7 of *The Proposed Canada Act.*

Ces idées avaient cours en Angleterre lorsque Lord Durham arriva comme haut-commissionnaire au Canada mais elles avaient perdu de leur poids. Elles cédaient à la pression des intérêts économiques. En 1837, les financiers de la petite Angleterre nord-américaine, représentants des banques Glyn et Baring, ont leur mot à dire. On est engagé dans un épisode décisif de l'histoire coloniale [42] et, dans cet épisode, George Glyn et Francis Baring jouent à plusieurs titres un rôle capital.

La détresse financière qui a pesé sur le mécanisme des décisions politiques autour de 1840 prend sa source dans l'endettement de la province du Haut-Canada. Celle-ci est endettée envers des fiduciaires étroitement associés, de façon politique ou autre, aux destinées de l'Empire britannique en Amérique du Nord. Parce qu'elle était la plus progressive des provinces pour le taux de peuplement et de colonisation, la province du Haut-Canada était aussi la plus endettée. En 1835, elle contractait à Londres un emprunt de £ 400,000, espérant que les revenus de ses douanes (perçues, comme nous l'avons rappelé, dans le port de Québec) allaient suffire à payer les intérêts de l'emprunt. Ce sont les maisons Baring et Wilson & Co., qui négocièrent cet emprunt. Or, la maison Wilson & Co., profondément engagée dans le commerce anglo-américain, ne put survivre à la crise commerciale de 1837. Elle fit faillite et ferma ses portes le 2 juin de cette année-là. Cette maison Wilson partageait avec la maison Baring l'agence financière de la province du Haut-Canada. Elle était aussi l'agence londonienne de la Bank of Upper Canada. Mais juste avant la faillite de Wilson, en 1837, la Bank of Upper Canada avait transféré son agence à la maison Glyn. Ainsi, à compter de ce moment, la maison Glyn devait partager avec la maison Baring l'agence financière du Haut-Canada. D'où, l'inévitable intrusion de ces deux maisons de finance dans les affaires du Canada à compter des faillites économiques de 1837.

L'impact de l'endettement

Dans une lettre à Sir George Grey, sous-secrétaire d'Etat aux colonies, George Carr Glyn semble à la fois se réjouir et s'étonner de la tournure des événements: non seulement, disait-il, nous devenons les agents des banques, nous assumons aussi les responsabilités de Wilson & Co. en tant qu'agence financière du gouvernement. A ce dernier titre, la maison Glyn se devait de payer les dividendes sur les obligations canadiennes de la maison Wilson & Co. Le Receveur général du Canada, décontenancé par la conjoncture banqueroutière, s'était acheminé vers Londres. Pendant qu'il faisait route, Glyn et Grey se rencontraient. On était au 11 juin 1837. Qu'avaient-ils conclu ? Que Glyn accepterait les obligations assumées par Wilson & Co. et que le Receveur général du Canada n'avait plus

---

42. Albert Faucher, *Some Aspects of the Financial Difficulties of the Province of Canada* in *Canadian Journal of Economics and Political Science*, vol. XXVI, n. 4, 1960. Aussi *The Three Banks Review*, n. 49, March 1961.

le choix d'une nouvelle agence: Baring et Glyn allaient s'occuper de ses affaires. Heureuse nouvelle peut-être, au sens comptable, mais nouvelle qui devait laisser l'impression que le Canada était encore le fruit vert, indétachable de l'arbre impérial. C'est la nouvelle que le Receveur général devait apprendre en débarquant en Angleterre. On peut aisément imaginer sa réaction.

C'est dans cette conjoncture que Lord Durham assuma ses fonctions de gouverneur plénipotentiaire. A la fin de son mandat, l'idée de morceler le Canada était périmée et Durham lui-même recommandait d'unir les deux Canadas. L'année suivante, un ami de George C. Glyn, C. Poulett-Thomson, fut nommé gouverneur du Canada Uni et élevé à la pairie sous le titre de baron Sydenham (Sydenham et Toronto). Entre-temps, Francis Baring, politicien et financier, l'associé de Glyn dans les affaires canadiennes, s'était familiarisé avec la théorie de la nouvelle colonisation élaborée par Edward Gibbon Wakefield [43]. Toutes les propositions précédentes, y compris l'annexion de la ville de Montréal au Haut-Canada, furent rejetées, sauf l'union législative. On retint celle-ci comme la plus conforme aux nécessités financières [44]. Malgré l'opposition, Durham avait choisi la solution la plus simple et la plus pratique à la fois. Les autres solutions par voie de sectionnement ou de morcellement ne répondaient pas à l'objectif principal, à savoir, le contrôle d'un port maritime sur le Saint-Laurent. Pour les financiers qui devaient compter sur les revenus des douanes, il était normal de s'assurer le contrôle politique de ces revenus et de faciliter le trafic d'importation en reliant directement la région des Grands Lacs à un port maritime. Pour Sydenham, les jeux étaient faits. Il s'agissait d'exécuter. Il insista sur l'importance d'une intervention énergique du gouvernement impérial. Il demanda au gouvernement impérial de voter la Loi de l'Union des deux provinces. Tel était, en effet, le meilleur moyen de répartir la dette et d'élargir l'assiette de l'impôt [45].

Le prix de la restauration économique

Il fallait relancer l'économie, prétendait Sydenham, en utilisant les terres à des fins de colonisation et en organisant la colonisation en fonction de l'émigration britannique. Comme condition fondamentale, il fallait préparer l'infrastructure essentielle à la rentabilité de l'entreprise: investir dans les moyens de transport. Il fallait une politique des terres, une politique d'immigration, une politique d'investissement et, comme condition générale, un gouvernement fort. Il fallait l'union législative pour mater l'opposition et mener à terme l'impérialisation de l'économie [46].

---

43. Edward Gibbon Wakefield, *England & America,* New York 1834.
44. APC, *Durham Papers,* M.G. 24, Glenelg to Durham, January 20, 1838.
45. APC, M.G. 11, série Q. 261, 181.
46. APC, Q. 270, Part 2, 462, A. Thomson to Russell.

Les espoirs d'une restauration économique reposaient, selon Sydenham, sur des décisions du gouvernement impérial: une décision positive et énergique dans le règlement des terres du clergé, une aide financière favorable au développement des ressources de la province.

Le plan d'immigration de Sydenham s'articulait à une politique de distribution de terres. De façon immédiate, il s'articulait à une politique d'emploi. Il fallait procurer de l'emploi aux colons dès leur arrivée, sans quoi ils ne pourraient demeurer. Sydenham en avait pour preuve l'expérience récente d'une colonie irlandaise qui avait été dirigée vers le Haut-Canada par le Colonel Wyndham et dont le récit était consigné dans le rapport A. B. Hawke, en date du 31 décembre 1839. Qu'était-il advenu des immigrants envoyés par le colonel Wyndham au cours de l'été de 1839 ? Comment les avait-on employés, comment étaient-ils établis aujourd'hui ? Telles étaient les principales questions que Hawke avait adressées à ses agents locaux [47]. L'expédition Wyndham comprenait 27 chefs de famille, 14 jeunes hommes, 14 jeunes femmes et un certain nombre d'enfants. De tous ces immigrants, trois seulement seraient restés dans le Haut-Canada, les autres seraient allés travailler aux Etats-Unis [48]. Selon Hawke, la désertion des colons britanniques aurait été imputable au fait qu'il n'y avait pas de travaux publics pour employer les immigrants dès leur arrivée au pays. Il n'en fallait pas tant, écrit Sydenham, pour me convaincre de l'urgence des travaux publics. Mais quels travaux pouvait-on entreprendre dans l'état où se trouvaient les finances de la province ? On ne pouvait même pas terminer ceux qu'on avait commencés.

C'est pourquoi, ajoutait le gouverneur, une politique de travaux publics doit s'appuyer sur une restauration financière, et celle-ci, sur une réforme politique. Sydenham faisait aussi sienne la proposition de Hawke qui visait à établir immédiatement les nouveaux colons en leur concédant de petits lots. Ce serait les attacher au pays dès leur arrivée et leur procurer l'occasion d'acquérir de nouveaux lots durant les premières années de leur séjour. Il reste que les travaux publics devaient continuer de compenser le manque d'emploi saisonnier qui frappait la majorité des colons. Il appartenait au gouvernement de préparer la voie aux immigrants et de leur faciliter la tâche de l'adaptation au milieu.

Et l'autorité impériale ?

Le moment était venu pour Sydenham de soumettre son plan à la Chambre du Haut-Canada et de lui demander de solliciter le consentement royal. Il lui fallait, entre-temps, combattre les rapports des factions antiunionistes auprès du gouvernement impérial. Sydenham y employa

---

47. APC, Q. 270, Part I, 47.
48. APC, M.G. 11, série A. 270. Part I, 39, Thomson to Russell, January 18, 1840.

tous ses talents de stratège. Témoin, cette longue lettre à Russell au sujet du mémoire contre l'Union que Neilson, éditeur de la *Quebec Gazette*, avait fait parvenir à la reine [49]. Témoin encore, ce long reportage du *Montreal Herald* envoyé à Russell par une assemblée montréalaise pro-unioniste et anti-Neilson.

Enfin, une requête de la Chambre du Haut-Canada fut adressée à la reine, demandant la sanction royale du Bill de l'Union [50]. La Loi de l'Union fut approuvée par la Chambre des communes britannique, comme nous l'avons rappelé au début, le 23 juillet 1840. L'Union fut officiellement proclamée le 5 février 1841. Deux semaines plus tard, Sydenham écrivait à Russell :

> Dans le Bas-Canada (excepté dans les villes, et un ou deux comtés où les Anglais représentent la majorité), nous n'aurons pas un seul représentant qui ne haïsse point le régime britannique, et les relations avec les Britanniques... [51]

Qu'importait l'opposition du Bas-Canada, pourvu que l'Union fût agréable au Haut-Canada ! Que pouvaient valoir les représentations du gouverneur et de ses partisans auprès du gouvernement impérial, puisque celui-ci était déjà au courant des manèges de l'opposition ? Melbourne avait écrit à Russell :

> Nous allons bientôt faire l'union législative des deux provinces. Nous avons le sentiment que nous ne pouvons pas voter cette union sans le consentement du Haut-Canada. Nous lui donnons donc la chance de se prononcer sur la question. Mais nous n'accorderons pas ce privilège au Bas-Canada. Nous lui imposons plutôt l'union pendant la suspension de la constitution [52].

---

49. APC, Q. 270, Part 2, 463 A, 23, Feb. 12, 1840. « *M. Neilson, who is editor of the* Quebec Gazette *and a member of the Special Council has, throughout been opposed to the Union and has devoted the columns of his paper to an attack on the measure... I enclose a copy of those resolutions on the unreasonableness of which it is unnecessary to comment... The principal parties to these transactions are Mr. Neilson, who is already well known by name by our Lordship, Mr. Glocke-meyer, a notary of some practice, but generally considered as a follower of Mr. Neilson, Messrs. Huot, Berthelot and Caron, advocates and formerly members of the Assembly, attached to Mr. Papineau's party, Mr. Etienne Parent, Editor of the* « canadien » *newspaper, and Law Clerck of the late Assembly, who, only a month ago, advocated the Union warmly in his journal, Mr. McDonald, the Editor of* Neilson's French Gazette *and Mr. Aylwin, Editor of the* Canadian Colonist *and a Lawyer in some practice, but without any political character.* »

50. APC, Q. 270, Part 2, 463 A, 25.

51. Sydenham to Russell, Montreal, February 24, 1841, cité par Knaplund, *Letters*, 118-119.

52. Cité par C.R. Sanderson, *Some Notes on Lord Sydenham*, Manchester University Press, 1941, p. 8. Dans les instructions de Russell à Sydenham, 7 septembre 1839, on lit : « Nous ne nous sommes jamais dissimulé que le succès d'un plan pour régler les affaires du Canada devait dépendre du concours et de l'appui

Il est sûr que si Sydenham avait eu à compter sur l'Assemblée du Bas-Canada, l'Union n'aurait pas eu lieu. Mais puisqu'il tenait à l'Union à tout prix, alors que, peut-être, le gouvernement impérial aurait pu se contenter de moins, c'est vers le Haut-Canada qu'il se tourna et qu'il demanda à son Assemblée d'accepter l'Union, sans condition. Il ne laissa pas les choses au hasard. Il fit de la cabale. Il rencontra les représentants un par un. Bagot, son successeur, l'a dit: c'est en faisant valoir les arguments de la dette publique, de la collection des douanes, du prêt impérial, des travaux publics, auprès des individus et auprès de chacun des députés que Sydenham fit un « succès » de la session de la Chambre. Il ne se gênait pas lui-même pour répéter qu'il n'était pas venu pour gouverner mais pour faire accepter de grandes décisions [53]. Il nous reste à mettre en lumière la « rationalité » économique du plan qu'il réalisa durant son régime.

IV. La condition nord-américaine des provinces britanniques

Un facteur déterminant: l'immigration

Le peuplement des provinces d'Amérique par l'émigration du Royaume-Uni paraît être le facteur déterminant du système Sydenham. D'ailleurs, les suggestions et les instructions de Russell à Sydenham dérivent d'un mémoire du Comité de colonisation britannique, (*The North American Colonisation Committee*), en date du 24 avril 1841 [54]. Ce comité a prétendu que les villes industrielles de l'Ecosse, certaines régions de l'Angleterre et presque toute l'Irlande sont incapables d'assurer la subsistance de leurs populations actives ou en état de travailler. Il a également prétendu qu'il existe en Amérique une demande de travailleurs, qu'il y a des terres fertiles à défricher et que le colon y deviendra éventuellement un employeur:

> de sorte que, loin de décroître à mesure qu'on y enverrait des émigrants, la demande de main-d'œuvre augmenterait sans cesse.

Tel est, en effet, le problème: il faut transplanter du Royaume-Uni un surplus de population,

> dans ces colonies où il sera accueilli comme producteur de richesse au lieu de végéter ici à la charge de la communauté [55].

---

des provinces elles-mêmes. C'est pourquoi, le premier et le plus important des devoirs que vous aurez à remplir, sera de connaître leurs vœux formés avec délibération, et d'obtenir leur coopération par des communications personnelles franches et sans réserve ». Dans les mêmes instructions Russell recommande d'y aller de son propre jugement quant aux moyens de réaliser l'Union, en s'appuyant particulièrement sur le Haut-Canada.

53. Bagot to Stanley, September 26, 1842, cité dans C. R. Sanderson, *Some Notes*, p. 23.
54. APC, R.G. 7, G. 1, vol. 97, 129.
55. *Ibid.*, 128.

Cette suggestion implique une double fonction: celle de soulager le Royaume-Uni d'un surplus de population, celle de fournir au Canada la population britannique essentielle à son développement. Elle fait écho à une requête de la Chambre du Haut-Canada à la reine, en 1838, alors que MacNab en était le président, qui réclamait une colonisation « britannique » patronnée par le gouvernement.

Ceci nous amène à examiner de plus près le plan de « colonisation systématique » élaboré par Edward Gibbon Wakefield et Charles Buller. Buller définit ainsi la colonisation systématique:

> C'est l'œuvre d'une société civilisée qui, voulant assumer une dimension nouvelle, transporte ses pauvres dans un pays neuf et les y installe, et non cette émigration simple qui les transvase dans un endroit où ils peuvent mourir sans que leurs supérieurs ne soient dérangés par le spectacle ou par les cris de leur agonie [56].

Bien que cette conception eût cours depuis assez longtemps déjà, bien que la Commission d'émigration récemment constituée en Angleterre y adhérât plus ou moins officiellement, Sydenham se défendait bien de se réclamer de l'autorité de Wakefield, du moins jusqu'en 1840. En octobre 1840, il écrivait à Russell:

> Vraiment, les rapports qui me parviennent de votre Commission d'Emigration me plaisent beaucoup... Je suis assuré que votre décision d'établir cette commission fera beaucoup de bien, en dépit de ce coquin de Monsieur E. G. Wakefield qui, je suppose, est indigné de n'avoir pas été appelé à en faire partie [57].

Mais Sydenham devait quand même compter avec M. Wakefield parce que celui-ci représentait certains groupes de pression. Wakefield avait la confiance, entre autres, d'une société de propriétaires de terres dans le comté de Beauharnois, personnages de distinction, financiers et commerçants [58]. Et voilà que Wakefield arrive à Montréal le 25 mai 1841,

---

56. Charles Buller, Esq., M. P., *Systematic Colonization,* London 1843, p. 61.

57. Paul Knaplund, *Letters,* Thomson to Russell, October 12, 1840.

58. APC, R.G. 7, G. 1, Vol. 96, 421, 422. Russell to Sydenham, March 26, 1841. Russell dit qu'il a reçu des requêtes de trois compagnies de terres intéressées au développement du Canada; on lui fait des suggestions pour la promotion de l'agriculture et du commerce, pour la poursuite de travaux publics. Il dit qu'il ne peut lui-même expliquer tout de suite plus clairement que ne l'ont fait les requérants la nature du projet. « *Among the memorialists are* some persons of considerable wealth and commercial eminence... *(They) propose to raise and to advance as a loan, large sums of money, to be applied, first, to the improvement of navigation of the St. Lawrence, and to other similar works; and, in the next place, in the introduction of emigrants into Canada, and their settlement there. I do not understand them* to ask for themselves any participation in the actual execution of the works in question, or any voice in deciding as to the manner in which they should be affected »... Ils comptent que ça peut se faire par une législation pourvoyant aux fonds nécessaires à ces entreprises « *with the best possible guarantees for the skill and*

à titre de représentant de l'Irlande pour la Seigneurie de Beauharnois [59].

Le système d'Edward Gibbon Wakefield, *The Art of Colonization,* est fondé sur un dosage des facteurs de production dont il a été question au début de cette étude. L'immigration, en tant qu'élément de ce système, est fonction de l'état des facteurs de production dans les vieux pays et dans les jeunes pays. Dans un jeune pays, les terres sont abondantes tandis que les ressources humaines et le capital sont rares. La Grande-Bretagne du XIXe siècle avait une surabondance de population de main-d'œuvre. D'autre part, un surplus d'épargne exigeait de nouveaux champs d'investissement. Charles Buller écrit:

> Le capital et le travail sont surabondants ici; ils font défaut dans les colonies. Le travail sans capital ne serait pas efficace dans la colonie, et le capital ne produit rien si on n'y applique du travail. Aux Etats-Unis, l'aisance économique étant assez répandue, le capital et le travail sont étroitement associés et l'émigration normale vers l'Ouest, c'est que le travailleur emporte avec lui un capital suffisant pour organiser sa ferme [60].

En conséquence, il faut veiller au recrutement d'une classe d'immigrants qui constituent un enrichissement pour la colonie; il faut éviter de voir dans l'émigration britannique un moyen de se débarrasser des pauvres. La seule chance de travailler, en Amérique, c'est de cultiver la terre. Il n'existe, hormis l'agriculture, aucun marché du travail. Les terres sont si abondantes que chaque immigrant peut devenir propriétaire:

> Et le système qui prévalait dans nos colonies était fatal pour le travailleur à gages. On pouvait se procurer des terres si facilement que personne ne songeait à cultiver la terre d'un autre. Dès leur arrivée dans la colonie, les travailleurs pouvaient se procurer des fermes. En conséquence, ne pouvant compter sur les services de l'émigrant qu'il emmènerait avec lui en colonie, non plus que sur la main-d'œuvre déjà établie dans la colonie, le capitaliste refusait de collaborer au mouvement d'émigration.
> Pour toutes ces raisons, l'émigration s'effectuait d'une façon très insatisfaisante, et l'on manquait les objectifs mêmes de l'émigration. Bien sûr beaucoup émigraient, et ceux qui se rendaient aux Etats-Unis, où ils trouvaient de l'emploi comme salariés, réussissaient. Mais l'émigration n'avait aucun effet sur le marché du travail; elle n'a pas allégé

---

promptitude with which they should be carried on, and superintended »... « *As a security for the repayment of their advances, the memorialists* look to the Land Revenue of Canada. *For this purpose they propose that there should be some important change in the Law* ». Ces propositions ne manquent pas d'intérêt; elles illustrent l'influence des groupes de pression dans l'élaboration de la politique canadienne.

59. Paul Knaplund, *Letters,* Sydenham to Russell, Montreal, May 25, 1841. Helen Taft Manning, *E. G. Wakefield and Beauharnois Canal* in *Canadian Historical Review,* vol. XLVIII, n. 1, March, 1967.

60. Charles Buller, *Systematic Colonization,* p. 37.

le fardeau de la taxe d'assistance aux pauvres *(poor rates)*; et relativement peu d'émigrants s'en allaient dans nos colonies et, parmi ceux
qui s'y rendaient, un petit nombre seulement pouvait servir comme
main-d'œuvre [61].

Buller, on le voit, déplore que les émigrants britanniques ne contri-
buent pas à l'accumulation de capital et qu'ils deviennent plutôt un fardeau pour la colonie.

A tout prendre, l'émigration ne promettait rien de bon, tant que M.
Walkefield n'eût pas promulgué la théorie de colonisation qui porte
son nom. Il a suggéré deux moyens d'obvier aux difficultés que je
viens de décrire: attirer du capital dans les colonies, y faire venir de
la main-d'œuvre [62].

Il faut donc créer dans les colonies un marché du travail. Il faut développer un marché des terres. A cette double fin, il faut pratiquer une
immigration sélective: il faut au Canada une classe d'immigrants capables
d'acheter.

Ainsi, la colonisation par l'immigration deviendrait une affaire viable
et rentable le jour où se développerait dans la colonie une classe de capitalistes [63]. Cela supposait que la colonie soit déjà pourvue d'un capital
d'infrastructure. Cette condition revêt, dans les conceptions de Sydenham,
un caractère d'urgence. Dans le manque d'infrastructure, il voit une pierre
d'achoppement. Comment, en effet, vendre des terres à des capitalistes
si ces terres sont inaccessibles et s'il n'y a pas moyen d'écouler des produits agricoles sur les grands marchés ?

Tel que présenté par Charles Buller, le système de Wakefield est axé
sur la vente des terres coloniales à des colons capitalistes qui emploie-
raient une main-d'œuvre importée et bien sélectionnée en fonction d'un
marché agricole du travail. Ce système exige une certaine exportation de
capital britannique, une transplantation de Britanniques et une implanta-
tion d'institutions britanniques en pays neuf. Cette vision n'était évidem-
ment pas sans attirer la sympathie des partisans politiques d'une *Greater
England,* des financiers et des exportateurs de capital. Francis Baring
y adhère [64].

---

61. *Ibid.,* p. 38.
62. *Ibid.,* pp. 37-38.
63. *Ibid.,* Il faudrait même créer une rareté artificielle des terres.
64. Charles Buller avait dit dans son discours à la Chambre des Communes,
avril 1843, (reproduit en brochure, *Systematic Colonization*): « *But, fortunately, the
system in question found, from the first, most able advocates among some of the
most distinguished writers out-of-doors, as well as among some of the ablest members of this House; among whom I must name with particular respect my honourable friend the member for Sheffield, who, four years ago, brought to have been
heard by no one who has now to put up with mine as a substitute; my honourable
friend the member for Limerick, who has since been the advocate of the same
views; my noble friend the Secretary for Ireland who gave them his powerful aid*

C'est sans doute cette « rationalité » économique qui a rendu viable l'union des deux Canadas car l'Union a survécu à Sydenham, son promoteur. Elle a survécu à Bagot, à Metcalfe et aux autres. Elle s'est même perpétuée à travers la Confédération. Viabilité imputable à la vision d'un Durham ou, selon l'interprétation de Charles Buller, au « plan grandiose de Lord Durham d'un puissant Etat anglais dans l'Amérique du Nord », — Etat puissant à condition d'orienter les courants commerciaux dans son sillon.

Par-delà le rapport Durham: Un projet de banque régie par le gouvernement

La carrière de Lord Sydenham ne s'est pas limitée au contenu du Rapport Durham même si l'on a dit que Sydenham avait fait de ce Rapport son manuel [65]. Bien sûr, il a exécuté les principales recommandations de son prédécesseur. Néanmoins, en certains domaines il a incontestablement innové. Prenons comme exemple son projet de banque du gouvernement.

Ce projet de Sydenham s'inscrit dans son plan de restauration économique. Il s'inscrit aussi, comme événement de l'histoire des banques, dans le courant des discussions relatives aux monnaies et aux pratiques bancaires du début du XIXe siècle en Angleterre et en Amérique. Il convient de l'examiner sous ces deux aspects.

Rappelons d'abord, comme nous y invite H. T. Davoud [66], que Sydenham avait réfléchi sur le rôle des banques et sur l'importance du contrôle monétaire. Il avait déjà à ce sujet, avant d'arriver en Amérique, des idées bien définies. On peut y voir l'influence du Rapport Horner de 1810 *(Bullion Report)* et, plus encore, du Comité d'enquête de 1832 sur la Banque d'Angleterre et sur le régime des banques d'émission en Angleterre, lequel reprend l'idée fondamentale du Comité Horner. Il est intéressant de noter, ce que Davoud ne mentionne point, que faisaient partie de ce comité de 1832 Peel, Russell, Parnell et Poulett-Thomson (notre Lord Sydenham) [67].

Le Comité de 1810 avait présenté son rapport dans des circonstances très particulières: le prix de l'or étant élevé; la monnaie et le taux de change étaient dépréciés, on avait suspendu les paiements en espèce. A quoi attribuer cette situation, comment y remédier ? C'est à l'étude de ces

when chairman of the committee of this House of New-Zealand; together with my honourable friend the member for Gateshead, and another friend of mine, whom I am sorry to be able to mention by name — I mean Mr. Francis Baring. »

65.   Paul Knaplund, *Letters,* introduction. Sur les réalisations administratives de Sydenham, voir J. E. Hodgetts, *Pioneer Public Service,* Toronto 1955.

66.   *The Canadian Banker,* vol. 45, 1937-38.

67.   William Smart, *Economic Annals of the Nineteenth Century,* N. T., 1964, vol. I, ch. XIV.

questions que s'applique le Comité de 1810. Sa réponse repose sur le principe que le métal précieux *(bullion)* est, en tant que médium d'échange, (qu'il s'agisse de circulation nationale ou locale ou du taux des changes avec l'étranger) à la fois mesure et régulateur de la valeur. Mais pour que le principe s'applique, il faut qu'il y ait liberté et possibilité de convertir en métaux précieux *(bullion)* la monnaie-papier en circulation. Pour qu'il y ait stabilité dans le cours des changes étrangers, il doit y avoir liberté de mouvement des métaux. Les banques ont oublié le principe que la disponibilité du métal doit être équivalente à la valeur de la monnaie en circulation. Elles ont supposé que le porteur de papier-monnaie n'exercerait pas le privilège d'encaisser ses papiers aux guichets contre de la monnaie métallique. Elles ont exercé un pouvoir discrétionnaire d'émission de papier-monnaie. Elles ont pensé qu'elles ne pouvaient pas abuser du médium de circulation, du moment qu'elles l'avançaient aux commerçants porteurs ou signataires de comptes payables à périodes déterminées. Elles ignoraient le prix des métaux et le cours des changes étrangers. C'était, selon le Comité de 1810, la principale cause du haut coût de l'or ou de la dépréciation des marchandises et des changes étrangers. Le Comité recommande donc, comme correctif, de revenir graduellement à l'application intégrale du principe du paiement en espèce ou à l'exercice libre de ce privilège par tout porteur de papier-monnaie.

Le Comité de 1832 dont faisait partie Poulett-Thomson ne déroge pas à cette doctrine. Au contraire, il l'accepte sans critique, il l'interprète même d'une façon stricte. Pourtant, il semble contester le postulat sur lequel l'avaient assis Adam Smith et Ricardo, à savoir que les provisions de métaux étant équivalentes aux monnaies en cours, l'exercice de la liberté économique, c'est-à-dire, le mécanisme du marché, empêcherait l'émission exagérée de papier-monnaie. Aussi, vingt-deux ans après le *Bullion Report,* on aurait méconnu l'importance des moyens d'échanges autres que les billets de banque dans la circulation des biens économiques, mais on aurait commencé de saisir le rôle des institutions dans l'exercice des libertés individuelles et dans le mécanisme de la détermination des prix. Avec les comités subséquents, ceux de 1838 et 1841 en particulier, s'élabore une théorie qui servira de base à la législation bancaire de Peel en 1844-1845. En 1841, on imputait au comportement des banques les faillites commerciales et le chômage. On disait des banques commerciales qu'elles avaient émis du papier-monnaie non garanti par une réserve métallique équivalente. Le nombre des banques était passé de 6, en 1826, à 280 en 1841. Le même phénomène s'était produit aux Etats-Unis. La crise commerciale de 1837, qui fit vaciller l'économie nord-atlantique jusqu'en 1841, se propagea rapidement de l'Angleterre aux Etats-Unis pour des raisons identiques.

Revenons au Canada. En 1849, à l'occasion du renouvellement des chartes de banque, Sydenham se demanda s'il était convenable de laisser la faculté d'émettre du papier-monnaie à chacune des nombreuses banques privées, sans un contrôle central, ou s'il n'était pas préférable de confier ce privilège à une entreprise d'Etat. Opter pour une entreprise d'Etat signifiait établir une banque d'émission régie par la Législature à qui incomberait la responsabilité d'une monnaie saine. Instruit de l'expérience anglaise, Sydenham s'était vite familiarisé avec l'expérience nord-américaine. Pour s'instruire davantage, plus particulièrement sur les difficultés monétaires en pays neuf et sur les obstacles à l'établissement d'un standard monétaire entre provinces britanniques, il pouvait compter sur la collaboration de Francis Hincks.

On peut résumer ainsi le point de vue de Sydenham: si plusieurs banques, indépendantes et en concurrence, s'ignorent les unes les autres ou ne reconnaissent aucun principe commun, elles en arriveront à inonder le marché de leur papier-monnaie ou encore, à l'assécher selon leur caprice. Il n'est pas facile de remédier à ce mal, même si l'on réduit le nombre des banques d'émission. D'ailleurs, disait Sydenham, conscient qu'il était des conditions de vie économique en pays neuf, comment imposer une limite au nombre de banques dans une province britannique de l'Amérique du Nord ? Comment une assemblée législative pourrait-elle refuser une demande de charte bancaire en prétextant que le district qui appuie cette demande n'en a pas besoin, si les promoteurs établissent la preuve qu'ils ont acquis une quantité de métal proportionnelle en valeur aux responsabilités qu'ils doivent assumer ? Il reste que le principe de confier à des banques à charte l'émission de papier-monnaie payable à demande engendre la multiplication de ces banques. Par voie de conséquence, il engendre la prolifération des abus auxquels aboutissent ces institutions, ouvertes aux aventuriers. Le projet de Sydenham renvoie ainsi à une double expérience de l'économie nord-atlantique: l'expérience des Etats-Unis et celle de l'Angleterre.

On se rappelle l'expérience américaine: les intérêts acquis dans les banques locales s'étaient élevés contre la Second Bank of the United States. On se rappelle surtout que la démocratie jacksonienne n'a même pas attendu l'expiration de la charte de cette Second Bank of the United States pour l'abolir. En Angleterre, le gouvernement avait déjà convenu, en principe, que la banque d'Angleterre avait le privilège exclusif d'émission du papier-monnaie. En pratique, on concédait ce privilège à certaines banques de province. Ces banques l'utilisaient à titre de concessionnaires et moyennant redevances au gouvernement. Elles payaient sous forme de timbres sur les billets émis, procédé dispendieux pour les banques et rémunérateur pour le gouvernement. Parce que ce privilège coûtait cher, les banques locales finirent par l'abandonner et utilisèrent les billets de la Banque d'Angleterre. Elles devinrent aussi de simples banques de dépôts.

Selon Sydenham, le moment était venu dans le Canada Uni de réduire ce privilège à une seule institution régie par le gouvernement. Outre qu'elle pourrait minimiser les méfaits des fluctuations, une telle institution serait une source de revenus. Grâce à ceux-ci, pas moins de £ 750,000 pourraient être mises à la disposition de l'Etat pour l'exécution de travaux publics sans passer par le marché financier et, par conséquent, sans accroître le taux d'intérêt sur les sommes que la nouvelle province du Canada Uni se verrait forcée d'emprunter.

Face aux engagements financiers qu'il assignait à la province, Sydenham fit un petit calcul de comptabilité. Si l'on exécute les travaux spécifiés dans le rapport du *Board of Works* [68], l'intérêt du capital requis, calculé au taux courant de la province, serait au moins de £ 80,000. C'est, se dit Sydenham, un fardeau qu'on ne peut pas imposer à la province. Pourtant, il faut procurer du capital à la province sans l'écraser sous le poids des obligations. Comment s'y prendre ?

La solution était de demander l'assistance du gouvernement impérial. Cette assistance seule permettrait de réduire d'une quinzaine de mille livres sterling le service de la dette. Etant donné, par ailleurs, que le gouvernement impérial consentirait à garantir un emprunt substantiel, la province pourrait réaliser une économie d'environ £ 6,000 par année en empruntant au taux du gouvernement métropolitain. Et si la province allait, de sa propre initiative, instituer une banque d'Etat ?

> On pourrait aussi prélever une partie considérable du capital sans aucune charge quelconque pour l'intérêt, si la province voulait prendre sur elle d'émettre du papier-monnaie payable à demande, comme les banques privées ou les individus qui ne sont assujettis à aucune charge quelconque pour le pouvoir ou le privilège qui leur est ainsi accordé par l'Etat. Si ce pouvoir était repris et exercé par la province dans toute son étendue, on pourrait encore, par là, prélever un capital représentant un revenu de pas moins de 25,000 livres sterling par année. Bien plus, en prenant des arrrangements par lesquels on accorderait de grands avantages aux différentes banques qui émettent maintenant des billets pour les indemniser de la perte de ce privilège,

---

68.   JAL, 1841; liste des travaux dressée par le *Bureau des Travaux Publics...* « qui promettent de rapporter un profit pour les capitaux qui y seront employés »... « L'achèvement du canal Welland, l'ouverture de la communication entre Kingston et Montréal par le fleuve Saint-Laurent, pour les Goélettes et les Bateaux à vapeur, l'amélioration du lac Saint-Pierre, et de la navigation entre Québec et Montréal, pour les vaisseaux de fort tonnage, l'ouverture de la rivière Richelieu, de manière à améliorer la navigation de cette rivière, au moyen du Canal de Chambly, la construction de pentes pour faire écouler les bois et autres travaux sur la rivière d'Ottawa, l'amélioration des rivières intérieures du District de Newcastle, l'établissement d'un port et de phares sur le lac Erié, et l'amélioration du Hâvre de Burlington Bay, l'établissement ou l'amélioration des grandes lignes de chemins depuis Québec jusqu'à Amherstburg, et au Port Sarnia, depuis Toronto jusqu'au lac Huron, et entre Québec et les *Townships* de l'Est, et l'amélioration du Chemin des Métis, et des communications près de la Baie-des-Chaleurs »... Le coût total de ces travaux devant entraîner une dépense d'environ 1,470,000 livres, cours provincial sterling, « à répandre sur une période de cinq années, qui sera nécessaire pour les achever ».

on pourrait compter avec confiance sur un revenu de pas moins de 15,000 à 20,000 livres sterling [69].

Le système municipal et le régime de propriété

Dans le domaine des affaires municipales, on ne peut pas dire que Sydenham ait obtenu ce qu'il voulait, surtout pas contre la « guerre des éteignoirs » [70]. Le Bill des municipalités n'a pas été inséré dans la loi d'Union parce qu'il comportait que les demandes d'octrois eussent été réservées aux ministres de la couronne. De même, une autre mesure qui ne put être incluse dans la Loi d'Union fut le Bill d'enregistrement de la propriété. L'incertitude des titres de propriété, faute d'enregistrement, rendait hasardeuse l'acquisition de propriété et retardait le progrès de la colonie. L'existence d'hypothèques tacites ou occultes ne permettait pas à un acheteur éventuel de connaître exactement les obligations sociales du propriétaire. Ces deux mesures portant, l'une sur les institutions municipales, l'autre sur l'enregistrement de la propriété, heurtaient des intérêts acquis.

C'est pour une raison fondamentale identique que le projet Sydenham d'une banque du gouvernement a échoué. Il heurtait des intérêts acquis [71].

* * *

L'impérialisme économique du régime Durham-Sydenham exige l'union des deux Canadas. L'activité coloniale qu'il veut s'approprier et diriger s'étend aux deux Canadas. Bien plus, le Bas-Canada, à cause de sa situation géographique, gouverne la stratégie commerciale de tout l'arrière-pays et la liaison de celui-ci avec les marchés métropolitains. Les provinces britanniques, bornées au nord par des terres incultes et au sud par la république américaine, doivent chercher dans un alignement est-ouest la condition de leur viabilité. Pour consolider un espace économique qu'une certaine évolution agricole et commerciale exige déjà, la reprise des travaux publics s'impose selon un plan d'ensemble. L'union d'une province solvable à une autre qui a atteint la limite de sa capacité d'emprunt va constituer une province nouvelle qui pourra emprunter pour fins de travaux publics, moyennant une garantie du gouvernement impérial. Ainsi envisagée comme armature fiscale, l'union des deux Canadas apparaît comme la condition *sine qua non* de la grande entreprise de canalisation.

---

69. Sydenham, Message du 20 août 1841, JAL, 1841.
70. Stanley Weir, *Municipal Institutions in the Province of Quebec* in *University of Toronto Studies. History and Economics*, II, n. 3, 1904.
71. Sir R. H. Bonnycastle, Canada, 221: ... « *But the mercantile community gave a blow to his favorite measure, the creation of a Provincial Government Bank of Issue.* »

Cet impérialisme, toutefois, ne parvint pas à se réaliser selon toutes les modalités qu'auraient voulu lui imposer Durham et Sydenham. Il demeura soumis aux déterminismes géographiques et sociopolitiques du milieu: ce que nous avons appelé la « condition nord-américaine » des provinces britanniques. Les provinces elles-mêmes révèlent des caractères spécifiques qui les firent résister à des projets tels que les législations relatives à l'organisation des municipalités et au régime bancaire.

Dans cette étude, nous avons cherché à mettre en lumière les visées et les justifications de l'impérialisme économique britannique durant une phase décisive de l'histoire du Canada. Cette stratégie économique nous permet, croyons nous, de situer et de relire le Rapport Durham dans une nouvelle perspective globale. Nous avons voulu en dégager les principaux éléments.

3

Le problème financier de la Province du Canada, 1841-1867 *

Quelle influence la finance anglaise a-t-elle pu exercer sur l'orientation des politiques économiques de la Province du Canada ? Telle est la question qui fait l'objet du présent article.

Disons tout de suite qu'on ne saurait parler d'une influence en quelque sorte absolue, comme si Londres eût été le centre déterminant de toutes les décisions économiques affectant la Province. C'était, plutôt, par le flux des capitaux importés d'Angleterre que se transmettait cette influence; celle-ci s'est aussi exercée à travers des directives officielles, mais, en fait, beaucoup plus souvent, de façon indirecte et discrète, à travers les suggestions et les recommandations émanant des milieux financiers.

On comprend bien qu'une province dont l'économie dépendait très étroitement du marché de la finance ait été attentive aux suggestions et recommandations qui traduisaient ce que Walter Bagehot appelle « l'opinion de Lombard Street » [1]. Le fléchissement de la confiance des bailleurs de fonds, quant à la rentabilité de leurs placements dans la Province, pouvait compromettre une économie que la nécessité de travaux publics — canaux et chemins de fer, principalement — liait de façon vitale à Lombard Street.

---

* Article publié dans *Recherches sociographiques,* vol. I, n. 3, juillet-septembre 1960.
1. Walter Bagehot, *Lombard Street,* London 1873.

Une fois achevée la construction de la voie maritime (1846) et du réseau ferroviaire (1859), la Province avait à son débit quelque $65 millions d'obligations en cours; presque toutes ces obligations étaient la propriété d'épargnants anglais. La Province avait assumé tous les frais de la canalisation et environ 15% des frais de la construction des chemins de fer [2]. En 25 ans, la dette per capita avait quintuplé.

De façon directe ou indirecte, le ministre des finances devait être garant du crédit de la Province. C'est sur lui que reposait le poids d'une politique essentiellement liée au financement déficitaire; c'est à lui qu'il incombait de demander au gouvernement d'adopter les mesures conformes à l'opinion de Lombard Street, sans laquelle il eût été difficile ou impossible de gouverner efficacement.

De leur côté, les propriétaires de la dette canadienne ou les bailleurs de fonds, clients de Lombard Street, avaient pour représentants et protecteurs les agents financiers de la Province à Londres, qui furent les maisons Baring et Wilson d'abord, puis les maisons Baring et Glyn, Mills & Co. conjointement à compter de 1837, alors que la Bank of Upper Canada, dépositaire du gouvernement, confia son agence londonienne à la maison Glyn [3]. Pour cette raison, entre autres, tout emprunt négocié à Londres devait l'être par l'entremise des maisons Glyn et Baring. Intermédiaires entre l'offre et la demande, il leur incombait de trouver des acheteurs d'obligations canadiennes et d'assurer l'équilibre du marché. Etant donné leur rôle, ces maisons exerçaient une certaine vigilance sur la politique canadienne et, lorsqu'elles le jugeaient nécessaire ou opportun, elles recommandaient les mesures ou les politiques économiques susceptibles d'améliorer le crédit de la Province.

Ainsi, le problème financier de la Province se définit par rapport au jeu de l'offre et de la demande; il nous apparaît comme la résultante de deux forces contraires. On peut le poser dans les termes d'un dialogue entre financiers anglais et politiques canadiens.

---

2. Le gouvernement avait assumé la responsabilité directe de la construction et de l'entretien des canaux, des ports et des quais, des bateaux de la Province, et celle des aménagements nécessaires à l'exploitation forestière; il a dépensé à ces fins $21,285,104. Les dépenses encourues pour l'aide aux chemins de fer se chiffrent à une vingtaine de millions de dollars pour 1,960 milles de voie ferrée. Ces dépenses dites indirectes n'ont jamais été remboursées par les compagnies et ont été portées à la dette de la Province (*Documents de la session, Canada*, 1867-1868, *I* 5). De 1842 à 1860, la dette per capita de la Province a évolué de la façon suivante:

1842	$ 5.45	1852	$12.00
1844	7.46	1854	19.61
1846	10.06	1856	23.09
1848	10.65	1858	24.29
1850	10.18	1860	24.08

Source: *On the State of Finances, Province of Canada*, 12-16, in *Adam Shortt Papers*, Archives, Queen's University Library.

3. Roger Fulford. *Glyn's, 1753-1953*, London, Macmillan, 1953.

Nous indiquerons d'abord comment se déroula le dialogue au cours des dix dernières années du régime constitutionnel de la Province (1857-1867). Nous étudierons ensuite, dans la perspective que nous venons de définir, certains aspects particuliers de la question financière: problèmes des sociétés ferroviaires, de l'institution bancaire et des corporations municipales. A cette fin, nous utiliserons un fonds documentaire illustrant les rôles et responsabilités des maisons Baring et Glyn et de la Bank of Upper Canada. Nous cherchons ainsi à éclairer un aspect particulier de l'histoire du Canada, à savoir, l'influence du marché financier sur l'orientation des politiques économiques ou, de façon plus générale, le rôle des mécanismes financiers dans l'élaboration des décisions économiques affectant la Province du Canada.

I

La crise de 1857 marque une phase critique dans l'histoire des relations financières de la Province avec l'Angleterre. Au Canada, elle mettait fin à la vague de prospérité qui avait débuté dans le secteur de la construction, pour se propager ensuite aux autres secteurs de l'économie, à une allure spectaculaire même, par suite de la hausse des prix durant la guerre de Crimée. A la faveur de cette prospérité, le marché canadien des valeurs foncières et ferroviaires avait attiré beaucoup de capital anglais [4]. Ce transfert de capital avait entraîné une hausse des importations de marchandises canadiennes en Angleterre, et même une accumulation d'inventaire. Lorsque la crise survint, il était normal que l'Angleterre réduisît fortement ses importations de marchandises, de même que ses investissements à l'extérieur. C'était s'adapter aux conditions de la conjoncture nouvelle. Pour le Canada, toutefois, il n'était pas facile de réagir avec autant d'élégance au mécanisme des prix de l'économie nord-atlantique. Le Canada aussi avait été stimulé par la hausse des prix au cours de la période de prospérité; il avait beaucoup exporté et, en fin de compte, il ne pouvait plus disposer d'un lourd inventaire de bois (son principal produit d'exportation) qu'il avait accumulé dans ses ports. Il avait aussi beaucoup importé. Or son principal article d'importation avait été le capital anglais, sous forme d'investissement dans l'entreprise ferroviaire. Comment la Province allait-elle répondre à ses engagements envers les créanciers, comment allait-elle satisfaire aux obligations présentes et futures ? Privée subitement d'un débouché adéquat à la production de ses matières premières, privée également d'un trafic abondant qu'exigeait un réseau de chemins de fer neuf et libéralement capitalisé, la Province allait trouver lourd le poids de son financement déficitaire. A peine la crise avait-elle éclaté que déjà, à Lombard Street, l'on se demandait si la Province du Canada n'avait pas abusé du crédit anglais.

---

4. L. H. Jenks, *The Migration of British Capital to 1875*, New York 1927, ch. VII-VIII.

Même si elle fut de courte durée en Angleterre, la crise de 1857 affecta profondément l'Amérique et tout particulièrement le Canada où venait de s'achever un premier cycle de construction ferroviaire. L'Angleterre, exportatrice de produits ouvrés, ressentit les méfaits de cette crise, sans doute; elle réussit toutefois à se relever assez rapidement, grâce à une réorientation de ses exportations. De 1857 à 1858, les exportations anglaises vers le continent asiatique augmentaient de 30 à 40%, cependant que les exportations aux Etats-Unis diminuaient de 25%. La demande de marchandises pour l'aménagement des espaces asiatiques amorçait une tendance à la réorientation des capitaux anglais, tendance que la crise du coton des années 1860 allait accentuer. Les chenaux du grand commerce déterminaient l'orientation des investissements. Aux Etats-Unis, l'ébranlement des structures traditionnelles, largement étayées par les relations commerciales entre les états du Sud et le Lancashire, favorisait un mouvement de mise en valeur du *middle-west* et impliquait, par conséquent, une poussée des capitaux vers les foyers d'investissement continentaux (par opposition aux foyers d'investissement maritimes), ce qui entraîna le déclin des entreprises de transport océanique et de construction navale [5].

Les foyers nouveaux d'investissement dans les états contigus à la Province du Canada constituaient de puissants pôles d'attraction: ainsi se trouvaient remises en question les anticipations des capitalistes qui avaient misé sur le système canadien de navigation fluviale. Parmi les conséquences de cette attraction des états limitrophes, on peut noter le déclin du commerce du bois brut et le progrès de l'industrie du bois ouvré; ce qui impliquait un certain renversement du courant commercial au détriment des canaux du Saint-Laurent comme voie d'exportation vers Montréal et Québec et à l'avantage des Grands Lacs et des canaux Welland, Oswego, Erié. La population avait tendance à suivre le courant commercial. Les immigrants se dirigeaient massivement vers l'ouest et même une partie de la population de l'est de la Province obéissait à la même attraction. Il en résulta un accroissement prodigieux des villes de la région des Grands Lacs [6].

Telle nous paraît être la conjoncture dans laquelle se situe, à l'époque, le dialogue entre les financiers anglais et l'administration canadienne. Résumons notre point de vue. Du côté anglais, on a abandonné l'ancien contrôle du Colonial Office et on lui a substitué celui du marché financier; on a revisé l'ancienne conception mercantiliste d'une *Greater England*. L'orientation nouvelle met en jeu des institutions et des fonctions telles que la Banque d'Angleterre, les rapports du chancelier de l'Echiquier avec

---

5. Albert Faucher, *The Decline of Shipbuilding at Quebec during the Nineteenth Century* in *The Canadian Journal of Economics and Political Science,* vol. XXIII, n. 2, May 1957, pp. 195-215. (Reproduit ici pp. 227-254.)

6. Voir H. A. Innis et A. R. M. Lower, *Select Documents in Canadian Economic History, 1783-1885,* Toronto 1933, Part II, Section I, subsection B.

la Banque d'Angleterre et ceux des courtiers et banquiers avec la Banque d'Angleterre comme banque centrale. Cette orientation entraîne l'abrogation des servitudes mercantilistes et, logiquement, la concession du gouvernement responsable. Désormais, le gouvernement britannique ne fera plus tellement appel à la mystique d'une *Greater England;* il s'en remettra à la logique de l'investisseur qu'il s'efforcera d'éclairer et de soutenir au besoin, par exemple, au moyen de subsides à la navigation.

Du côté canadien, l'équilibre est rompu. L'expansion ne se fait plus au moyen de fonds métropolitains garantis par le gouvernement impérial, selon le modèle mercantiliste, et par décision du secrétaire aux colonies en accord avec le Gouverneur; l'expansion se fait maintenant, et depuis 1849, selon un modèle capitaliste, au moyen d'investissements britanniques garantis par le gouvernement de la Province, et par décision d'investisseurs informés de la demande canadienne par le financier londonien en accord avec le ministre des finances canadien. En régime de responsabilité ministérielle, celui-ci engage le crédit de sa Province, conjointement et solidairement avec son cabinet, et il doit rendre compte de ses décisions devant les contribuables. La politique canadienne d'aide à l'entreprise privée du chemin de fer ne pouvait pas se concevoir en dehors de ce régime de responsabilité ministérielle. Il était donc normal qu'aux nouvelles responsabilités financières de la Province du Canada correspondissent des réformes de structure dans les relations entre Londres et la Province. Parmi ces réformes, la concession du gouvernement responsable arrivait à point.

La Province du Canada jouissait dès lors d'une certaine autonomie politique. Toutefois, son héritage mercantiliste la reliait encore, financièrement, à l'Angleterre, et elle ne pouvait se soustraire à l'influence de Lombard Street. Pour une bonne part, cette influence lui serait transmise par les entrepreneurs du chemin de fer et par les actionnaires « absentéistes » des grandes compagnies foncières. Par contre, les nouvelles structures capitalistes, commerciales et industrielles tendent à relier la Province aux états limitrophes américains, à cause du marché américain, en ce qui concerne du moins les scieries, l'industrie de la tannerie et de la cordonnerie; en ce qui concerne aussi le Grand Tronc, à cause de son extension en territoire américain vers Portland, extension favorisée par les politiques américaines du *drawback* et du *bonding* (1845-46). La politique de réciprocité canado-américaine, de 1854 à 1866, a favorisé le mouvement des produits « naturels » entre la Province et les Etats-Unis. Faute de renseignements sûrs, il n'est pas possible de savoir si la réciprocité favorisait aussi l'échange de produits ouvrés, grâce à la bienveillance des officiers de la douane. D'ailleurs, dans certains cas, il pouvait être difficile de fixer une ligne de démarcation entre produit brut et produit ouvré. Au point de vue démographique, les états limitrophes constituaient un foyer d'attraction pour les immigrants européens venus d'abord au

Canada, de même que pour bon nombre de Canadiens français obéissant à la règle des « avantages comparatifs » ou cherchant un remède au chômage.

Né de la révolte tory de 1849 et de la prise de conscience, dans les deux régions, d'une destinée commune, l'accord de réciprocité ne pouvait pas durer: d'une part, les deux économies, productrices de denrées similaires, s'affrontaient sur un même marché; d'autre part, deux systèmes de transport (Saint-Laurent et Erié-Oswego) venaient en concurrence. Le système laurentien, déjà peu rentable, était entretenu aux dépens d'un gouvernement qui prélevait ses revenus sous forme de péages et de taxes de douane. Il était normal qu'en longue période ce régime s'avérât incompatible avec un besoin croissant de revenus.

Frustrés par l'abrogation des *Corn Laws,* les tories de 1849 avaient rêvé d'annexion aux états voisins. Mais la réalité jouait contre leur rêve. L'importation de capital pour la canalisation du Saint-Laurent et pour la construction des chemins de fer forgeait l'axe financier Canada-Londres et orientait les relations vers l'Angleterre. La nécessité obligeait donc les tories à prendre une attitude plus pragmatique qu'idéologique. Ils allaient devenir protectionnistes.

Introduit sous l'étiquette de *revenue tariff,* le protectionnisme canadien s'est développé sous la pression de plus en plus forte d'un besoin de revenu; il s'est mué graduellement en un *protection tariff* par suite des tendances du peuple canadien à émigrer vers les Etats-Unis. Non seulement, les marchandises du Nord-Ouest désertaient la voie maritime du Saint-Laurent en aval des Grands Lacs, en dépit de la suppression des péages aux canaux du Saint-Laurent de 1860 à 1862, mais les deux secteurs de la Province, l'Est, en particulier, ne réussissaient pas à garder leurs immigrants, malgré les avantages offerts à ceux qui empruntaient le Saint-Laurent pour accéder au marché du travail nord-américain.

Cette saignée durait depuis plusieurs années lorsque Isaac Buchanan proclama la nécessité d'une économie politique favorable aux ouvriers, ce qu'il appelait le « *Labour Political Economy* ». Cayley, et tout le groupe associé à Galt, en avaient bien déjà compris la nécessité, comme en témoigne le tarif de 1859, mais il était réservé à Buchanan de préparer les esprits au tarif de 1879 que l'on a présenté comme fonction d'une « politique nationale ». Galt et Buchanan se raccordaient sur un plan purement pragmatique. Leur argument en faveur du protectionnisme en était un de nécessité. Ils agissaient sous la pression des impératifs économiques, sans insister sur les aspects idéologiques à la mode de leur époque. D'ailleurs, en Amérique du Nord, les efforts d'adaptation dynamique prennent facilement le pas sur les idéologies.

Ainsi, les nécessités communes aux régions économiques canadienne et américaine ont engendré dans l'une et l'autre une politique tarifaire semblable qui allait précipiter la faillite de la réciprocité commerciale. En même temps, cette politique allait soulever le mécontentement des industriels de Sheffield et de Manchester gagnés à l'idéologie du libre-échange et disposés à l'imposer aux colonies. Galt dut se défendre. La situation devenait complexe: la Province, qui s'était développée d'après les règles du jeu mercantiliste, se trouvait subitement intégrée à l'univers capitaliste.

Les investissements de type capitaliste dans l'entreprise du chemin de fer au Canada se présentent comme une dynamique selon laquelle un pays industrialisé (l'Angleterre) consacre une partie de son revenu à la mise en valeur d'une colonie (la Province du Canada) située dans un milieu nord-américain, exposée à la concurrence de ses voisins et soumise aux aléas de la conjoncture nord-atlantique.

II

Vers 1860, la valeur des obligations courantes en Angleterre au compte du Canada s'élevait à quelque $65 millions. De ce montant, 46% avait été émis au cours des années 1853, 1854 et 1855, pour fins de construction ferroviaire, dont la moitié pour le Grand Tronc seulement [7]. On se rappellera que les engagements contractés par le gouvernement l'étaient en vertu de la loi de garantie passée en 1849 et amendée en 1851. La loi de 1849 engageait le gouvernement à garantir un intérêt de 6% sur les obligations de toute compagnie qui aurait déjà entrepris la moitié de la construction d'une voie de 75 milles et plus. La loi de 1851 limitait l'aide au Grand Tronc et aux compagnies auxquelles le gouvernement avait déjà promis son aide, c'est-à-dire, le Great Western et le Northern; de par la même loi, la garantie gouvernementale allait s'appliquer au principal et non plus seulement à l'intérêt.

Cette politique d'aide, que les Britanniques n'ont pas inventée mais empruntée aux Etats-Unis, revêtait une double forme dans les états voisins: a) participation au capital, au Maryland, Massachusetts, Ohio et dans quelques autres états; b) engagement du crédit du gouvernement sans participation au capital. Le gouvernement garantissait les obligations de chemin de fer, ou émettait ses propres obligations en échange d'obligations de chemin de fer. En général, on admettait que le gouvernement se réservât un privilège hypothécaire sur les biens des compagnies, comme cela se pratiquait dans les états de New York et du Michigan, entre autres [8]. Au Canada, le gouvernement est allé plus loin. Il a pratiqué, en faveur du Grand Tronc, une politique de renflouement. La dette indirecte qu'il lui avait consentie sous forme de garantie fut portée à la charge directe

---

7. T. S. Brown, *A History of the Grand Trunk Railway*, Quebec 1864, p. 19.

8. F. A. Cleveland et F. W. Powell, *Railroad Promotion and Capitalization in the United States*, New York 1909, ch. XIII.

de la Province, par voie de gratifications successives. En 1862, du point de vue des privilèges hypothécaires, le gouvernement tenait le dernier rang des actionnaires et obligataires de la Compagnie du Grand Tronc.

Le recours au crédit de l'Etat en 1849, lorsqu'il s'est agi de construire le St. Lawrence & Atlantic, l'amendement de 1851, ou la nouvelle loi de garantie, lorsqu'il s'est agi de construire le Grand Tronc, nous apparaissent comme des impératifs du marché financier, c'est-à-dire comme des conditions *sine qua non* de la vente des valeurs ferroviaires sur le marché anglais. De même, les mesures généreuses du gouvernement envers le Grand Tronc nous apparaissent comme des solutions au problème des tensions entre l'entreprise canadienne et les investisseurs britanniques et, plus particulièrement, entre le gouvernement de la Province et les agents financiers, intermédiaires des bailleurs de fonds. La loi de 1851 est basée sur les recommandations du comité MacNab et les recommandations de ce comité reflètent les desiderata des financiers et entrepreneurs anglais [9]. Pour ces raisons, il nous a paru opportun de retracer quelques filaments de la trame des relations entre le Canada et Lombard Street.

Lorsque les agents financiers, en 1849, reçurent les lettres du Colonial Office accréditant Hincks comme négociateur de la Province, Glyn écrivit à Hincks que le marché public des obligations canadiennes était encore à créer [10]. Quatre jours plus tard, après avoir consulté Baring, Glyn prévient Hincks qu'il ne voit pas la possibilité immédiate de lancer une émission de 500,000 livres sterling, comme le lui demandait le ministre canadien. L'opinion des gens bien informés de la Bourse est qu'il faut se méfier du Canada, rapportait-il. L'impression était profonde: pour l'effacer ou l'atténuer, il fallait parler du Canada dans les journaux anglais en insistant sur la richesse de ses ressources, ses perspectives de revenu, et non pas seulement sur l'accroissement de sa dette [11]. Malheureusement, l'agitation annexionniste donnait mauvaise presse au Canada et rendait impossible toute transaction financière sur le marché public des obligations, en dépit de la loi généreuse de garantie passée en 1849. Au contraire, les financiers anglais y voyaient une forme dangereuse d'extension de crédit, étant donné l'instabilité politique de la Province. Or, c'est précisément en mai 1851 qu'ils recommandaient au gouvernement canadien de modifier la loi de 1849 garantissant seulement les intérêts des obligations.

Baring et Glyn [12] persistent à croire que cette politique de garantie ou de participation à l'entreprise met en cause le crédit de la Province. Sans doute, disent-ils, l'exécutif de la Province a-t-il le pouvoir d'étendre la dette de la Province de cette façon, mais il a aussi le devoir de s'en tenir

9. *Journaux de l'Assemblée législative, Province du Canada* (ci-après cités JALPC), 1851, app. UU; 1852-1853, 2, app. 2.
10. Glyn à Hincks, 6 août 1849.
11. Glyn à Hincks, 10 août 1849.
12. Lettre conjointe à Hincks, 18 juillet 1851.

aux règles du jeu. Par conséquent, les émissions subséquentes d'obligations devaient, selon eux, comprendre des restrictions législatives très fortes.

Les explications abondantes de Baring et Glyn concernant l'opinion de Lombard Street au sujet du marché des valeurs canadiennes à Londres sont caractéristiques [13]. Elles sont adressées à Hincks, leader politique et promoteur d'un chemin de fer à la fois, selon le génie de son époque. Il s'agissait pour Hincks de lancer une émission d'obligations au montant de 400,000 livres sterling pour la construction du St. Lawrence & Atlantic, obligations dont le gouvernement garantissait l'intérêt à 6%. Le prix courant de cette émission directe du gouvernement canadien, soit 103 pour cent pour les obligations à 6% et 94 et 95 pour les obligations rachetables en 1853 et 1854, n'était pas de nature à stimuler l'investisseur anglais et à justifier l'émission additionnelle de 400,000 livres pour le parachèvement de la ligne. Parce que les titres à 5% devaient échoir bientôt, parce que le gouvernement se trouvait devant la nécessité de contracter de nouveaux emprunts pour d'autres fins, on mettait en question la solvabilité du gouvernement, on contestait la stabilité du crédit canadien. Pour obvier à ce malaise, deux conditions s'imposaient: a) vendre les titres à meilleur marché, b) apposer à ces titres la garantie directe du gouvernement. Baring et Glyn, acheteurs d'une première tranche de 100,000 livres (sur 400,000) fixent le prix à 85, sans frais de commission. C'était à bon prix, disaient-ils. A New York, les obligations des compagnies de chemin de fer se vendaient 90, à 5% d'intérêt. Les obligations de la corporation de Montréal s'étaient vendues 70. C'était à prendre ou à laisser, tellement les agents se montraient réticents. Trouvez, si vous le pouvez, des acheteurs plus généreux, mais si vous acceptez, nous serons les seuls agents dans la vente de ces obligations, écrivirent-ils.

C'était quand même apprivoiser les acheteurs anglais aux titres canadiens, c'était lancer la Province sur le marché londonien des obligations. Du côté de l'entreprise, les anticipations plus optimistes des entrepreneurs ont dû exercer une influence sur le comportement des acheteurs; pour les entrepreneurs, en effet, le moment était venu de participer aux travaux d'infrastructure dans les colonies, selon qu'en témoigne Jackson dans une communication à Pakington [14]. Ces grands travaux publics allaient stimuler la vente des terres; les perspectives d'un profit facile provoquèrent une vague de spéculation et, par conséquent, une hausse rapide des prix. C'est ce qui explique qu'au début, le stock du Grand Tronc se vendit à prime: très brève période où les acheteurs anglais donnèrent foi à leurs compatriotes qui, dans le prospectus de la compagnie, avaient promis, sans toutefois y croire, un dividende de 11½%. La dégringolade fut rapide et, en 1861, l'assemblée des actionnaires nomma un comité spécial d'enquête

---

13. 10 janvier 1851.
14. JALPC, 1852-1853, app. Z.

sur les affaires de la compagnie. Celle-ci avait accumulé une dette de $13 millions. Ce fut la période cruciale où les intrigues jouèrent à plein, mettant en conflit deux partis, l'un insistant pour obtenir plus d'aide du gouvernement, l'autre pour transférer le poids des dettes à la responsabilité des investisseurs.

De cette narration, forcément écourtée, nous pouvons dégager les deux aspects saillants de la question: les conséquences d'une conjoncture défavorable aux grands travaux publics et préjudiciable à la finance d'Etat, d'une part, et l'action des agents financiers en faveur de l'intervention de plus en plus poussée du gouvernement, d'autre part.

Dans une certaine mesure, on peut attribuer aux manipulations financières les coûts extravagants de la construction. C'est là toutefois un facteur qu'il n'est pas facile de peser et de préciser. Plus important, parce que plus évident, peut-être, nous apparaît l'effet de l'inflation sur les coûts de construction, particulièrement au cours des années 1854-56. A mesure que les travaux progressaient, les prix montaient. Nous tenons de Charles Hutton Gregory que les salaires des employés de la construction s'élevèrent de 50% au-delà des taux anglais; or, au cours de la période inflationnaire, on dut employer jusqu'à 16,000 ouvriers par jour, en moyenne, à la construction seulement [15].

Déjà en 1855, les fonds de la compagnie étaient épuisés, et il était difficile de prélever du capital nouveau parce qu'on ne pouvait même pas payer l'intérêt sur les obligations. Une délégation de Londres dirigée par Brassey et Betts, entrepreneurs anglais, vint solliciter l'aide du gouvernement canadien sous forme de garantie, et cette fois une garantie de 5% pour 99 ans sur le capital entier de la compagnie, comme cela se pratiquait en Belgique et aux Indes. Les gouvernants canadiens n'ont pas acquiescé directement à cette proposition mais ils devaient, par la force des circonstances, consentir tout autant, selon que le révèle la suite de l'histoire. Il fallait à tout prix éviter la suspension des travaux, un dénouement qui eût été désastreux pour une économie qui dépendait si étroitement de ses moyens de transport.

En 1857, A. T. Galt signifiait à Glyn qu'il ne croyait pas possible d'engager davantage le gouvernement dans l'affaire du Grand Tronc. Jusque-là, le gouvernement avait tout fait pour cette Compagnie. Il avait converti en stock de matériel roulant ses 3,000,000 livres d'avance, il lui avait prêté 900,000 livres, il l'avait autorisée à émettre 2,000,000 d'obligations préférentielles et avait cédé son droit de priorité hypothécaire.

C'était, selon Galt, une contribution suffisante. La crise qui frappait profondément l'économie de la Province en 1857 l'empêchait d'engager

---

15. Report to Glyn, Mills & Co., August 15, 1857.

davantage son crédit; mais, répliquait George Glyn, pareil refus d'intervention entraînerait bientôt la faillite du Grand Tronc. Les bilans d'exploitation étant très mauvais, l'investisseur ne répondrait plus à l'offre des titres de la compagnie. Glyn suggéra alors au gouvernement d'assumer toute la responsabilité du Grand Tronc en remboursant les actionnaires, par exemple, au cours des prochains vingt ans, au moyen d'obligations du gouvernement portant intérêt à 4% [16]. C'était, de la part de Glyn, employer l'argument terrible, car on n'ignorait pas que la faillite du Grand Tronc entraînerait la ruine du marché des obligations canadiennes, étant donné que l'offre s'orientait de plus en plus vers les titres étrangers [17]. De plus, les Canadiens connaissaient les échéances auxquelles ils devraient faire face au cours des dix ans à venir: les années cruciales devaient être 1857, 1858, 1863 et les suivantes, jusqu'en 1866 [18].

En 1858, Galt devenait ministre des finances dans le cabinet Cartier-Macdonald. Il trouva un trésor vide et un revenu déficitaire pour l'année en cours. En mars 1859, il releva les tarifs comme l'avait fait Cayley l'année précédente, dans le but avoué de hausser le revenu de la Province.

Devant la diminution chronique des revenus provinciaux, et dans l'impossibilité désormais reconnue de capturer une part du commerce de l'ouest en vue d'améliorer les revenus d'exploitation des canaux et des chemins de fer, les dirigeants politiques avaient bien raison d'hésiter mais, en définitive, ils n'avaient pas d'alternative, puisque tel était le point de vue des investisseurs. Pour assurer la rentabilité des investissements antérieurs et, par là, assurer le crédit de la Province à Londres, il devenait nécessaire d'emprunter davantage.

Vitalement intéressés à cette entreprise devenue insolvable, les agents financiers prirent jugement, en 1860, contre le Grand Tronc et entrèrent en possession de son matériel roulant [19].

Quelques mois plus tard, Glyn et Baring, dans une lettre conjointe et dite « non officielle », communiquèrent leurs instructions à Galt. Nous les résumons.

Parce que la compagnie s'est aliéné la confiance de ses bailleurs de fonds, toute mesure efficace de secours au Grand Tronc doit se réaliser au moyen d'obligations de la Province, obligations que le Gouvernement se procurera de la façon qu'il voudra. L'ancienne formule de garantie sur les titres d'un autre obligataire ne suffirait pas à donner cours aux obli-

---

16. Glyn à Galt, 23 novembre 1857, 18 septembre 1857, 25 septembre 1857.
17. 8 octobre 1857, 23 octobre 1857.
18. JALPC, 1856, *4*, app. n. 30, tableau n. 47.
19. S. J. Maclean, dans Shortt et Doughty, *Canada and its Provinces*, Toronto, 1914-1917, vol. 10, p. 416; G. C. Glyn à K. O. Hodgson, associé de Baring à Londres, 21 juin 1860.

gations, si ce n'est à un taux d'escompte très défavorable. Dans l'intérêt du gouvernement même, et pour des raisons d'utilité publique, il vaudrait mieux que l'initiative parte des gouvernants, car autrement on pourrait croire que la mesure a été préparée dans les milieux financiers, dans le dessein de calmer les intéressés. On pourrait ainsi en compromettre l'efficacité. Il ne faudrait pas non plus introduire dans la loi une clause rendant nécessaire l'assentiment des détenteurs d'obligations. Cette catégorie d'investisseurs est plutôt diversifiée, et l'on ne peut attendre d'eux l'unanimité, tellement leurs intérêts diffèrent. Dans aucune loi anglaise, on ne les a reconnus comme ayant des droits à l'action ou à la consultation. D'ailleurs, les obligataires de première hypothèque sont contents de leur sort, et ils ne veulent pas qu'on les dérange [20].

Une autre complication survint en 1861. La maison Glyn, ayant avancé $500,000 au Grand Tronc sur nantissement d'obligations provinciales payables en 1862, demanda à la Province d'accorder une attention immédiate à cette affaire [21].

A propos de cet épisode complexe, rappelons simplement que toutes les avances du gouvernement au Grand Tronc furent converties en dons; on avait réussi à persuader les gouvernants canadiens qu'il fallait en décider ainsi, en insistant sur les impératifs du marché financier et en alléguant des motifs d'efficacité. Deux communiqués de Londres illustrent la vertu de cette méthode de persuasion: ceux de Glyn à Ross et à Cayley. Dans son message à Cayley, Glyn, invitant le gouvernement canadien à l'action législative en faveur du Grand Tronc, fait grand état de la politique des pays continentaux d'Europe qui avaient accordé de l'aide à l'entreprise ferroviaire, sous des formes diverses. D'après le modèle de ces pays, le gouvernement canadien pourrait assister ses chemins de fer avec générosité et, après une période variant de 50 à 90 ans, s'en porter acquéreur [22].

En juin 1862, Glyn écrivait à Galt sa surprise d'apprendre qu'une nouvelle administration venait de se constituer sous le leadership de Sandfield Macdonald. A. T. Galt avait clos son terme d'office par un remarquable discours sur les finances publiques. Glyn avoue toutefois que les efforts répétés pour résoudre le problème du Grand Tronc pourraient s'avérer plus efficaces sous un nouveau ministère. Il avait bien prévu, puisque ses anticipations se concrétisèrent dans la législation de 1862. Il faut toutefois se rappeler que, dans l'entretemps, Edward Watkin était venu au Canada et avait contribué, avec Ward, l'agent de Glyn à Boston, à la préparation de cette législation.

20. G. C. Glyn à Galt, 29 novembre 1860.
21. La date d'échéance était le 1er octobre 1862. Voir Glyn, Mills & Co. à J. M. Grant, 19 août 1862.
22. G. C. Glyn à l'Hon. John Ross, 5 octobre 1860, et à W. Cayley, 10 janvier 1861.

III

Après 1862, les inquiétudes des agents financiers se fixent sur la Bank of Upper Canada. Durant cette phase critique, la solvabilité de cette banque est mise en question; ses relations avec les autres institutions bancaires et avec le gouvernement deviennent très complexes. La Banque de Montréal et la Bank of Upper Canada se font la guerre, et le gouvernement confie son compte à la Banque de Montréal.

Depuis longtemps, la Bank of Upper Canada détenait le compte du gouvernement; elle tirait des traites sur Glyn, Mills & Co., souvent par anticipation d'effets réalisables ou d'obligations non encore vendues. L'agence de Londres s'est plainte maintes fois de ce procédé de financement sans couverture. De plus, la Bank of Upper Canada faisait ses propres avances commerciales, c'est-à-dire l'escompte des billets à 90 jours. Elle acceptait des papiers gagés sur des propriétés foncières de valeur incertaine. Enfin, elle faisait affaire avec le Grand Tronc dont elle partageait les vicissitudes.

Parce qu'il était actionnaire de cette banque, et aussi parce qu'il était fiduciaire d'autres actionnaires, Glyn s'y intéressait vivement, et s'inquiétait de son avenir. A la demande de George Glyn, le gérant Ridout décrivait, en avril 1859, la situation déficitaire de son institution envers Glyn, Mills & Co. Au début de l'année, le gouvernement avait tiré sur la banque des traites excessives. Toutefois, écrit-il, cet abus n'explique pas les revers de la banque, revers qu'il faut attribuer plutôt à sa politique générale d'escompte de papiers non réalisables à brève échéance [23]. De plus, beaucoup de titres détenus par la banque avaient une origine commerciale, titres que la dépression, la stagnation commerciale et les faillites de récoltes avaient dépréciés. Enfin, la banque avait dû faire des avances substantielles au gouvernement.

En ce qui concerne les avances consenties sur nantissement de la propriété foncière (non liquide), il nous semble à propos de citer le cas de Samuel Zimmerman. Entrepreneur en chemin de fer, commerçant et politicien, spéculateur de valeurs foncières, Zimmerman avait lui-même fondé une banque à la frontière sud-ontarienne après avoir évalué à $3 millions ses propriétés. La banque Zimmerman avait une circulation de $325,000 insuffisamment garantie par des valeurs réalisables, elle possédait un compte recevable du chemin de fer Great Western au montant de $150,000 (avance consentie à cette compagnie dirigée par Zimmerman lui-même) et elle détenait un dépôt de $280,000 du gouvernement en 1859, au moment où son fondateur-directeur mourut dans un accident de chemin de fer. Les principales banques de la Province se portèrent garantes des valeurs en circulation; la Bank of Upper Canada se chargea du règlement final.

---

23. Ridout à Glyn, Mills & Co., 30 avril 1859.

La participation de Glyn, Mills & Co. au capital et aux opérations de la Bank of Upper Canada avait été motivée, au dire de George Glyn lui-même, par l'association du gouvernement à cette institution [24]. Aussi bien les vicissitudes de la banque furent-elles étroitement liées à celles du gouvernement. La correspondance entre Ridout et Glyn est, à ce propos, révélatrice. Ridout écrit que la banque honore les titres à leur échéance, souvent sans provision suffisante de fonds, en tirant des traites à découvert sur Baring et Glyn [25]. Quelques mois plus tard, Glyn recommande d'augmenter le capital de la banque et d'amalgamer celle-ci à quelque autre institution plus forte. Toutefois, comme agent financier, il ne veut pas compromettre le prestige de sa compagnie en recommandant à sa clientèle d'acheter des parts dans une institution qu'il croit personnellement vouée à la faillite. Il pose quand même un geste de générosité en transférant au compte canadien les parts de la famille Glyn. Et il dit qu'il aime mieux « perdre de l'argent que de compromettre sa réputation » [26].

A la même période, les banques de Montréal avaient adopté une nouvelle politique. Au lieu de balancer leurs comptes toutes les semaines, comme elles l'avaient fait jusqu'alors, elles les balançaient tous les jours, et en valeur-or. C'est pourquoi les banques du Canada-ouest ont dû augmenter leur réserve d'or. Les directeurs de la Bank of Upper Canada ont pris des mesures restrictives en ce qui concernait l'escompte de nouveaux papiers et le recouvrement des billets à l'échéance [27].

En 1864, le gouvernement de la province transférait son compte de la Bank of Upper Canada à la Banque de Montréal. C'était donner confiance au clan financier qui, sous la direction de E. H. King, gérant de la Banque de Montréal, faisait la guerre à la Bank of Upper Canada, au moment où celle-ci se trouvait affaiblie par ses opérations hasardeuses. En 1866, à la suite d'une course au guichet, la Bank of Upper Canada fermait ses portes et, la même année, l'accord de réciprocité prenait fin. L'année suivante, la Commercial Bank faisait faillite [28]. Cette cascade d'événements minait la confiance des investisseurs anglais.

IV

Un autre aspect du problème financier de la Province, c'est celui de la dette des municipalités qui engageait le crédit de la Province. On trouve les éléments de cette question dans l'histoire du *fonds d'emprunt municipal*, établi en 1852 dans le Canada-ouest et au Canada-est, en 1854[29].

24. G. C. Glyn à A. T. Galt, 21 février 1861.
25. Ridout à Glyn, 31 janvier 1859, 28 février 1859, 28 mars 1859.
26. G. C. Glyn à l'Hon. John Ross, 19 mai 1860.
27. Ridout à Glyn, Mills & Co., 7 mai 1860.
28. *Journaux du Sénat*, 1867-1868, I, app. n. 1: rapport du comité spécial sur les causes de la crise financière dans la province d'Ontario.
29. Albert Faucher, *Le fonds d'emprunt municipal dans le Haut-Canada, 1852-1867* dans *Recherches sociographiques*, vol. I, n. 1, janvier-mars 1960, pp. 7-31. (Reproduit ici pp. 83-105.)

Sous ce régime, les corporations municipales du Canada-ouest empruntèrent $7,200,000 et celles de l'est, $2,262,540. Les municipalités emprunteuses devaient verser au fiduciaire, c'est-à-dire au gouvernement qui administrait le fonds, 6% d'intérêt sur le capital emprunté, plus 2% au fonds d'amortissement.

Précisons toutefois, puisqu'il s'agit du problème financier de la Province, que l'histoire du fonds d'emprunt municipal ne nous révèle pas l'intensité des embarras financiers des corporations municipales. Deux groupes de municipalités étaient aux prises avec des difficultés financières: a) un premier groupe comprenait les corporations qui avaient emprunté $7.2 millions au fonds d'emprunt municipal et qui avaient failli à leurs obligations, en tout ou en partie. En 1861, les arrérages se chiffraient à $2,687,543; b) le deuxième groupe comprenait des municipalités qui avaient emprunté indépendamment du fonds d'emprunt municipal en vendant elles-mêmes leurs obligations au public: Hamilton ($900,000), London $220,000), Ottawa ($60,000), et les villes de St. Thomas ($66,000), Prescott ($30,000), Caledonia ($40,000), soit, au total, $1,350,000. Une autre catégorie d'obligations au montant de $880,000 était au compte des municipalités non embarrassées, comme Toronto ($400,000), Berlin ($20,000), Simcoe ($300,000), et le comté de Middlesex ($160,000).

Hamilton, et quelques autres municipalités qui n'avaient pas non plus emprunté au fonds, demandèrent au gouvernement de leur donner un traitement identique à celui qu'il accordait à l'autre groupe de municipalités. Un journal financier de Londres [30] a signalé que ce mouvement d'un groupe de municipalités, sous la direction de Hamilton — réputée ville progressive — infirmait le crédit de toute la Province. Le rédacteur critiquait l'endettement des municipalités, endettement qu'il attribuait à deux causes: a) l'extension de la franchise électorale aux propriétaires de passage, ou propriétaires à court terme, qui ne se souciaient guère des conséquences fiscales de leurs décisions; b) l'indifférence et la connivence des propriétaires fonciers eux-mêmes [31].

En septembre 1861, un groupe de citoyens dirigé par Isaac Buchanan se réunit pour discuter la situation financière de la cité de Hamilton, en collaboration avec la chambre de commerce. Buchanan était l'auteur d'un plan de réhabilitation financière des municipalités, plan basé sur les idées suivantes: a) la législature a permis aux municipalités de s'endetter pour construire des chemins de fer; b) lorsque les municipalités se sont constituées, la législature a imposé des limites à leur pouvoir d'emprunt, mais lorsqu'elles voulurent participer à l'entreprise ferroviaire, la législature leur a permis d'emprunter sans limite; c) la plupart des municipalités qui ont

---

30. *Canadian News and British American Intelligencer*, January 30, 1862, p. 73. Ci-après cité CN.
31. CN, 27 février 1862, p. 133.

participé au fonds d'emprunt municipal ont failli à leurs obligations et le gouvernement leur est venu en aide. Ainsi devrait-il agir envers les municipalités qui ont recouru à d'autres modes d'emprunt, du moins dans la mesure où ces municipalités ont contribué à l'entreprise ferroviaire [32].

En décembre 1861, le maire de Hamilton lançait une circulaire aux créditeurs de la ville, une circulaire qui n'était pas de nature à raffermir l'opinion de Lombard Street au sujet du Canada. Il affirmait que la ville était tellement endettée qu'il lui faudrait taxer la propriété à 20% de la valeur au rôle d'évaluation pour satisfaire à ses obligations [33]. Durant la période de prospérité inflationnaire, on avait construit, à Hamilton, un système d'égouts et un aqueduc; on escomptait, de façon très optimiste, une hausse des revenus de la taxe sur la propriété. La ville n'avait pas reçu du Hamilton and Port Dover Railway les intérêts du prêt qu'elle avait accordé à cette entreprise; ces intérêts auraient dû être payés durant la période de construction du chemin de fer. Les administrateurs de Hamilton avaient accepté, entre 1852 et 1856, la participation de la ville à la construction de quatre voies ferrées convergeant vers celle-ci; ils croyaient devoir tirer de ces investissements des revenus tels que le recours à la taxation directe fût devenu inutile. Deux de ces chemins de fer n'étaient pas terminés en 1862 et les deux autres ne payaient pas de dividendes; de même, on ne parvenait à payer qu'une partie des intérêts sur les dépenses de construction du système d'égouts et d'aqueduc. Dans ces conditions, les administrateurs avaient été amenés à suspendre temporairement le paiement des dettes de la ville; on espérait que les créanciers feraient appel à l'aide de l'Etat. Les conséquences de ces diverses décisions furent désastreuses. Plusieurs résidents quittèrent la ville et le marché de l'immeuble se détériora. Le gouvernement consentit un prêt de $35,000, afin de permettre à la corporation municipale de payer l'intérêt des obligations vendues en Angleterre. Pour payer l'intérêt dû aux obligataires canadiens, une somme de $40,000 eût été nécessaire, mais le gouvernement refusa de prêter cette somme. Toutes proportions gardées, la situation était la même à London, Brantford, Port Hope et Cobourg.

La presse a tenu sur le sujet des propos qui ébranlèrent l'opinion de Lombard Street [34].

Il n'était pas facile pour le gouvernement d'intervenir en faveur du groupe des municipalités associées à Hamilton, sans mettre en question toutes les relations provinciales-municipales. D'autres municipalités, pour les mêmes motifs, s'étaient groupées autour de Chatham; elles n'avaient pas participé à l'entreprise ferroviaire mais elles avaient développé le

---

32. CN, 17 octobre 1861, p. 150.
33. CN, 3 janvier 1872, p. 10.
34. CN, 3 avril 1862, p. 215; 13 août 1863, p. 109; 27 août 1863, p. 130.

commerce local et la colonisation en construisant des routes, et elles avaient ainsi accumulé une dette. De l'avis de leurs représentants, un plan d'aide qui n'eût pas inclus toutes les municipalités aurait été injuste.

V

Après la crise de 1857, le principal problème qui se posait au gouvernement canadien était d'ordre financier: il lui fallait, malgré l'opinion plutôt défavorable de Lombard Street, assurer son crédit sur le marché anglais et prendre à sa charge les responsabilités des entreprises et des municipalités devenues insolvables au cours de la période de déflation. Le *Times* de Londres et l'*Economist* ont jugé sévèrement la situation canadienne [35]. Au plus profond de la crise, en 1858, on va même jusqu'à dire que le Canada est au bord de la faillite. Encore en 1860, même A. T. Galt ne semble pas très optimiste: il affirme alors que les meilleures conditions de commerce n'auraient pas suffi à empêcher la faillite des chemins de fer et des municipalités et il semble incliner vers une politique de restriction, politique qui se réalisera d'ailleurs pleinement sous l'administration Sandfield Macdonald. Le malaise devient chronique au cours des années 1860 et il atteint un point critique avec la faillite de la Bank of Upper Canada et l'abrogation du traité de réciprocité, deux événements que la plupart des Canadiens de l'ouest ont considérés comme des catastrophes.

Deux facteurs ont pu compromettre le crédit canadien sur le marché de la finance. D'une part, la Province a fait des dépenses excessives de capital au cours d'une période d'inflation, de 1854 à 1856 en particulier. L'entreprise privée eut des anticipations trop optimistes et le gouvernement qui s'était engagé à l'aider, selon que l'exigeaient d'ailleurs les financiers, a dû assumer la responsabilité directe des dettes qu'elle avait contractées. Le gouvernement a respecté ses engagements antérieurs, et il a fait bien davantage. D'autre part, la Province a dû faire face à ses obligations malgré une diminution de ses revenus. C'est pourquoi elle dut, à compter de 1859, s'imposer une politique de restriction. Sans doute a-t-elle réussi à survivre à la crise 1857-59, mais plus que jamais la conjoncture lui fut défavorable. La Province a donc dû s'interdire toute dépense d'envergure. Dans les milieux financiers, on parlait du Canada avec méfiance. L'opinion de Lombard Street ne lui était plus favorable.

De façon générale, nous pouvons dire que les impératifs du marché financier ont influencé la politique économique de la Province, comme en témoigne le régime d'assistance à l'entreprise privée et aux corporations municipales. Il ne faudrait toutefois pas croire que toutes les décisions économiques ont été marquées par l'influence des bailleurs de fonds ou

---

35. *The Economist,* December 11, 1858; CN, 13 août 1863, p. 109.

par l'idéologie libre-échangiste. La Province du Canada eut ses champions de l'autonomie dans Galt et Buchanan, et l'historien Graham [36] a bien raison de voir dans les mesures tarifaires de Galt et dans la défense qu'il en a faite à Londres « une déclaration canadienne d'indépendance ».

---

36. G. S. Graham, dans *The Listener*, Londres, November 5, 1959.

4

Le fonds d'emprunt municipal
dans le Haut-Canada,
1852-1867 *

Le fonds d'emprunt municipal s'insère dans l'histoire économique de la Province du Canada comme institution éphémère, sans doute; cependant, étant donné la fonction même qu'on lui a assignée en l'établissant, il revêt une importance durable, comme l'une des pièces originales du système municipal. Le présent article l'étudie sous quatre aspects différents et complémentaires les uns des autres, dans une gradation qui aboutit à l'analyse de cette institution considérée comme événement économique. D'où les quatre divisions du plan, qu'il convient de présenter brièvement afin d'éclairer le cheminement de la recherche.

Avant de chercher à circonscrire l'événement, il nous faut d'abord identifier l'institution en cause. C'est à quoi s'applique la première partie. Puisqu'il s'agit d'une institution publique évoluant dans les cadres de la loi, nous la définirons en termes juridiques en nous inspirant des pionniers de notre histoire économique, principalement d'Adam Shortt et des collaborateurs à *Canada and its Provinces*.

Après avoir identifié l'institution, nous en préciserons l'importance par rapport à l'économie de la province du Canada, à partir de données statistiques relatives aux contrats d'emprunt, à leur fréquence chronologique et à leur répartition géographique.

---

* Article publié dans *Recherches sociographiques,* vol. I, n. 1, janvier-mars 1960, sous le titre *Le Fonds d'Emprunt Municipal dans le Haut-Canada, 1852-1867.*

Les divisions suivantes de l'article introduisent deux ordres de pondération: la troisième partie replace l'événement dans la conjoncture politique en évoquant les origines du régime municipal; la quatrième partie l'insère dans le schème d'économie politique des dirigeants de l'époque. Ce schème postule l'urgence des grands travaux publics, une répartition des tâches entre le gouvernement provincial et les corporations municipales et la recherche des moyens propres à stimuler l'importation de capital britannique, afin d'organiser l'espace géographique de la province.

I

Institué en novembre 1852 (16 Vic., chap. 22), le fonds d'emprunt municipal consolidait le crédit des municipalités qui désiraient se procurer du capital par cet intermédiaire. Il remplissait, au bénéfice de ces municipalités, le rôle d'une gérance fiscale et financière et leur permettait ainsi de contracter des emprunts à un taux raisonnable, c'est-à-dire au taux des obligations provinciales [1].

Envisagé de cette façon, le fonds d'emprunt municipal se définissait, du côté du gouvernement, comme un service administratif et fiduciaire et, du côté des municipalités, comme un ensemble de règles les obligeant à des versements annuels, jusqu'à concurrence du montant de leurs emprunts. Il incombait donc aux municipalités de constituer le fonds [2]. En réalité, le rôle du gouvernement allait dépasser de beaucoup l'intention du législateur et la contribution des municipalités se réduire à bien peu.

Les opérations du fonds ont débuté en 1853 dans le Haut-Canada et en 1854 dans le Bas-Canada. Au total, 134 corporations municipales y

---

1. Les obligations du gouvernement impérial (consols) portaient intérêt de 4%; le gouvernement canadien empruntait à 6% environ sur des obligations à moyen terme, hormis celles qui étaient garanties par le gouvernement impérial (voir *British Parliamentary Papers,* 1842, I, 385); les obligations municipales du Canada se vendaient difficilement à Londres vers 1850, même à 8%. Les obligations du chemin de fer Atlantic & St. Lawrence, garanties par le gouvernement canadien, se vendaient à 6%, grâce à l'initiative de Glyn, Mills & Co., les agents financiers de la province à Londres (voir note 37). A compter de 1851, les agences Baring et Glyn font coter les valeurs canadiennes à la bourse de Londres, au moment où les firmes britanniques s'apprêtent à passer des contrats avec le gouvernement canadien pour la construction du Grand Tronc. (Ces renseignements ont été recueillis chez Glyn, Mills & Co., rue Lombard, Londres, où l'auteur fut introduit par la Fondation Nuffield au cours d'un stage comme Fellow de cette fondation et où il fut guidé généreusement par M. W. A. Shelton, préposé aux archives de la célèbre institution bancaire).

2. Les renseignements de caractère légal qui ont servi à la préparation de la première partie de cet article ont été puisés dans le mémoire de l'honorable E. B. Wood, *Sessional Papers, Province of Ontario, 1871-1872,* vol. IV, Part II, n. 8. Ci-après cités SPO.

ont emprunté, dont 46 dans le Haut-Canada et 88 dans le Bas-Canada [3]. La plupart ont failli à leurs obligations, en tout ou en partie. Et pourtant, Hincks et Galt, artisans et apologistes de ce régime, ont toujours pensé que le fonds d'emprunt n'était qu'une gérance visant à faciliter les emprunts ou à réhabiliter le prestige des municipalités sur le marché de la finance. Et selon eux, cette gérance n'engageait pas directement le crédit de la province parce que celle-ci n'assumait pas la responsabilité des corporations emprunteuses [4], mais en fait, en voulant hausser le prestige des municipalités et faciliter des emprunts qu'il stimulait d'ailleurs, le gouvernement a mis en jeu son propre renom, il a infirmé son crédit dans les milieux financiers. Et sur le plan de la politique, il a empiré la confusion traditionnelle des pouvoirs ou compliqué les relations provinciales-municipales.

Définissons le fonds d'emprunt en termes de relations entre gouvernement provincial et municipalité [5].

Du côté provincial, la loi de 1852 confiait au Receveur général un rôle de surveillance. Celui-ci devait recevoir les demandes d'emprunt, en approuver les montants, et enquêter sur l'usage auquel on destinait ces emprunts. Il lui incombait de veiller aux paiements périodiques que la loi exigeait et, en cas de défaut, il pouvait autoriser le shérif à fixer les taux de taxation et à prélever les sommes adéquates.

Quant aux corporations, elles devaient présenter leurs demandes d'emprunt au gouvernement sous forme d'arrêtés municipaux. La formule de demande spécifiait le montant de l'emprunt à contracter et définissait les fins auxquelles on voulait l'utiliser. Or la législation antérieure relative aux municipalités et aux compagnies de chemins de fer avait ouvert aux corporations municipales un vaste champ d'entreprise. C'est pourquoi elles pouvaient, sous le régime du fonds consolidé, emprunter pour les fins suivantes: construction ou amélioration d'édifices publics, construction, amélioration, acquisition de routes, ponts, canaux, ports, chemins de fer, ou simple participation à ces divers types d'entreprises, soit dans les limites géographiques de leur juridiction, soit également en dehors [6].

---

3. La littérature courante donne 54 pour le Bas-Canada. On obtient ce nombre en soustrayant de 88 la somme des municipalités qui ont emprunté chacune moins de $2,000. Voir *Documents de la Session, Province du Canada, 1864*, vol. I, n. 2, doc. n. 22; ci-après cités DSPC.

4. Voir résolutions de Hincks auxquelles réfère la note 36; A. T. Galt, *Canada 1849 to 1859*, London 1860.

5. SPO, 1871-1872, *IV*, Part II, n. 8.

6. *Journaux de l'Assemblée Législative de la Province du Canada*, 1858, *3*, app. n. 4, ci-après cités JALPC, rapport d'un comité spécial sur les comptes publics. Le gouvernement a cédé à des compagnies privées et à des corporations municipales des routes, des ponts et des ports, à 20% de leur valeur réelle. La loi 12 Vic., ch. 5 avait autorisé cette entente entre le gouvernement et les compagnies locales et corporations municipales, grâce à quoi celles-ci pouvaient se porter acquéreurs des travaux les plus immédiatement rentables. JALPC, 1852-1853, *8*, app. CCCC; *id.*, 1854-1855, *10*, app. JJ, et 1850, *9*, app. BB.

Lorsque le Gouverneur en conseil donnait son assentiment au projet que lui présentait le Receveur général, celui-ci pouvait émettre des obligations pour le montant de l'emprunt, sur nantissement du fonds à constituer par les emprunteurs. Les corporations pouvaient alors soit vendre elles-mêmes ces obligations soit les faire vendre par le gouvernement qui leur en remettait le produit. Peu importait le mode de transaction, pourvu qu'elles pussent, grâce à l'union du crédit et grâce au rôle fiduciaire du gouvernement, se procurer des emprunts à 6% d'intérêt, comme le gouvernement, et non à 8% [7].

Il était loisible à toute corporation municipale qui ne jugeait pas opportun de se prévaloir du fonds ou qui ne voulait pas y contribuer, de procéder par vote ordinaire: le fonds d'emprunt municipal se présentait comme procédé optatif d'opération financière.

A compter de 1853, dans le Haut-Canada, et de 1854, dans le Bas-Canada et jusqu'à la crise de 1857, les corporations municipales pouvaient donc se procurer du crédit par deux moyens. Elles pouvaient vendre elles-mêmes leurs obligations sur le marché par l'intermédiaire d'un courtier, ou directement à des individus, en vertu de la législation antérieure qui les autorisait à le faire. Elles pouvaient aussi recourir au moyen indirect ou fiduciaire de l'administration provinciale. On voit donc que l'histoire du fonds d'emprunt n'épuise pas la liste des corporations qui ont subi des embarras financiers. La cité de Hamilton, par exemple, qui avait une dette de $2,500,000 en 1861 (dont $800,000 dans les chemins de fer), n'apparaît pas dans la liste du fonds d'emprunt [8]. Par contre, les dettes contractées au fonds d'emprunt par certaines corporations n'indiquent pas nécessairement la dette totale de ces corporations. Ainsi, la cité de London a emprunté au fonds $375,400, mais elle avait aussi par ailleurs vendu des obligations et, en 1861, elle avait accumulé, en dehors du fonds, une dette de $220,000 [9].

---

7. On trouve diverses descriptions de la conjoncture des transactions financières dans les papiers d'Adam Shortt, Archives de la bibliothèque de Queen's University, Canada. Shortt a préparé un index de ce périodique publié à Londres deux fois par mois de 1856 à 1861 et hebdomadairement jusqu'en 1872, périodique qui se donnait pour but « d'attirer l'attention du public britannique sur le territoire de nos provinces de l'Amérique du Nord comme débouché au surplus de main-d'œuvre et comme champ d'investissement pour le capital de notre pays » (traduction de l'auteur). Ce périodique s'intitulait *The Canadian News and British American Intelligencer*. Il a modifié son titre en 1860, 1861, 1862 et 1863. On y trouve régulièrement un éditorial; le reste se compose de glanures et reproductions d'articles de journaux britanniques, américains et canadiens. Plusieurs de ces articles donnent des aperçus historiques sur la finance canadienne et, en particulier, sur la question municipale. Aux Archives publiques du Canada. *The Canadian News and British American intelligencer* sera ci-après cité CN.

8. CN, 5 décembre, 1861, p. 261; JALPC, 1854-1855, *10,* app. JJ.

9. CN, 26 juin, 1862, p. 406.

Le début des opérations du fonds coïncidait avec le lancement de l'entreprise du chemin de fer du Grand Tronc; coïncidence favorable à certaines corporations qui s'étaient déjà mises en frais de construire des routes, qui avaient même contribué à construire des chemins de fer. Elles allaient maintenant, chacune à sa façon et jalousement, poursuivre leur rêve de devenir de petites métropoles, supérieures aux rivales, en construisant des voies d'amenée au Grand Tronc, édifiant ainsi leur propre hinterland [10]. Les villes de Cobourg et de Port Hope s'insèrent en relief dans cet univers d'ambitions métropolitaines. Tendues vers la conquête de ce qu'elles considéraient comme leur hinterland, elles stimulaient les anticipations des propriétaires fonciers en leur fournissant l'occasion d'une rente; mariage d'intérêt qui provoque une hausse spectaculaire du prix des terres au cours de la guerre de Crimée [11].

II

Précisons maintenant, tout d'abord, en termes quantitatifs, l'importance du fonds en tant que source de crédit, puis certaines modalités d'emprunt, compte tenu des variations observées au cours de la période étudiée.

La loi de 1852 ne fixait pas de limite au crédit disponible. Ce pouvoir illimité d'emprunt ne soustrayait toutefois pas les demandes individuelles à l'approbation du Gouverneur en conseil. Sous ce régime légal, et jusqu'en décembre 1854, 33 corporations municipales du Haut-Canada ont contracté une dette totale de $4,011.666.64 au fonds d'emprunt.

Dès 1853, 24 corporations empruntaient $1,951.000 par montants variant entre $5,000 et $300,000. Au cours de 1854, six des corporations

---

10. La charte du chemin de fer Great Western avait été amendée avant la passation de la loi générale des chemins de fer, permettant aux municipalités de participer au capital de cette compagnie. Les comtés d'Ottawa, Middlesex, les villes de Galt et London, souscrivirent $25,000 chacun au stock de la compagnie et Hamilton, $100,000. La loi générale de 1851 stipulait que le maire ou *warden* de toute corporation municipale ayant souscrit $5,000 ou plus devenait ex officio directeur de la compagnie. Voir Shortt and Doughty *Canada and its Provinces,* Toronto 1914-1917, vol. 10, pp. 397-398.

11. Cobourg et Port Hope avaient une population de 4,000 et 7,000, respectivement. Même Peterborough, selon certains propagandistes du moins, ambitionnait de devenir la plus grande ville du Canada; JALPC, 1851-1852, app. BB. Le Canada n'a pas innové sous le rapport de la spéculation foncière au moyen de la promotion de l'entreprise du chemin de fer; voir F. A. Cleveland et F. W. Powell, *Railroad Promotion and Capitalization in the United States,* New York 1909. Le chemin de fer joue un rôle dynamique dans un pays jeune et bien pourvu de terres, même au simple stade de la promotion par incorporation de compagnie, sans intention réelle d'y exécuter des travaux. Dans les années 1850, le gouvernement canadien aurait octroyé 56 chartes, dont 27 seulement furent utilisées; d'après E. B. Biggar, *The Canadian Railway Problem,* Toronto 1917, pp. 73-74.

qui avaient puisé au fonds l'année précédente y puisaient $988,000 additionnels et neuf autres empruntaient pour la première fois un montant total de $1,072,666.64. On avait donc prêté $2,060,666.64 en 1854. Au cours des années subséquentes, soit de 1855 à 1858, treize corporations nouvelles contractent des emprunts et sept autres déjà emprunteuses obtiennent des prêts supplémentaires pour $3,288,333.36. Les vingt prêts consentis entre 1855 et 1858 se répartissent ainsi: douze en 1855, quatre en 1856, trois en 1857 et un seul en 1858 [12]. C'est dire qu'à toutes fins pratiques, le fonds cessa de prêter au cours de la crise déflationnaire de 1857. On avait d'ailleurs atteint la limite déterminée par la loi 18 Vic., ch. 13. Cette loi de décembre 1854 créait un fonds pour le Bas-Canada et amendait la première loi de 1852. En particulier, elle limitait le fonds à £ 1.5 million pour chacune des deux régions de la province et elle interdisait aux municipalités d'emprunter un montant supérieur à 20% de l'évaluation totale de la propriété située à l'intérieur des limites du territoire tombant sous leur juridiction, compte tenu du rôle d'évaluation en vigueur lors de la passation de la loi.

Quant au mode de recouvrement, il a subi deux modifications, l'une en 1857, l'autre en 1859. La loi originale de 1852 établissait la contribution des corporations emprunteuses à 6% d'intérêt sur le montant des emprunts, plus 2% du même montant pour l'amortissement de la dette. Une loi de juin 1857, visant à faciliter le recouvrement, réduisait à 12½% la cotisation des municipalités en retard dans leurs paiements. Mais, sous ce régime légal, le Gouverneur en conseil disposait de l'autorité nécessaire pour engager le shérif à intervenir auprès des municipalités. Une telle mesure ne pouvait être qu'impopulaire, même parmi les députés, dont le statut politique dépendait en définitive, des contribuables éventuellement poursuivis par le shérif. En mai 1859, on décidait de ne plus prêter aux corporations du Haut-Canada, sauf à celles dont le Gouverneur en conseil aurait agréé la demande avant la passation de la loi. Cette nouvelle loi, désignée comme loi de compromis, précisait la tâche des officiers municipaux et le devoir des contribuables, et elle établissait un nouveau taux de contribution [13].

C'est précisément par rapport à ce dernier point qu'on a parlé de compromis. A compter de 1859, en effet, on n'exigea plus que 5% d'intérêt sur les emprunts comme cotisation au fonds, tout en conservant le 2% additionnel pour l'amortissement de la dette; au total 7%, et non plus 8% comme auparavant.

---

12. A moins d'indication spéciale, il s'agit toujours du Haut-Canada. L'ancienne appellation est ici utilisée pour désigner la section ouest de la Province du Canada. Voir *Documents de la Session du Canada*, 1867-1868, *8*, n. 69, ci-après cités DSC; JALPC, 1859, *3*, app. n. 23.

13. Voir E. B. Wood, SPO, 1871-1872, vol. IV, Part II, n. 8.

La possibilité d'une telle modification reposait sur une décision du gouvernement qui marquait une étape décisive dans l'histoire du fonds d'emprunt pour ne pas dire dans l'histoire des relations provinciales-municipales. Le gouvernement assumait la dette des municipalités en cause, il consolidait cette dette et, aux obligations du fonds, il substituait des obligations provinciales qui furent acceptées au pair par les obligataires. Étant donné que le gouvernement ne payait que 5% d'intérêt, c'est le taux qu'il allait exiger des municipalités. Le fonds d'emprunt municipal devenait un cadre administratif pour fin de recouvrement des dettes des municipalités et une source de confusion fiscale dans le règlement des réserves du clergé protestant et de la tenure seigneuriale.

En même temps qu'elle effectuait ce compromis, la législation de 1859 établissait un régime de surveillance sur les municipalités. En d'autres termes, elle définissait l'exercice du droit de créance du gouvernement dans les termes suivants [14].

1. Les corporations qui manqueraient à leurs engagements seraient sujettes à la poursuite du shérif en tant que mandataire du Gouverneur en conseil.

2. Tout fonctionnaire municipal qui négligerait ou refuserait de coopérer à l'exécution des engagements serait tenu coupable de contravention et, en cas de conviction, responsable de ses biens à la concurrence du solde à payer;

3. Toute municipalité qui réaliserait des profits ou dividendes sur les placements ou investissements effectués à l'aide de ses emprunts au fonds, serait tenue de confier tels bénéfices au Receveur général qui les inscrirait au crédit de cette municipalité, dans les livres du fonds d'emprunt;

4. A moins qu'elle n'ait payé ses dettes au fonds, aucune municipalité ne pourrait contracter de nouveaux emprunts sans le consentement du Gouverneur en conseil;

5. Les municipalités défaillantes ne pourraient pas recevoir de subsides du gouvernement. Les subsides qui, de droit, reviendraient à ces municipalités seraient, de fait, retenus par le Receveur général qui les leur remettrait après acquittement de la dette;

6. Toute municipalité défaillante serait privée de son droit au produit des réserves du clergé; celui-ci devait être versé, à titre de compensation, aux municipalités non emprunteuses et à celles qui, ayant emprunté, avaient acquitté leurs paiements.

---

14. 22 Vic., ch. 15.

TABLEAU I

*Liste des corporations municipales du Bas-Canada
ayant emprunté $50,000 et plus, et sommes empruntées*

Corporations municipales	Sommes empruntées
COMTES	(en dollars)
Stanstead	71,000
Shefford	215,000
Terrebonne	94,000
Ottawa (division no 2)	131,600
COMTES : TOTAL	511,600
CITES	
Montréal	800,000
Québec	50,000
CITES : TOTAL	850,000
VILLES	
Sherbrooke	80,000
Trois-Rivières	220,000
VILLES : TOTAL	300,000
PAROISSE	
Saint-Germain-de-Rimouski	50,000
CANTON	
Stanbridge	50,000
GRAND TOTAL	1,761,600

Cette structure légale n'a engendré ni la volonté ni la capacité de payer, car de 1860 à 1867 la province n'a recouvré, du Haut-Canada, que $500,000 d'une dette d'une dizaine de millions, compte tenu des arrérages d'intérêt [15]. Au contraire, l'opinion s'est soulevée et certaines municipalités ont même agité la question de répudiation. D'autres ont tout simplement négligé de faire rapport de leur rôle d'évaluation [16], un facteur pourtant essentiel au calcul de leur engagement annuel. Quant aux municipalités qui avaient rempli leurs obligations ou qui avaient emprunté en dehors du fonds d'emprunt municipal, elles ont considéré comme une injustice la nouvelle législation.

Le Bas-Canada a fait un usage plus diffus du fonds d'emprunt municipal que le Haut-Canada: 88 corporations municipales y ont emprun-

---

15. Shortt and Doughty, *Canada and its Provinces*, vol. 18, p. 451.
16. CN, 27 août 1863, pp. 130; JALPC, 1857, 6, app. 30.

té. L'emprunt total ne s'élève pourtant qu'à $2,262,540 dans le cas du Bas-Canada ($7,300,000 dans le Haut-Canada). La moitié des emprunts ne dépassait pas $5,000; 34 corporations ont emprunté des sommes variant entre $5,000 et $50,000; enfin, une dizaine d'entre elles (voir Tableau I) ont emprunté de $50,000 à $800,000 [17].

Tout à l'opposé, la caractéristique dominante des opérations du fonds dans le Haut-Canada, c'est le recours aux gros emprunts chez la majorité des emprunteurs. Trente corporations sur quarante-six y ont emprunté des montants variant entre $50,000 et $860,000, comme le montre le tableau II [18].

La cause historique de ce contraste entre les deux sections de la Province quant au recours au fonds d'emprunt est complexe. Sans doute, dans le Haut-Canada, les corporations municipales étaient-elles mieux organisées et, commercialement, plus évoluées; et leurs projets, plus vastes et plus ambitieux. C'était, du moins, l'opinion d'Elgin [19]. Toutefois elles semblent avoir agi avec témérité dans leurs opérations financières. Avec une assiette fiscale insuffisamment définie, mais fortes de l'appui que leur offrait un gouvernement « central », elles ont engagé plus que les trois-quarts de leur emprunt total au fonds dans des entreprises non rentables dont quelques-unes même insolvables.

Une analyse sommaire des statistiques démographiques des comtés du Haut-Canada et de la valeur cotisable des propriétés suggère qu'elles ont abusé de l'emprunt dans la mesure même où elles voulaient spéculer [20]. Or la spéculation, en l'espèce, signifie autre chose que l'attitude du crésus qui déjeune en lisant les cotations de la bourse. Ses promoteurs étaient des hommes commis à la garde du bien commun.

17. DSPC, 1864, vol. I, n. 2, doc. n. 22.
18. DSC, 1867-1868, 8, n. 69.
19. Elgin à Pakington, n. 116, 22 décembre 1852, JALPC, 1852-1853, 8, app. CCCC.
20. JALPC, 1854-1855, 10, app. JJ; 8, app. K; 1857, 4, app. 14; 1859, 3, app. 23.

TABLEAU　II

Liste des corporations municipales du Haut-Canada
ayant emprunté $50,000 et plus, et sommes empruntées

	Corporations municipales	Sommes empruntées
		(en dollars)
COMTES	Huron et Bruce	308,000
	Elgin	80,000
	Hastings	157,600
	Lanark et Renfrew	800,000
	Northumberland et Durham	460,000
	Perth	288,000
	COMTES : TOTAL	2,093,600
CITES	London	375,400
	Ottawa	200,000
	CITES : TOTAL	575,400
VILLES	Brantford	50,000
	Brockville	400,000
	Cobourg	500,000
	Chatham	100,000
	Dundas	52,000
	Goderich	100,000
	Guelph	80,000
	Niagara	280,000
	Port Hope	860,000
	Prescott	100,000
	Peterborough	100,000
	St. Catharines	190,000
	Simcoe	100,000
	Stratford	100,000
	Woodstock	100,000
	VILLES : TOTAL	3,112,000
CANTONS	Brantford	50,000
	Elizabethtown	154,000
	Hope	60,000
	Norwick	200,000
	Ops	80,000
	Woodhouse	80,000
	Windham	100,000
	CANTONS : TOTAL	724,000
	GRAND TOTAL	6,505,000

Ce n'est pas le moment de les juger. Essayons plutôt de les situer dans la tradition politique de leur époque.

III

Dans la tradition politique, on peut dire que les politiciens du Haut-Canada ont vu grand et petit à la fois; grand pour s'être placés dans la perspective des hommes qui veulent voir loin et définir une stratégie propre à leur milieu ambiant, compte tenu des Etats-Unis comme pôle d'attraction et de la Grande-Bretagne comme centre de décision. Mais aussi, et surtout, ils se sont occupés de petites choses, se taillant ainsi de petits empires de patronage en vue de gagner la faveur de leurs commettants. Sur ce plan, Gustave Myers les a jugés sévèrement [21]. De son point de vue, l'équipement électoral de la province du Canada, sous le leadership des anglophones, a pu constituer un excellent *kindergarten* pour les politiciens canadiens-français.

Mais la vision des hommes politiques de cette époque, l'envergure de leurs entreprises qui engageaient l'avenir des générations futures les plaçaient bien en avance par rapport à leurs commettants et les portaient à la centralisation. Il est facile, quoique téméraire peut-être, d'imaginer que Hincks, Galt, MacNab, Merritt, Buchanan, ou autres, se soient comportés comme des dirigeants d'une vaste entreprise rentable, ou comme des gérants d'une grande municipalité [22]. Dans la tradition politique décrite par Durham, et dans la conjoncture des grands travaux publics, la formation d'un régime municipal dut s'avérer très laborieuse.

A la suggestion de Durham d'abord, à l'instigation de Sydenham ensuite, et grâce au labeur de Baldwin, on jetait, en 1849, la base légale de ce régime dans le Haut-Canada. Mais que l'on ne s'y méprenne pas. Il est facile d'exagérer la vertu créatrice des lois. Car dans un régime constitutionnel libre, les lois ne sont efficaces qu'à condition de s'appuyer sur une réalité vivante qui les postule, sur la conscience d'un besoin public et sur la reconnaissance populaire d'une intervention de l'Etat. Or, il en est de la législation en matière de fiscalité municipale comme de toute autre. Les lois régissant les opérations du fonds d'emprunt municipal, comme la loi municipale de 1849 elle-même dans le Haut-Canada, n'ont pas eu la vertu d'engendrer la condition fondamentale d'un régime efficace, c'est-à-dire une assiette municipale d'impôt définie dans un plan de synthèse fiscale.

---

21. G. Myers, *History of Canadian Wealth*, Chicago 1914.
22. E. B. Biggar, *The Canadian Railway Problem*, les présente dans cette perspective. Un contemporain des promoteurs-politiciens, l'ingénieur T. C. Keefer, écrit à leur propos qu'ils ont devancé l'opinion publique en subissant l'influence d'une minorité en rupture de ban avec le peuple; voir T. C. Keefer, *Philosophy of Railroads,* Montreal 1850, p. 4.

Encore dans les années 1860, la province du Canada, et les deux sections de la province, se montraient hostiles à toute forme de taxation directe [23]. La tendance des politiciens à protéger la propriété contre toute fonction sociale qu'on eût voulu lui assigner, comme aussi, à l'échelle nationale, la tendance à tout attendre de la taxe de douane et d'accise, préparaient mal les esprits à repenser le système fiscal dans son ensemble. Buchanan a dit, à cette époque-là même, de la taxe indirecte, qu'elle était « une façon d'alléger les charges actuelles de la dette publique, qu'on ne pourrait alléger d'aucune autre façon en Amérique, pas même à la pointe de la baïonnette » [24].

Durham a dit de l'Assemblée du Haut-Canada qu'elle « représente spécialement les intérêts des régions les plus peuplées et on l'accuse d'avoir plutôt en vue, dans ses octrois, l'influence de ses membres auprès de leurs commettants. En conséquence, les fonds ont presque tous servi à cette partie du pays où le besoin était moindre. » [25]

Il avait remarqué d'ailleurs, au sujet des colonies britanniques de l'Amérique du Nord: « Littéralement parlant, la grande affaire de l'Assemblée, ce sont les affaires de paroisse: construire des chemins et des ponts de paroisse. Dans aucune de ces provinces il n'y a un corps qui possède l'autorité d'imposer des cotisations locales. C'est là le propre de l'Assemblée. Le souci primordial de chaque député, c'est d'inciter l'Assemblée à s'occuper des intérêts de son comté d'abord. »

C'est dire qu'on distribuait des octrois dans la perspective de leur efficacité électorale. D'où la tendance à réduire les dépenses les plus importantes de l'administration, afin de mieux satisfaire aux demandes locales qu'on jugeait électoralement efficaces. Et donc... « lorsque nous avons besoin d'un pont, nous prenons un juge pour le bâtir » [26].

Le régime de l'Union comme condition d'un programme de travaux publics impliquait une optique nouvelle et allait poser le problème du transfert de certaines responsabilités aux corporations municipales. Il s'agissait donc de constituer d'abord ces corporations. L'effort de Sydenham dans cette direction, effort qu'on a considéré, et non sans raison,

---

23. On a parlé de connivence avec les propriétaires fonciers, CN, 27 février 1862, p. 133.

24. Discours d'Isaac Buchanan, dans H. J. Morgan, ed., *The Relations of the Industry of Canada with the Mother Country and the United States,* Montreal, 1864, p. 274. Selon le *Quebec Chronicle,* 1862, imposer une taxe directe, c'était compromettre son existence politique; cité dans S. P. Day, *English America,* London 1864, I, p. 67.

25. *Le Rapport de Durham,* traduit et annoté par Marcel Hamel, Editions de Québec, 1948, p. 215.

26. *Id.,* pp. 137-138.

comme une atteinte aux institutions démocratiques [27], s'inscrivait à l'intérieur d'un plan d'ensemble de développement économique.

Pour amorcer le développement économique après la guerre civile de 1837, il fallait faire accepter un plan d'ensemble et agrandir l'aire de l'entreprise à la dimension des deux provinces unies. « Toutes les raisons économiques militant en faveur d'une union législative, dit Sydenham, sont réductibles, dans les circonstances, à un objectif vital: la restauration de la prospérité par infusion de capital. » [28]

Les grands travaux publics qu'on devait lancer exigeaient un emprunt de £ 1,500,000, à dépenser au cours d'une période de cinq ans. Or, un prélèvement aussi considérable de capital mettait en cause le crédit public de la nouvelle province. Il fallait pourvoir au paiement des intérêts, organiser éventuellement un fonds d'amortissement, aussi longtemps que les entreprises ne seraient pas rentables et qu'elles ne pourraient pas se charger elles-mêmes du fardeau de la dette.

Devant d'aussi graves responsabilités, n'était-il pas grand temps qu'on mît fin aux malversations occasionnées par la confusion des fonctions locales et provinciales, en créant une division des pouvoirs. Or, durant l'exécution du plan impérial, toute l'attention de la province se porta vers le « gouvernement central ». La densité des événements ne favorisa pas une modification des comportements: influx de capital, demande abondante d'emploi, conjoncture favorable au commerce des produits forestiers et agricoles, entraînèrent plutôt la centralisation et intensifièrent l'agiotage. Le gouvernement continua d'employer à des fins locales et non rémunératrices le produit accru des taxes, en plus de dépenser avec prodigalité les produits de l'emprunt. Il en résulta un accroissement substantiel de la dette de 1841 à 1849 [29].

Un rapport financier de 1850 rappelle l'origine de cette prodigalité [30]. Avant l'Union, il était loisible à tout député d'inscrire un crédit au feuilleton de la Chambre et de proposer un vote d'argent. Ce type d'ingérence parlementaire dans l'appropriation d'une partie du revenu public infirmait le rôle de l'exécutif et privait l'administration d'un contrôle pourtant nécessaire. La loi de l'Union introduisit le système britannique. Dès ce moment, l'initiative des mesures affectant le trésor public aurait dû être réservée exclusivement à l'exécutif. Mais la coutume a triomphé de la loi. On a même dépensé des sommes considérables, après 1841, sans autorisation de la Chambre, quitte à les légaliser plus tard, comme on l'a fait

---

27. Louis-Philippe Audet, *La surintendance de l'éducation et la loi scolaire de 1841* dans *Les Cahiers des Dix,* n. 25, Montréal 1960, pp. 147-169.
28. G. Poulett Scrope, *Memoir of the Life of Charles Lord Sydenham,* London 1843, pp. 140-157.
29. JALPC, 1849, *8,* app. BB.
30. JALPC, 1850, *9,* app. BB.

en 1845 (8 Vic., ch. 71). Les comités de finance se constituaient par votes recrutés des deux côtés de la Chambre, sans allégeance de parti, et avec le seul souci pour chacun de promouvoir sa cause. Ainsi se créait une grande mobilité de main-d'œuvre politique, chacun se tenant prêt à servir le clan prépondérant dans la balance électorale. Cette mobilité quasi-mécanique s'est traduite en remaniements ministériels qu'il serait difficile d'expliquer en termes d'idéologie politique.

La crise de 1847 et la dépression des années 1848 et 1849 remirent tout en question. Parce que les valeurs canadiennes sur le marché de Londres avaient subi une forte dépréciation [31], il devenait urgent de simplifier la fonction provinciale en confiant aux corporations municipales certaines tâches assumées par le gouvernement. Les dépêches envoyées à Londres insistent sur ce point, à savoir que désormais le gouvernement distinguerait parmi les travaux publics ceux qui ont un caractère général ou national et les autres, de portée locale seulement. Le gouvernement assumerait la responsabilité des travaux de la première espèce et les corporations municipales celle des travaux de la seconde catégorie. Grâce à cet élan d'organisation municipale, grâce aussi, nous le verrons, à la loi de garantie en faveur des chemins de fer, on put restaurer le crédit canadien dans les milieux financiers.

Cependant, la loi municipale de 1849 impliquait une confusion des tâches, pour autant qu'elle autorisait les municipalités à participer directement et indirectement à l'entreprise ferroviaire. Elle ouvrait la porte aux abus de crédit chez certaines municipalités déjà portées au rêve ou à l'optimisme capitaliste. En conséquence, les obligations municipales, comme les obligations des entreprises dites « d'intérêt national », demeurèrent des valeurs douteuses.

Afin de vaincre la méfiance des prêteurs anglais, les agents financiers de Londres conseillèrent au gouvernement canadien d'intervenir, dans un cas pour protéger les actionnaires et les obligataires des compagnies de chemin de fer actuelles ou futures, dans l'autre, pour protéger les obligataires des municipalités et pour stimuler la vente des obligations offertes. Dans le premier cas, il fallait *la nouvelle loi de garantie de 1851,* dans le second, *la loi du fonds d'emprunt municipal de 1852.*

Présentée dans pareil cadre de référence, cette législation suppose une motivation, que nous allons analyser dans la dernière partie de cette étude, par rapport à certains critères de logique économique. Nous le ferons en compagnie de Hincks, l'économiste des projets magnifiques.

---

31. Le prix des obligations canadiennes se maintient à la baisse: Glyn, Mills & Co. à Hincks, 29 sept. 1848; difficulté d'établir un marché public des obligations du Canada: Glyn à Hincks, 6 août 1849. Glyn a vu Baring et celui-ci ne voit pas non plus la possibilité d'un marché d'obligations canadiennes: Glyn à Hincks, 10 août 1849; situation politique du Canada jugée contraire au lancement d'obligations canadiennes: lettre personnelle de Glyn, Mills & Co. à Hincks, 5 avril 1850.

IV

Le mémoire sur l'émigration et sur les travaux publics, « en autant qu'ils se lient ensemble » (traduction officielle) contient des éléments d'un schème de raisonnement économique qui réfère au capital et à la population comme facteurs rares et à la terre comme facteur abondant [32]. Le capital est rare parce que l'épargne est affectée à l'acquisition ou à l'amélioration de terres agricoles, à la construction de maisons et de moulins. La population est rare, parce que même l'immigration britannique tend à se diriger vers les Etats-Unis, où l'emploi est meilleur, et les salaires plus élevés [33].

« Le grand désavantage qui pèse sur le Canada vient de l'absence de capitaux nécessaires pour la confection des travaux publics qui sont presque devenus indispensables, comme auxiliaires des canaux, pour accaparer le commerce des contrées de l'Ouest » (traduction officielle). Dans son système, Hincks associe politique d'investissement et politique d'immigration. Politique d'investissement aux fins de rendre accessibles les terres incultes, de développer le marché et de procurer de l'emploi; politique d'immigration, comme moyen de soulager le Royaume-Uni d'un excès de population.

Ainsi définie, i.e., comme fonction du problème démographique de la Grande-Bretagne, l'immigration devenait une raison propre à persuader les capitalistes britanniques d'investir au Canada plutôt qu'aux Etats-Unis. Si le Canada doit poursuivre une politique généreuse d'immigration, dit Hincks, il lui faut, de toute nécessité, continuer l'aménagement de son territoire. Les travaux publics, au surplus, doivent faciliter l'intégration immédiate des immigrants à leur nouveau milieu en leur procurant de l'emploi et en leur permettant ainsi d'accumuler l'épargne nécessaire à l'acquisition d'une propriété ou d'un emploi permanent.

Or les travaux publics sont de deux espèces, ceux qui ont un caractère local: chemins macadamisés, chemins de madriers, ponts, quais, etc., et les autres, « d'une nature plus générale, comme les chemins de fer et les canaux ». En acquiesçant aux allocations locales pour des travaux qui n'ont même pas rapporté l'équivalent de l'intérêt du capital, la poli-

---

32. JALPC, 1849, 8, app. EEE; le mémoire est daté de Montréal, 20 décembre 1848, Grey y voit un « habile document ». Grey à Elgin, 20 janvier 1849.

33. Hincks écrit: « Les profits sur les lignes américaines et sur le chemin de fer du Saint-Laurent et du lac Champlain dans le Bas-Canada ont varié de 7 à 10 pour cent. Il paraît donc évident que l'exécution d'un vaste plan de colonisation peut être sûrement combiné avec un placement de capitaux avantageux. Les sommes qui seraient dépensées sur ces ouvrages étant le double du montant de l'emprunt proposé, l'emploi du travail serait très considérable, et le prix des salaires étant très élevé en Canada, les travailleurs pourraient économiser une somme suffisante durant la confection des travaux, pour les mettre à même de s'établir sur des terres ». Mémoire, 20 décembre 1848 (Traduction officielle.)

tique provinciale s'était engagée dans un cercle vicieux dont elle eut peine à sortir. Elle a créé du mécontentement dans les régions dites négligées, mécontentement qu'il fallait calmer en octroyant d'autres allocations pour des travaux locaux. Il en est résulté des embarras financiers.

Hincks est donc d'avis « que le gouvernement doit s'efforcer de se décharger de tous les ouvrages strictement locaux en les transférant aux corps municipaux..., que des dispositions devraient être établies dans le but de garantir les crédits des différents corps municipaux, et de leur donner moyen d'emprunter de l'argent sur la garantie d'une taxe directe pour couvrir les intérêts de la dette, et de pourvoir à un fonds d'amortissement pour son rachat. Des dispositions de ce genre feront partie des bills des municipalités et des cotisations dans le Haut-Canada où les institutions municipales fonctionnent avec succès » (traduction officielle).

Les lois municipales du Haut-Canada de 1847 et 1849 abolissent les « districts » institués par Sydenham et établissent comme divisions territoriales des corporations, les comtés, cités, villes, cantons, villages. Les corporations élisent leurs propres officiers, elles ont le privilège de contracter des emprunts, de construire et d'entretenir des routes, elles peuvent contribuer au capital de compagnie de ponts et de routes (entreprises constituées en vertu d'une loi spéciale) et elles peuvent même acheter le stock entier de ces compagnies. Enfin, elles peuvent investir dans les chemins de fer, lorsque la charte des compagnies le leur permet.

Jusqu'en 1851, les compagnies de chemin de fer étaient incorporées par des lois particulières contenant des clauses spécifiques à chaque compagnie et aussi des clauses communes à toutes, qui ont servi de base à la loi générale des chemins de fer de 1851 [34]. En vertu de cette loi et de la loi municipale de 1849, toute corporation avait le privilège d'acheter des parts dans une compagnie de chemin de fer ou de lui consentir des prêts. On notera donc que, même avant 1851, les corporations municipales pouvaient contribuer à l'entreprise des chemins de fer, pourvu que la charte des compagnies les y autorisât. Ce fut le cas de la charte du Great Western et du St. Lawrence & Atlantic, par exemple. Ainsi, avant 1851, Hamilton, London, Montréal, et quelques autres corporations municipales, s'étaient déjà endettées à cette fin.

On se demande pourquoi la loi de 1851 va généraliser les clauses des chartes précédentes, autorisant à vendre des valeurs de chemin de fer aux municipalités, et pourquoi la loi du fonds d'emprunt municipal de 1852 permettra (jusqu'en 1854) aux municipalités d'emprunter sans limite pour les fins qu'elle autorise, dont l'achat des parts ou obligations de chemin de fer. Sans doute l'ambition des municipalités y fut pour

---

34. La loi de la consolidation des clauses relatives aux chemins de fer, 14-15 Vic., ch. 51.

beaucoup, mais l'explication fondamentale n'est pas là. La motivation est complexe, mais essayons de la saisir dans la perspective d'un Hincks qui s'efforce d'engager un dialogue avec les autorités impériales.

Après avoir expliqué pourquoi l'on devait « mettre fin (aux) allocations locales » (façon de dégrever le « provincial » et de le réserver pour des tâches de portée générale, sans toutefois dire que le « municipal » dût se réserver lui-même pour ses tâches locales), Hincks entreprend d'établir que la tâche primordiale et urgente de la province consiste à se donner un réseau de chemin de fer à la mesure de son territoire et en liaison avec les provinces voisines. C'était poser le problème d'un chemin de fer intercolonial.

Parmi les travaux qu'il reste à entreprendre ou à compléter (en outre de la construction d'un chemin de fer intercolonial), Hincks mentionne un canal reliant le Saint-Laurent au lac Champlain, avec écluses de mêmes dimensions que celles du Saint-Laurent, c'est-à-dire une voie maritime qui doublerait le chemin de fer Montréal-Portland, un chemin de fer de Lachine à Grenville sur l'Outaouais, le chemin de fer de l'ouest, reliant le Michigan aux chutes Niagara (Great Western), et un chemin de fer de Toronto au lac Huron. On évaluait le coût de ces travaux à une quinzaine de millions de dollars. Or, se basant sur l'expérience des sociétés ferroviaires américaines, Hincks soumettait que les capitalistes anglais pouvaient prêter en toute sécurité à 6% aux compagnies incorporées par la province « pourvu que ces compagnies aient prélevé et dépensé sur ces ouvrages, respectivement, la moitié du montant nécessaire pour les compléter ».

Cette dernière restriction allait servir de base à la loi de garantie passée l'année suivante (avril 1849) par le gouvernement Baldwin-Lafontaine, sur proposition de Hincks lui-même, Inspecteur général des finances. La suggestion était venue des directeurs du St. Lawrence & Atlantic: et la proposition fut appuyée par le président du Great Western, Sir Allan MacNab, en sa qualité de chef de l'opposition. Monsieur l'Inspecteur général, d'ailleurs, avait été informé de la méfiance des investisseurs d'Angleterre à l'égard des valeurs canadiennes, à cause de la dépression commerciale, à cause aussi de la propagande annexioniste [35].

Dans son mémoire Hincks fait mention du chemin de fer de Québec à Halifax, « une grande entreprise nationale qui doit être considérée à part, et non comme une spéculation mercantile ». Nous retrouverons Hincks discutant le même sujet dans son projet de loi qu'il ira plaider à Londres en 1851 [36].

---

35. Glyn, Mills & Co. à Hincks, 5 avril 1850.
36. A. G. D. Doughty, ed., *Elgin-Grey Papers,* 1846-1852, Ottawa 1937, II, pp. 870-873.

Présenté sous la forme de résolutions votées en comité plénier de la Chambre, ce projet nous reporte au postulat de l'« habile document » de 1848 — à savoir certains « moyens d'engager le gouvernement impérial de Sa Majesté à prêter son appui à la construction des travaux dont je viens de parler » — ou, « que des prêts peuvent être faits en toute sûreté, et sans aucun risque pour le trésor impérial »..., mais elles vont plus loin encore.

La première résolution rappelle, en termes légaux, les précédents de la politique économique qu'on peut résumer ainsi: (a) il faut continuer d'améliorer les moyens de transport, (b) il ne faut pas pour autant grever le trésor de la Province au-delà de ses capacités, (c) il faut tirer parti de la loi de garantie de 1849 sans préjudice à la Province et, donc, développer davantage le système de garantie impériale.

Les résolutions 2 et 3 expliquent qu'il s'agit d'un « grand tronc » reliant la province du Canada aux provinces du Nouveau-Brunswick et de la Nouvelle-Ecosse. Dans l'hypothèse où il gagnerait la faveur du gouvernement impérial, ce « grand tronc » serait construit par les provinces maritimes et la province du Canada conjointement, ou construit aux frais de la province du Canada depuis la frontière du Nouveau-Brunswick jusqu'à Québec. S'agirait-il d'un tronc reliant Québec aux voies déjà construites, c'est-à-dire celles du St. Lawrence & Atlantic et du Great Western, alors ce tronc serait construit comme entreprise provinciale aux frais de la province, « pourvu qu'elle obtienne la garantie du gouvernement impérial aux fins de prélever les fonds nécessaires à la construction d'une voie centrale de Québec à Hamilton ou à un autre endroit où pouvait être assurée la jonction avec le Great Western ».

Et si l'on n'obtenait pas la garantie impériale ? S'il avait bien lu la réponse de Grey à Elgin relative à son mémoire de 1848, Hincks devait connaître déjà la réponse à cette question. Dans la résolution 4, la résolution clef du point de vue de la présente étude, Hincks soumet que la province devrait, en cas de refus, pourvoir aux fonds, c'est-à-dire engager son crédit, aux meilleures conditions possibles, jusqu'à concurrence de la moitié du coût de la construction, « pourvu que l'autre moitié ait été souscrite par les corporations municipales de la province ».

La cinquième résolution, tout en précisant les précédentes, ajoute que, pour toutes sommes provenant du crédit des souscriptions municipales, le Receveur général aurait l'autorité d'émettre des obligations à terme de vingt ans et au plus bas taux d'intérêt, ce qui voulait dire 7% (auquel taux elles pouvaient être négociées au pair). De plus, la responsabilité de ces obligations n'émargerait pas au fonds du revenu consolidé de la province, mais au fonds que les municipalités participantes consentiraient à constituer sous forme de souscriptions régulières, de façon à pourvoir à l'amortissement et au paiement des intérêts. Et si les municipalités percevaient des revenus de leurs investissements, ces revenus seraient confiés à la garde fiduciaire du Receveur général qui les ré-investirait. Il verserait les intérêts de ces ré-investissements au fonds d'amortissement.

Enfin, Hincks prévoit le cas (résolutions 10 et 11) où la responsabilité de construire le tronc principal écherrait à l'entreprise privée. En ce cas, l'aide du gouvernement serait limitée aux voies principales, c'est-à-dire au Great Western, au St. Lawrence & Atlantic et, pour des raisons particulières, au Toronto, Simcoe & Lake Huron.

De ce document, on peut déduire trois observations.

1 - Hincks veut donner à la province un réseau de chemins de fer qu'il conçoit comme condition essentielle du développement économique en général, et de l'immigration en particulier. 2 - Il essaie de promouvoir une forme étatique d'entreprise, espérant engager directement le gouvernement impérial dans une entreprise qui eût été interprovinciale ou transcontinentale. 3 - Mais, il prévoit, à une échelle plus modeste, d'autres formes d'entreprise qui bénéficieraient « de l'aide du gouvernement provincial et de la participation financière des corporations municipales ».

Ainsi l'on trouve sous forme diffuse, dans le mémoire de 1848 et dans les résolutions de 1851, les éléments constitutifs d'une politique des chemins de fer, dont les lois de *garantie provinciale* et le *fonds d'emprunt municipal*.

La conjoncture des années 1848-1851 ne favorise guère la vente des valeurs de chemins de fer à Londres. Aussi les agents financiers de la Province à Londres témoignent-ils une grande sollicitude à l'endroit de leur client. Pour amorcer la vente des obligations du chemin de fer du St. Lawrence & Atlantic, ils achètent eux-mêmes le premier cent mille d'une émission de £ 400,000. C'était donner l'exemple, disaient-ils, et réveiller la confiance de leur clientèle au crédit canadien [37]. Ce geste toutefois impliquait les deux conditions auxquelles allaient satisfaire les amendements de la loi de garantie aux chemins de fer de 1849. La nouvelle loi de 1851 intensifiait la garantie, en protégeant principal et intérêt, tout en limitant le nombre de compagnies éligibles à ce plan d'aide gouvernementale.

Pour Hincks qui venait de clore d'importantes démarches à Londres, c'était accepter un régime d'entreprise privée, auquel il subordonnerait le rôle de son gouvernement. A cette condition, les capitalistes britanniques souscriraient à la grande entreprise canadienne. Pour certains entrepreneurs d'Angleterre, qui venaient de terminer d'imposants travaux en Europe continentale, c'était se procurer l'occasion de transposer au

---

37. Communication conjointe de Baring et Glyn à Hincks, 10 janvier 1851.

Canada leur génie de construction et d'y employer une partie de leur main-d'œuvre et de leur outillage. « Des capitalistes bien connus » écrivait Jackson à Pakington, « associés à d'éminents entrepreneurs, se tiennent prêts à construire ces chemins de fer à leur propre compte et risque ». Et, comme pour répondre au « mémoire sur l'émigration et sur les travaux publics en autant qu'ils se lient ensemble » (Hincks), Jackson envisage la construction de voies ferrées au Canada comme la base d'un « système de colonisation bien équilibré » [38].

A l'intérieur de ce schème, le risque des entrepreneurs en cause se trouvait toutefois fort mitigé. Au fait, l'expérience des quelques années subséquentes le montre, l'entreprise privée allait lancer la grande aventure du Grand Tronc au risque du gouvernement canadien.

Les chemins de fer de l'entreprise britannique ne représentent toutefois pas toute l'aventure qui allait donner lieu à l'un des « booms » les plus remarquables de l'histoire canadienne [39]. Car, en dehors des voies amalgamées au Grand Tronc en 1853, et des autres compagnies admises au plan d'aide, surgissaient concurremment aux premières une multitude de voies complémentaires, œuvre du génie civil canadien et américain, promue par l'ambition des municipalités [40].

Gagnées par la fièvre de spéculation foncière, tendues, chacune dans sa perspective propre, vers un hinterland comme futur empire qui leur eût assuré le progrès et la prospérité, plusieurs municipalités ont cru que leur participation directe à l'entreprise du chemin de fer rapporterait des dividendes suffisants pour leur permettre d'échapper à l'impopularité de la taxation directe. Elles voulurent, comme certaines autres l'avaient déjà fait, emprunter pour spéculer. Et comme elles ne pouvaient emprunter à bon marché, et pour obvier à la disgrâce des obligations municipales sur le marché de Londres, le gouvernement leur accorda un plan de garantie de seconde zone, c'est-à-dire son rôle d'administrateur d'un fonds d'emprunt. Le tableau III indique la proportion des emprunts au fonds municipal affectée à l'entreprise ferroviaire [41].

Au total, donc, les emprunts placés dans les chemins de fer atteignent $5,867,400 sur $7,400,000 soit 79%.

---

38. W. Jackson à Earl Grey, 22 décembre 1852, JALPC, 1852-1853, *8*, app. CCCC.

39. Un ensemble de circonstances: demande internationale de denrées agricoles, demande locale de terres, de capital, de main-d'œuvre et de services, etc., donna lieu à ce qu'on a appelé « une inflation commerciale et financière plutôt exceptionnelle »; voir James Young, *Public Men and Public Life in Canada*, Toronto 1902, p. 28; aussi, J. J. Talman, *The Impact of the Railway on a Pioneer Community* dans *The Canadian Historical Association*, Report 1955.

40. La plupart des chemins de fer énumérés dans le Tableau III.

41. DSC, 1867-1868, *5*, n. 8, app. n. 70.

Il est intéressant de noter qu'à la fin de la période, les arrérages d'intérêts des municipalités représentant l'équivalent de leurs contributions au stock des compagnies de chemins de fer énumérées. La motivation de ces municipalités, dont on dit qu'elles ont contracté des obligations au-delà de leur capacité financière, reflète l'anticipation caractéristique de la période. Pour les mêmes motifs, d'autres municipalités ont contracté des obligations semblables, en dehors du fonds d'emprunt municipal.

De cet optimisme excessif les municipalités ne furent pas les seules responsables, non plus que les promoteurs de chemins de fer et les grands propriétaires fonciers seuls, mais tous ensemble, sous la direction d'hommes politiques très imaginatifs et ambitieux, étant à la fois représentants d'intérêts locaux, promoteurs de chemins de fer et propriétaires fonciers [42]. Afin de mettre en valeur, et rapidement, un pays neuf qu'ils voulaient adapter au rythme du développement des Etats-Unis, ils ont eu recours à tous les moyens qui s'offraient à leur expérience et à leur imagination. Après des tentatives infructueuses, ils s'arrêtèrent à l'ordre des moyens propres à servir l'objectif. Les résolutions de Hincks peuvent indiquer un ordre de préférence, mais il serait difficile d'y voir une option pour la formule étatique pure et simple. En acceptant l'entreprise privée britannique et la condition que cette dernière posait, à savoir l'aide du gouvernement provincial, aurait-il donc renié ses propres convictions, cédant aux pressions des intérêts en cause ?

Tout simplement, il aurait reconnu le moyen possible, en deçà duquel il risquait de compromettre l'objectif même. De cette conjoncture naissait un caractère fondamental de l'économie canadienne, c'est-à-dire le rôle du gouvernement dans le développement du pays, qu'on peut résumer dans une formule brève suggérée par A. T. Galt: confier l'entreprise nationale de mise en valeur aux intérêts privés, tout en créant des conditions propres à induire les capitalistes à s'y commettre [43]. C'était apercevoir le rôle fondamental du gouvernement dans un pays neuf comme la province du Canada, riche en terre, pauvre en capital et en population. L'importation de capital britannique, à condition de favoriser l'immigration, de développer les voies de transport et de promouvoir ainsi la vente des terres, justifiait ce rôle et rendait acceptables ou tolérables, les directives britanniques.

---

42. Voir, par exemple, la liste des actionnaires et directeurs des chemins de fer, JALPC, 1851, *2*, app. UU, et confronter avec la liste des citoyens occupant de hauts postes dans la régie des terres, ou dans la politique en général; L. P. Turcotte, *Le Canada sous l'Union*, Québec 1871-1872; James Young, *Public Men and Public Life in Canada*.

43. Galt, dans H. J. Morgan, ed., *The Relations of the Industry of Canada*, p. 323.

TABLEAU III

*Investissements effectués, sous forme d'actions et d'obligations,
par les corporations municipales,
dans les chemins de fer du Haut-Canada*

Compagnies ferroviaires	Corporations municipales	Investissements (en dollars)		
		Actions	Obligations	Total
1. Erie & Ontario	Ville de Niagara	60,000	220,000	280,000
	Ville de Chippawa	20,000	–	20,000
		80,000	220,000	300,000
2. Buffalo, Brantford, Goderich	Canton de Bertie	40,000	–	40,000
	Canton de Brantford	50,000	–	50,000
	Ville de Brantford	100,000	400,000	500,000
	Canton de Wainfleet	20,000	–	20,000
	Canton de Canborough	8,000	–	8,000
	Comté Huron-Bruce	300,000	–	300,000
	Cantons de Moulton et Sherbrooke	20,000	–	20,000
	Comté de Perth	200,000	–	200.000
	Ville de Paris	40,000	–	40,000
	Ville de Stratford	–	100,000	100,000
		778,000	500,000	1,278,000
3. Bytown & Prescott	Cité d'Ottawa	–	200,000	200,000
	Ville de Prescott	–	100,000	100,000
		–	300,000	300,000
4. Port Dalhousie & Thorold	Ville de St. Catharines	100,000	–	100,000
5. Woodstock & Lake Erie Railway & Harbour Co.	Ville de Woodstock	–	100,000	100,000
	Canton de Woodhouse	–	80,000	80,000
	Canton de Norwich	–	200,000	200,000
	Canton de Windham	–	100,000	100,000
	Ville de Simcoe	–	100,000	100,000
		–	580,000	580,000
6. London & Port Stanley	Comté d'Elgin	80,000	–	80,000
	Cité de London	200,000	175,400	375,400
		280,000	175,400	455,400
7. Brockville & Ottawa	Comté Lanark-Renfrew	–	800,000	800,000
	Ville de Brockville	–	400,000	400,000
	Canton d'Elizabethtown	–	154,000	154,000
		–	1,354,000	1,354,000
8. Galt & Guelph	Ville de Guelph	80,000	–	80,000
9. Cobourg & Peterboro	Ville de Cobourg	500,000	–	500,000
10. Peterboro & Port Hope et Port Hope, Lindsay & Beaverton	Ville de Port Hope	680,000	–	680,000
	Canton de Hope	60,000	–	60,000
	Canton d'Ops	80,000	–	80,000
	Ville de Peterborough	–	100,000	100,000
		820,000	100,000	920,000
GRAND TOTAL		2,638,000	3,229,400	5,867,400

Dans l'exercice de ce rôle, qu'il a poussé très loin, jusqu'à renflouer l'entreprise privée, comme le montre l'histoire du Grand Tronc [44], peut-être le gouvernement a-t-il commis des erreurs, mais des erreurs que les imprévus de la conjoncture ont atténuées. Allons-nous considérer comme erreur d'avoir permis aux municipalités de spéculer, alors qu'on aurait eu peine à convertir les contribuables à l'acceptation de la taxe directe, même « à la pointe de la baïonnette » [45].

Certaines délégations municipales venues exposer leurs embarras financiers au gouvernement, au cours des années 1860, ont même dit qu'elles avaient été induites à contracter des emprunts excessifs; la cité de Hamilton (qui n'avait pas puisé au fonds d'emprunt municipal), en tête des délégations, ne demandait compensation que pour la partie de sa dette engagée dans les chemins de fer improductifs (soit $800,000 sur une dette de $2,500,000), alléguant qu'elle avait contribué ainsi au développement de la province [46].

Le gouvernement avait mis tout en œuvre pour stimuler l'importation de capital britannique et, en encourageant les corporations municipales à y recourir, il prenait exemple de l'Etat du Maine où Bangor, pour suppléer aux ressources du gouvernement, avait prêté $500,000 à l'European and North American Railroad [47].

Il se peut que l'usage excessif de crédit municipal ait compliqué singulièrement les opérations financières du Canada à Londres. Mais de toute cette politique la province n'a pas récolté que des dettes. Un actif tangible lui était acquis.

Quant à savoir si le fonds d'emprunt municipal a créé plus de problèmes qu'il n'en a résolus, et si, à cause de cette institution, les relations provinciales-municipales ont retardé l'évolution normale des municipalités, il faudrait élargir le débat aux dimensions d'une histoire économique du système municipal et remettre en question toute la structure fiscale de la province du Canada. Cette synthèse d'une recherche toujours possible dépasse, bien entendu, l'intention même lointaine d'un article qui voulait simplement cerner et explorer une variable de l'économie de la Province du Canada.

---

44. Aide spéciale au Grand Tronc: 1853, 1856, 1857 et 1861, jusqu'à la conversion des prêts du gouvernement en parts communes; G. P. de T. Glazebrook, *History of Transportation in Canada,* Toronto 1938.

45. Buchanan, dans H. C. Morgan, ed., *op. cit.,* p. 274.

46. CN, 6 mars 1862, p. 146, en particulier sur le cas de Hamilton, p. 150, où il est question du comité de l'aide aux municipalités soi-disant induites à la tentation de spéculer, demandant au gouvernement d'absorber une partie de la dette des municipalités qui avaient participé à l'aventure des chemins de fer. Le 6 décembre 1861, le maire de Hamilton avait lancé une circulaire alarmante aux obligataires: CN, 3 janvier 1862, p. 10. Echéance d'obligations en décembre 1861: $30,000; échéance en janvier 1862: $30,000, CN, 26 décembre 1861, p. 307.

47. Pour l'arrière-plan américain de la question, voir F. A. Cleveland et F. W. Powell, *Railroad Promotion and Capitalization in the United States,* New York 1909.

5

La coopération agricole dans l'Ontario
et les provinces de l'Ouest *

I. Les Fermiers Unis de l'Ontario (United Farmers of Ontario)

Origines

On ne dissocie pas l'Association des Fermiers Unis, quant à son origine, des deux associations qui l'ont précédée: les Grangers et les Patrons de l'Industrie. L'une, l'Ordre des Grangers, s'était trop donnée aux mystères, aux conventions et peut-être aussi aux agapes fraternelles, car en outre de sa part de membre, il fallait verser treize dollars pour les petites fêtes de l'Association. L'autre, les Patrons de l'Industrie, s'était trop donnée à la politique. Entre ces deux extrêmes, il y avait place pour une association libre de telles conventions et aussi libre de liens politiques. C'est en somme du besoin d'indépendance et de neutralité politique que naquit, en 1902, The Farmers Union, d'où devait sortir plus tard l'Association des Fermiers Unis de l'Ontario [1].

The Farmers Union s'appuya sur des idéals concrets; s'occuper de problèmes agricoles, s'occuper de la vie rurale. Cette nouvelle organisa-

---

* Extrait de *Histoire de la Coopération*, dans *Cours par correspondance: Coopératives agricoles*, Livret n. 1, Publication du Service Extérieur d'Education Sociale de l'Université Laval, 1947.

1. L. A. Wood, *A History of Farmers' Movements in Canada*, Toronto 1924; H. Mitchell, *The Grange in Canada*, Bulletin n. 13, Queen's University, 1914; B. P. S. Skey, *Co-operative Marketing of Agricultural Products in Ontario*, (a Doctoral Thesis), University of Toronto, 1933.

tion se joignit aux Grangers en 1908 pour cette simple raison que ceux-ci avaient déjà des cadres juridiques, une charte fédérale. L'Association des Fermiers voulut s'en servir et l'animer de son esprit.

En 1908 fut fondé The Canadian Council of Agriculture qui groupait les associations de l'Ontario, de l'Est et de l'Ouest canadiens. Ce Conseil envoya une délégation à Ottawa en 1910 pour demander une politique de réciprocité avec les Etats-Unis. Impressionné par cette délégation, le gouvernement canadien entreprit de négocier une entente avec Washington. Mais les intérêts protectionnistes s'éveillèrent et s'organisèrent pour combattre les libéraux, qui furent battus en 1911. Il y eut réunion des Grangers en 1912, et ceux-ci décidèrent d'ajourner *sine die*. Ils furent en fait deux ans sans tenir de convention et, durant ce temps, l'opinion publique déchanta vis-à-vis les associations de fermiers. Il fallait donc réorganiser; et c'est de cette nécessité de réorganisation que sortit l'Association des Fermiers Unis de l'Ontario, incorporée en février 1914. La tâche s'avérait difficile, après de tels échecs. Mais on en appela à l'exemple des Fermiers de l'Ouest et l'on ne pouvait se résigner à la faillite. On envoya un enquêteur dans l'Ouest un peu dans l'idée d'organiser un réseau d'échanges entre l'Ontario et les provinces de l'Ouest. L'enquêteur en revint frappé des divergences entre l'Ontario et les provinces des Prairies: on ne pouvait donc copier les *Grain Growers' Associations*. L'on en conclut qu'il valait mieux organiser les producteurs de l'Ontario sur une base sociale, dans la tradition des Grangers, éducative et commerciale plutôt que dans la tradition des Fermiers de l'Ouest. Un Granger fut élu président de la nouvelle association. Celle-ci reçut un chèque de $500 de la part de la Grain Growers Company, portant cette note: « *You can't organize without money.* » (Pas d'argent, pas d'organisation.)

Organisation et structure

La nouvelle association impliquait la participation de différents groupes: environ 150 organisations locales engagées dans l'industrie laitière ou la culture des fruits, des cercles agricoles et des loges de Grangers. On convoqua les délégués de ces groupements, tous sceptiques au sujet de la nouvelle organisation qui voulait les unir. Heureusement, on avait invité un conférencier des Grain Growers' Association de l'Ouest, qui leur servit une leçon de choses. Il en résulta deux sociétés sœurs: The United Farmers of Ontario et The United Farmers Co-operative Company. La première se donnerait comme objectif de faciliter l'éducation de ses membres, non seulement en ce qui regarde les intérêts immédiats de la production mais aussi en ce qui a trait à toute question civique; l'autre devait constituer un service d'achat et de vente. Mais le problème était de maintenir ces deux jumelles en parfait accord, vu qu'elles ralliaient des opinions divergentes. Deux solutions s'offraient: les non-collaborationnistes proposaient la séparation des deux associations; les partisans zélés, un amalgame plus étroit. En fait, on en vint à une solution coopérative, à un moyen terme: deux présidents, un seul secrétaire pour les deux sociétés. Deux idéals incarnés dans deux personnes, le ralliement dans une action commune: un seul secrétaire exécutif.

L'idée qui a présidé à l'organisation des United Farmers, c'est la fédération des unités locales. Les cercles agricoles, dans ce temps-là organes du gouvernement, comme dans la province de Québec d'ailleurs, servirent de base, d'unités de construction. Le président Morrison avait pris pour devise: *Steal the Clubs.* (Emparons-nous des cercles agricoles.) Il réussit à s'emparer également de quelques loges des Grangers.

Objectifs et moyens d'action

Les objectifs de l'Association pouvaient se résumer ainsi: promouvoir les intérêts de la classe agricole dans tous les secteurs d'activité et faire l'éducation civique.

Les principaux moyens auxquels on eut recours pour atteindre ces deux objectifs furent les suivants:

a) Cultiver l'entente et la concorde entre fermiers;

b) Encourager l'étude des problèmes de ferme, l'économie rurale et l'économie domestique;

c) Favoriser l'étude des questions économiques et sociales, en vue d'élever le standard de vie rurale (les Grangers avaient dit: « *to elevate the standard of living in rural communities* »);

d) Dans la tradition des Grangers encore, surveiller la législation et, au besoin, faire pression en déléguant des représentants auprès des gouvernants;

e) Etudier, répandre, appliquer les principes de la coopération et ses méthodes; et à cette fin,

f) Organiser des locaux pour les contacts entre membres et pour toutes fins éducatives — tout en visant à éliminer les frictions d'ordre personnel, politique, religieux ou national.

Il semble qu'on n'ait rien changé encore à ces objectifs, et les moyens pratiques qu'on y suggérait assument à nos yeux une valeur permanente.

Etapes importantes

En 1916: L'Association s'affilia au Canadian Council of Agriculture. A cette occasion, on nomma un comité pour résumer le travail accompli jusque-là. Or le comité se plaignit de ce qu'on accordait trop d'importance aux activités commerciales et pas assez aux intérêts éducatifs et sociaux. De plus, on constata un intérêt trop considérable dans les questions politiques.

En 1917: Les Fermiers organisèrent une délégation de 2,500 membres à Ottawa pour demander un sursis militaire en faveur des jeunes fermiers. La délégation s'en retourna non exaucée, mais au moins contente de n'avoir pas passé pour rebelle. Il n'est pas besoin de dire que ces fermiers se firent salir dans la presse anglaise de toutes sortes d'épithètes les accusant d'un manque de patriotisme. En juin 1918, quelque 4,000 fermiers venus de toutes les provinces se réunirent à Toronto et servirent une contre-attaque aux politiciens. Quelqu'un lança le cri: « *Go into Politics, or go out of Farming !* » (Faisons de la politique ou dételons !)

Résultats

Ce qui n'était pas de nature à calmer les esprits, des contacts s'établirent avec des groupements du Québec, comme eux « non patriotiques ». On décida de s'exprimer par la presse et l'on fonda: The Farmers Publishing Company. Les femmes, n'y tenant plus, organisèrent The United Farmer Women of Ontario; elles dirent aux hommes: aucun parti politique ne fait votre affaire, eh bien ! faites-en un. C'est alors que les Fermiers Unis tournèrent le dos au principe traditionnel des Grangers — et aussi à leur propre principe — de ne pas tremper dans la politique. Ils mirent soixante-cinq candidats sur les rangs à l'élection provinciale du 20 octobre 1919. Quarante-quatre des leurs furent élus et prirent le pouvoir. S'alliant aux associations ouvrières, ils formèrent *The Farm Labour Government* qui demeura en office jusqu'en 1923.

On avait commis l'erreur de se servir des cercles agricoles comme instruments de propagande électorale; cela aurait infecté les cercles, dit-on. La convention de 1923 le reconnut. Elle vota contre la politique, et en faveur d'organisations coopératives pour la mise en marché des produits. Ici, il importe de bien noter la distinction établie entre l'Association des Fermiers Unis: The United Farmers Association, et l'entreprise coopérative: The United Farmers' Co-operative Company. Celle-ci s'est toujours maintenue à l'écart de la politique et a toujours fait échec aux manifestations politiques ou électorales. La résolution de 1923 contre toute manifestation politique n'était pas étrangère à l'inspiration des dirigeants de la Coopérative.

Les deux organisations avaient deux présidents différents, symbolisant en somme deux catégories d'idées. Il y eut confusion, c'est vrai, mais aussi fidélité des dirigeants de la coopérative vis-à-vis le principe de neutralité politique. Au fait, l'aventure politique de l'Association des Fermiers n'aurait pas affecté tellement la marche ascendante de l'entreprise dont le chiffre des ventes, de $33,000 en 1914, passa à $19,500,000 en 1920.

Toutefois, il ne faudrait pas croire que les dirigeants de l'entreprise coopérative des Fermiers Unis firent preuve d'une prudence impeccable; car s'ils ne commirent point l'erreur de tremper dans la politique, ils manifestèrent de l'inconsidération dans la gestion des affaires commerciales par une politique d'expansion trop rapide. Ils multiplièrent les départements: 1918, 1919, 1920, et surtout engagèrent démesurément l'entreprise dans le commerce de détail, qui fit faillite. Si donc l'Association eut des expériences malheureuses en politique, l'entreprise coopérative connut l'analogue dans le commerce de détail. En 1923, à la convention des Fermiers, on en vint à considérer ces deux incidents comme des mésaventures néfastes et futiles. Et l'on répudia l'une et l'autre dans une conférence qui exprimait à peu près ceci:

> Une organisation de fermiers doit, pour réussir, assumer les objectifs qui suscitent un attrait permanent, de l'intérêt, chez les fermiers. C'est pour cela qu'on ne peut maintenir un mouvement de fermiers sur des bases telles que la religion, la politique... ou le nationalisme.

La structure actuelle de la United Farmers of Ontario Co-op Co.

Les transactions de cette entreprise sont réparties entre huit départements. Les principes commerciaux qui servent de base à cette division en départements sont les suivants: commission, consignation, agence:

a) On opère sur une « base de commission » pour les produits de la ferme, les bestiaux;

b) On opère sur une « base de consignation » pour les produits laitiers et certains autres produits de la ferme;

c) On opère sur une « base d'agence » (i.e. la Coopérative prend les commandes et déduit les dépenses) pour les grains, semences, produits alimentaires, instruments aratoires et différents produits d'utilité professionnelle (insecticides, etc.)

II. Les coopératives de blé de l'Ouest (Wheat Pools)

Les fermiers de l'Ouest et leurs difficultés

L'histoire de la coopération dans l'Ouest canadien est intimement liée au problème de la production et de la distribution du blé. Un économiste canadien, W. A. Mackintosh, la présente comme un enchaînement d'efforts contre l'éparpillement géographique des producteurs, pour vaincre la multiplicité des marchés locaux et régionaux, les difficultés de transport impliquées dans les relations entre le marché primaire et le marché final. Il nous décrit la coopération des agriculteurs comme l'aboutissement des lignes de forme qui auraient franchi trois étapes successives. D'abord, le mécontentement général qui s'ignorait, perdu qu'il était dans des unités locales, s'organise une conscience commune et se manifeste sous forme d'agitation en vue d'obtenir du gouvernement une réglementation du commerce des céréales; ensuite, cette conscience se manifeste en désir de coopération volontaire; et enfin, ce désir de coopération substitue au contrôle direct du gouvernement l'organisation coopérative [2].

La division topographique de l'Ouest canadien en unités de culture de grande dimension, de préférence à la division en petites unités, l'adaptation d'une technique américaine à la culture extensive d'un produit primaire et l'écoulement de ce produit sur un marché d'exportation sont des facteurs essentiels à l'explication d'un type tout particulier d'économie, ainsi que du mécanisme excessivement complexe de la mise en marché de ce produit [3].

La coopération agricole dans l'Ouest canadien dut pour autant revêtir une forme particulière peu comparable aux unités coopératives de la province de Québec. Elle est la réplique au besoin ou à la nécessité de faire face aux difficultés inhérentes à la complexité d'un système qui lui est propre.

La première mesure législative pourvoyant à l'inspection des céréales remonte à 1853. Plus tard, en 1874, The General Inspection Act rendit l'inspection obligatoire pour tout le Canada. Par la vertu d'amendements ultérieurs, on introduisit une classification commerciale. Mais aucune législation n'existait touchant le commerce proprement dit et la présence d'un élément monopolistique dans l'organisation des élévateurs intérieurs (entrepôts de localité) devint le sujet de vives protestations qui aboutirent à l'institution d'une Commission Royale, chargée d'enquêter sur le monopole des élévateurs. Or, la Commission rapporta que le monopole fonctionnait de connivence avec la compagnie de chemin de fer, celle-ci refusant d'accepter le grain en entrepôt de plain-pied (flat warehouse) et de fournir des wagons à des expéditeurs individuels. D'où alternative de l'expéditeur: ou vendre son grain aux opérateurs des élévateurs (pour la plupart des commerçants), accepter leur pesée et leur classification, ou bien entreposer son grain chez lui et l'expédier à une firme en passant par l'élévateur.

La Commission rapporta également la tendance à la concentration des élévateurs. Des 447 élévateurs qui existaient en 1887, 351 apparte-

---

2. W. A. Mackintosh, *Agricultural Co-operation in Western Canada*, Toronto 1924; *The Canadian Wheat Pools*, Bulletin n. 51, Queen's University, 1925.
3. W. C. Clark, *The Co-operative Elevator in the Canadian West*, Bulletin n. 20, Queen's University, 1917; C. R. Fay, *Co-operation at Home and Abroad*, London 1925, Supplement 2; V. W. Bladen, *Introduction to Political Economy*, Toronto 1941, ch. V en particulier; C. R. Fay, *Agricultural Co-operation in the Canadian West*, Toronto 1925; T. W. Grindley, dans *Annuaire du Canada, 1937;* H. A. Innis, *The Diary of Alexander MacPhail*, Toronto 1940.

naient à cinq firmes dont trois grosses compagnies et deux moulins, les autres appartenant à des meuniers indépendants, des commerçants ou des unions de fermiers. Et la Commission concluait: aussi longtemps que les fermiers n'organiseront pas eux-mêmes leurs expéditions, ils seront plus ou moins à la merci des opérateurs d'élévateurs.

Cette conclusion devait faire époque dans l'histoire du traitement des producteurs de céréales, marquant la fin du laisser faire, de l'indifférence des fermiers et le commencement de la solidarité et du *self-help* coopératif. Le Gouvernement décida, en effet, de surveiller les intérêts en jeu et de diriger les phases de la distribution et de surveiller les intermédiaires. Il édicta à cette fin la Manitoba Grain Act de 1900, qui pourvoyait à l'usage des wagons pour chaque groupe de dix fermiers possédant une plate-forme de chargement; la loi pourvoyait aussi à la construction de plates-formes d'usage gratuit, à la demande de dix fermiers et plus, dans un rayon de vingt milles, par la compagnie de chemin de fer devant les desservir.

Les fermiers de l'Ouest et leurs associations

Les recommandations de la Commission Royale furent en quelque sorte intégrées dans le Manitoba Grain Act. Et tel fut le principal objectif de la Territorial Grain Growers Association de voir à ce que les conditions spécifiées dans le Manitoba Grain Act fussent remplies.

En 1903 apparut une autre association de fermiers: The Manitoba Grain Growers Association, avec un objectif semblable à celui de la Territorial, et d'ailleurs à l'instigation de celle-ci, comme le manifestait la présence de W. R. Motherwell dans les délibérations préliminaires. Ainsi, à mesure que le champ de production s'agrandit, que les emblavures gagnèrent en de nouvelles régions, les associations se multiplièrent, avec un objectif unique, l'idée de faire face à une situation définie.

A la suite de la création de nouvelles provinces (Alberta, Saskatchewan), la Territorial se mua en Saskatchewan Grain Growers d'une part, et en Alberta Farmers Association d'autre part, celle-ci groupant sous un nom commun plusieurs sociétés locales. A côté de l'Alberta Farmers Association figurait une autre association concurrente d'origine américaine: The Canadian Society of Equity. L'amalgame de ces deux concurrentes sous un même objectif engendra la United Farmers of Alberta.

L'association du Manitoba forma en 1905 la Grain Growers' Grain Company qui prit un siège à la Bourse de Winnipeg. Quant à la United Grain Growers, elle ne devait s'organiser que plus tard par la fusion des lignes coopératives d'élévateurs d'Alberta et du Manitoba (1918). Dans l'entretemps naquit la Sakatchewan Co-operative Elevator Company.

Intervention du Gouvernement durant la guerre

En 1917, le Gouvernement entra dans le contrôle de la distribution des céréales en vue d'éviter l'inflation ou la dépréciation des valeurs par la spéculation.

Par l'intermédiaire de l'agence The Wheat Export Company et de la Commission de Contrôle, le Gouvernement absorba toutes les récoltes de 1916, 1917 et 1918. Lorsque les pays alliés signifièrent qu'ils n'absorberaient pas la récolte de 1919, le Gouvernement forma une chambre ou un Office pour s'occuper de cette récolte. Ainsi naquit l'Office du Blé (Wheat Board) en des circonstances où les prix de gros atteignirent le sommet de la montée inflationnaire et au tournant de la période de déflation [4].

Par cette voie de coïncidence, la Commission du Blé écoula la récolte de 1919 à $2.63, No 1 Northern. Ce résultat dut se graver pour longtemps dans la mémoire de certains groupements qui l'attribuèrent à la politique de la Commission fédérale. Et ceci explique qu'à la suite de la dégringolade des prix en 1920-1921, l'on ait demandé si vivement le retour à la politique de la Commission fédérale. Sur refus du Gouvernement de maintenir cette Commission, les fermiers s'en remirent aux voies ordinaires et entreprirent des démarches pour réorganiser et consolider les organismes existants. D'où la formation des Pools.

Etapes importantes dans la formation des Pools

1921: Les responsables de la Saskatchewan Co-operative Elevator Company optèrent pour un Pool à base de volontariat; mais le projet fut rejeté à la suite d'une élection générale. Par ailleurs, sur l'avis du Canadian Council of Agriculture qui n'admettait pas la possibilité d'un contrôle à long terme, on en vint à l'idée de former un Pool national dont les organismes coopératifs existants constitueraient la base.

1922: Le Gouvernement du Dominion déclara *ultra vires* toute juridiction du Dominion en cette matière et signifia que la législation conjointe des trois provinces intéressées devrait constituer la base légale de l'organisme interprovincial. Le projet fut adopté aux législatures d'Alberta et de Saskatchewan mais faillit au Manitoba. Toutefois, le projet tel qu'adopté dans les provinces d'Alberta et de Saskatchewan dut rester lettre morte par suite de l'impossibilité de trouver des gérants qui en assumassent les responsabilités.

1923: Il y eut conférence du Canadian Council of Agriculture où les United Growers endossèrent la formation d'un Pool à contrat volontaire, avec promesse d'assistance financière. L'Alberta prit le devant dans sa

---

4. W. C. Clark, *Business Cycles and the Depression of 1920-21,* Bulletin n. 40, Queen's University 1921.

campagne de recrutement d'effectif en vue d'assurer la signature de fermiers dont les emblavures conjointes représentaient 50% de l'emblavure totale de la province. Le Manitoba entra dans le concert, mais trop tard pour manipuler la récolte de 1923. Cependant, ni l'Alberta ni la Saskatchewan n'avaient atteint leur objectif. Le contrat de Saskatchewan contenait une clause pourvoyant à l'annulation au cas où l'objectif de 50% des emblavures ne serait pas atteint. Le contrat de l'Alberta pourvoyait au maintien possible de l'engagement, même en deçà de l'objectif. De nombreux membres s'y ajoutant graduellement, le Pool de l'Alberta put commencer ses opérations le 29 octobre 1923. Il manipula 34,000,000 de boisseaux, au prix moyen de $1.03, moins les dépenses du Pool, les ajustements sur les écarts de classification et une certaine réserve commerciale.

1924: Les Pools poussèrent la propagande au cours de l'hiver et s'assurèrent les services d'un conférencier à cette fin, Aaron Sapiro, et aussi les services d'un technicien franco-américain, Brouillette.

La Saskatchewan atteignit l'objectif de 50%, le Manitoba 40. Vu l'importance relative des terres en culture dans la Saskatchewan, (soit 7 millions d'acres sur 11 millions dans les trois provinces) et aussi en raison d'une augmentation d'emblavures chez les membres, les Pools en vinrent à contrôler 50% de toute la récolte de 1924. Les trois Pools réunissaient 90,000 fermiers, groupés dans les organisations de leur province respective, coopérant sur le marché du blé au moyen d'une agence de vente centrale, The Canadian Co-operative Wheat Producers Limited, (Winnipeg,) sous une charte fédérale. McPhail, l'ancien secrétaire de la Saskatchewan Grain Growers Association, en devint le président [5].

Remarques sur les Wheat Pools

On a pu mettre en doute l'authenticité de la structure démocratique des Pools à cause de certaines pressions auprès des fermiers *(contract drive)* et de la nature du contrat qui liait les fermiers à l'association. Mais il faut plutôt y voir un mode de coopération adapté aux circonstances géographiques, à la nature de la production primaire de la région et surtout à ses implications techniques et commerciales.

Il reste qu'en regard de toute la coopération canadienne, le mouvement de l'Ouest constituait à cette époque un phénomène unique d'intégration du producteur primaire au marché international. Et même avant la formation des Pools, si certains économistes ont pu voir dans certaines organisations coopératives telles que la Saskatchewan Co-operative Elevator Company et la United Grain Growers Company un type unique au monde, c'est que celles-ci assumaient déjà la manutention du blé de leurs membres à partir de l'élévateur local jusqu'aux points d'exportation.

---

5. H. A. Innis, *op. cit.,* ch. 11, en particulier.

6

La coopération au Canada *

I. *L'origine du mouvement coopératif*

D'où venons-nous ? se demandent souvent les coopérateurs canadiens, et avec raison, parce qu'il existe une logique des événements, un esprit de suite réaliste et fidèle à tous les conditionnements. Pour répondre adéquatement à cette question, il faut retracer l'origine de la pensée coopérative au Canada, son évolution et ses modes d'exécution dans les cadres de l'histoire économique canadienne. C'est la condition pour y comprendre quelque chose. Or l'histoire économique du Canada est dominée par des facteurs fondamentaux qui peuvent être rangés en trois catégories majeures:

A) *La population* qui, par sa qualité, sa densité, sa variété, sa diversité ou son homogénéité, joue un rôle variable mais fondamental, dans la mesure où elle conditionne la base sociétaire de l'entreprise coopérative. Elle conditionne également les courants d'influence qui nous viennent des pays étrangers.

B) *La géographie* qui rend compte d'abord des types d'agriculture qui se sont développés au Canada; elle rend compte ensuite du caractère primaire de ces types de culture sur lesquels se sont greffés divers modes de coopération.

---

* Extrait de *Histoire de la Coopération*, dans *Cours par correspondance: Coopératives de consommation*, Livret n. 2, Publication du Service Extérieur d'Education Sociale de l'Université Laval, 1947.

C) *La technologie* qui signifie, dans le cas présent, le type de culture, le mode de culture, les conditions de mise en marché: transport, entreposage, etc.

Ces trois facteurs ont joué plus ou moins dans les différentes régions du Canada. Dans les provinces maritimes, le caractère de la population et les difficultés d'ordre industriel s'accusent davantage.

Dans le Centre et l'Ouest, les facteurs géographiques et technologiques revêtent une importance fondamentale dans la discussion de notre problème et posent au principe de nos origines coopératives, l'influence américaine.

Il peut paraître étrange de discuter l'origine de la pensée coopérative au Canada en termes géographiques et technologiques. Ceci tient au fait que la pensée coopérative s'élabore dans un travail de solution à des problèmes pratiques d'ordre économique dont la géographie, la technologie et les institutions constituent les points cardinaux. De sorte que pour comprendre l'origine et l'évolution d'une théorie économique et sociale, il faut en quelque sorte en reconstituer tout le milieu. Nous voulons donc, pour cette raison, poser les jalons susceptibles de nous guider dans la reconstitution de ce milieu.

L'économie canadienne

Les problèmes majeurs de notre économie expliquent sommairement le développement de l'institution coopérative autour des industries primaires d'abord: industrie laitière, élevage, industrie du blé, pour ensuite gagner en des formes secondaires et complémentaires correspondant à un stade d'économie plus diversifiée. Pour commencer nous considérons la nature de ces problèmes en fonction de la géographie et de la technologie.

A) La géographie

La dépendance du Canada vis-à-vis les pays étrangers, la Grande-Bretagne et les Etats-Unis en particulier, tire son origine en des faits géographiques qui obligent le Canada à s'appuyer sur le commerce extérieur, à savoir:

a) Les richesses naturelles en quantité abondante, mais spécialisées en espèces;

b) Le coût élevé du transport, tant intérieur qu'extérieur, à cause des grandes distances à parcourir.

Ces deux faits entraînent la nécessité d'organiser une économie particulière, dont la rigidité et la dépendance vis-à-vis les marchés étrangers constituent les caractéristiques fondamentales [1].

---

1. C'est toute l'historiographie économique du Canada qui en témoigne. Voir en particulier H A. Innis, *Problems of Staple Production in Canada,* Toronto 1933; W. A. Mackintosh, *Some Aspects of Pioneer Economy* in *Canadian Journal of Economics and Political Science,* Nov. 1936.

1) *Rigidité.* Cette caractéristique signifie que l'économie canadienne ne peut facilement s'adapter aux conditions nouvelles. Cette rigidité est attribuable à deux facteurs historiques principalement;

i) Les charges fixes impliquées dans le capital d'équipement nécessaire à l'exploitation de l'industrie extractive sur une grande échelle et le capital d'équipement des grandes spécialités telles que les pâtes et papier, les mines, le blé, l'industrie laitière, qui mobilisent un capital qu'on ne peut transférer à d'autres usages du jour au lendemain;

ii) Les transports, toute la mise de fonds, l'équipement, qui ont grevé et grèvent encore notre économie en raison des distances et des accidents géographiques.

2) *Dépendance vis-à-vis les marchés extérieurs.* Cette situation entraîne au moins deux conséquences:

i) Les marchés ayant leur siège en des pays qui n'évoluent pas sur le même rythme que le Canada, obligent celui-ci à prévoir non seulement sa propre politique économique, mais aussi celle des autres pays. Une telle situation semble constituer un argument en faveur d'une planification canadienne de l'économie industrielle et agricole;

ii) Le Canada n'occupe pas une position monopolistique sur ces marchés. Il en résulte que les marchés fluctuent indépendamment de la position du Canada.

B) *La technologie*

Le Canada dépend encore beaucoup de l'exportation et, d'un autre point de vue, de l'industrie extractive. Il reste pour autant exposé aux grandes fluctuations économiques auxquelles il peut difficilement s'adapter en raison des exigences de sa position géographique. En effet, à cause des grandes distances, le Canada supporte la charge de tout un équipement de production: élévateurs, voies d'évitement, machines aratoires, etc., pour ne mentionner que le type de production agricole.

On reconnaîtra qu'à toutes les phases de l'histoire économique du Canada, les difficultés inhérentes à l'économie primaire ou d'exportation ont posé des problèmes dans les solutions desquels figurent les politiques d'Union, de Confédération, de tarifs, etc. L'acuité de ces problèmes tient au fait des transports qui domine la politique économique du Canada depuis ses origines, et autour duquel gravitent bien d'autres, par exemple le fait des tarifs.

a) Les canaux, les chemins de fer. Au Canada, la nécessité des innovations technologiques, telles que canaux et voies ferrées, comme corollaires à l'introduction de nouvelles industries et comme conséquences de l'expansion des activités en de nouvelles régions, exigeait un contrôle fiscal et de là un gouvernement responsable. Par ailleurs la nécessité de répartir la dette publique à toutes les provinces engendra des pactes politiques tels que l'Acte d'Union, en 1841, et la Confédération, en 1867. Pour maintenir le coût d'opération de l'équipement tombé en désuétude à la suite d'innovations et, en second lieu, pour maintenir le développement économique en de nouvelles régions tel que le recommandait l'évolution économique, il était devenu nécessaire de s'assurer un revenu permanent. Cette nécessité engendra l'usage permanent d'une politique tarifaire.

b) Les tarifs. L'établissement de colons dans l'Ouest canadien entraîna des dépenses considérables. Les tarifs eurent des répercussions sur l'agriculture spécialisée en produits d'exportation et sur les taux de chemins de fer. Les répercussions des taux de chemins de fer sur la politique de production agricole furent profondes. Considérez qu'en 1867 la dette totale du gouvernement encourue jusque-là pour l'équipement de transport s'élevait à près de $200,000,000. La variation des prix d'exportation avait projeté le Canada dans la dépression. La nécessité de baisser les taux en temps de crise compromettait la stabilité du revenu. Il en résulta des problèmes de finance publique et des problèmes politiques qui ont assumé un caractère de permanence. Par le fait même la sécurité des fermiers était affectée. Les associations poursuivant des buts éducatifs sont nées sous l'influence des Etats-Unis principalement. Ces associations pénétreront partout, même dans le domaine politique.

Les influences étrangères

En coopération comme en bien d'autres domaines d'activité, le Canada n'a pas échappé à la double influence des Etats-Unis et des pays d'Europe.

A) L'influence américaine

Des Etats-Unis, l'influence fut double: celle des techniques et celle des institutions. C'est un fait conséquent à la similitude de milieu et des problèmes.

a) Influence des techniques. La guerre civile américaine (1860-1865) ébranla la structure économique des Etats-Unis, créant une rareté de main-d'œuvre et affaiblissant la structure financière. Cette situation favorisa la mécanisation de l'agriculture et le mouvement de mécanisation se répandit au Canada, au bénéfice des industriels américains.

La mécanisation de l'agriculture exerça une influence en Ontario et dans la région du Saint-Laurent pour la production du blé, production favorisée par la hausse des prix conséquente à la guerre civile.

Des industries américaines s'établirent au Canada. De plus, l'influence des Etats-Unis s'exerça facilement de l'Ontario aux Maritimes à cause de la similitude d'institutions entre ces provinces et les Etats-Unis qu'aurait développée vraisemblablement le traité de réciprocité (1854-1866).

Considérez que les Grangers établirent des magasins en Ontario et dans les Maritimes.

Plus tard l'influence des associations s'exerça directement sur l'Ouest agricole et industriel, particulièrement entre régions canadiennes et américaines de même consistance géologique [2].

b) Influence des institutions. Au lendemain de la guerre civile aux Etats-Unis était né l'ordre des Grangers (1867). Cette association de fermiers voulait d'abord faire la guerre à l'ignorance. L'association pénétra dans le Canada en 1872 et connut un succès considérable à la faveur de l'avilissement des marchés agricoles. Une organisation analogue, Les Patrons de l'Industrie, d'origine américaine également, imita les Grangers quelques années plus tard. Elle fut plus prompte à la politique [3].

Dans le domaine du travail, nous verrons apparaître les Knights of Labor et à la fin du siècle dernier, l'American Federation of Labor.

La plupart de ces associations proclamaient la coopération comme moyen de mener à point les réformes économiques qui s'imposaient. Il faut noter qu'elles sont aussi pour la plupart des produits postrévolutionnaires, pour ne pas dire des fruits de la pensée révolutionnaire, naissant dans l'esprit de la révolution même, comme des sociétés secrètes (The Grangers, The Knights of Labor). Les sociétés figurent à l'origine de la pensée et de l'action socialistes aux Etats-Unis.

Dans les Etats de l'Ouest central naquirent des associations locales de fermiers auxquelles les Unions de fermiers de l'Ouest et de l'Ontario firent écho. Ces associations organisèrent l'éducation de leurs membres sur des objectifs coopératifs et parlaient de la protection de leurs intérêts économiques communs. Déjà, en 1888-1889, s'organisait The National Farmers Alliance and Industrial Union of America.

B) *Influence européenne*

L'influence européenne se fit sentir de deux façons, d'abord par les immigrés établis en Nouvelle-Ecosse et ensuite par les relations avec les vieux pays [4].

---

2. H. S. Patton, *Grain Growers Co-operation in Western Canada,* Cambridge, Mass., 1928; W. A. Mackintosh, *Economic Problems of the Prairie Provinces,* Toronto 1935.
3. H. Mitchell, *The Grange in Canada,* Bulletin n. 13, Queen's University, 1914.
4. H. Mitchell, *The Co-operative Store in Canada,* Bulletin n. 18, Queen's University, 1916.

a) *Les immigrés.* Vers la même époque où les associations américaines pénétraient au Canada, on essayait la coopération en Nouvelle-
Ecosse. L'initiative venait de mineurs immigrés au pays, qui avaient acquis
une certaine éducation coopérative en Ecosse et en Angleterre.

b) *Les relations avec les vieux pays.* Durant le dernier quart de siècle dernier, la province de Québec entrait en commerce intellectuel avec
les vieux pays: la France, la Belgique, les pays scandinaves, le Danemark
en particulier, par l'intermédiaire de certains officiels du gouvernement et
de certains membres du clergé, dont l'abbé Pilote, fondateur de l'Ecole
d'agriculture de Sainte-Anne-de-la-Pocatière et plus tard, l'abbé Allaire,
curé d'Adamsville, comté de Shefford. Mentionnons également le commandeur Alphonse Desjardins, fondateur des caisses populaires.

Le besoin d'union dans l'Ouest canadien

C'est avant tout un besoin de sécurité contre l'instabilité d'une économie basée sur l'exportation et, comme telle, dépendante des marchés
extérieurs, qui poussa les fermiers de l'Ouest à s'unir. A l'intérieur, les
charges fixes impliquées dans la production agricole, dans les transports,
accentuaient le malaise d'insécurité. Bref, l'absence d'institutions capables
de neutraliser fardeaux et gains, ou d'obvier à la rigidité des taux de transports due à la dette des chemins de fer et à la présence d'éléments monopolistiques dans le commerce des céréales, suscite des unions de fermiers analogues à celles qui existaient en territoire américain de même
longitude géographique. De ces unions à caractère professionnel et à
fins éducatives sortirent des organisations coopératives.

Pour résumer, disons que les difficultés économiques du Canada,
dans la ligne historique que nous venons de tracer, ont culminé dans les
crises coïncidant avec la période subséquente à l'ère des constructions de
canaux et concomitantes à l'organisation d'un réseau de chemin de fer
transcontinental. Ces crises nécessitèrent des rajustements dans les industries, dans les relations avec les Etats-Unis, et justifièrent un traité de
réciprocité (1854-1866). D'autre part, la crise américaine subséquente à
la guerre civile eut des répercussions sur le Canada.

Telles furent brièvement les circonstances canado-américaines desquelles est née l'idée de la coopération.

II. *La marche des événements coopératifs*

L'idée de coopération s'est enracinée au Canada sous la double influence des Etats-Unis et des vieux pays et dans l'effort des Canadiens
pour trouver des solutions aux problèmes qui se posaient dans les diverses régions du pays. Voyons maintenant comment elle s'est réalisée et
développée dans les œuvres.

L'ère de l'esprit d'association

L'Ordre des Grangers ne manqua pas d'exercer une influence considérable sur la population, qu'il atteignit par sa propagande, et sur le gouvernement. Il fut au principe de quelques mesures législatives touchant l'agriculture et c'est à sa requête que le Gouvernement de l'Ontario institua une Commission pour enquêter sur l'état de l'agriculture dans cette province en 1879. Quant à son influence sur la classe agricole elle-même, l'économiste canadien Mitchell le résume en quelques mots:

> *It set the farmers thinking and got them together, and gave them a sense of common interests. Unquestionably, the Grange was of great benefit to the agricultural class in Canada* [5].

En d'autres termes, les Grangers avaient contribué à la formation d'un esprit de classe agricole. Aussi leur influence dut-elle se perpétuer en Ontario longtemps après leurs mésaventures commerciales et coopératives; elle se perpétua selon un mode professionnel, particulièrement à la suite de l'amalgame de l'Ordre des Grangers avec le « Farmers Ass. », en 1907.

En somme, la deuxième partie du XIXe siècle au Canada marque le réveil d'un esprit de classe parmi les agriculteurs. A peu près à l'époque où Québec légiférait sur les cercles agricoles, d'autres provinces conféraient l'existence légale à des associations analogues: Ile du Prince-Edouard, 1877; Ontario, 1877 également, Manitoba, 1877, pour ne citer que celles-là.

Le développement du mouvement coopératif

A) *1872 à 1910*

Dans le domaine de la consommation, un groupe d'ouvriers, formés aux méthodes coopératives en Angleterre, fondèrent le premier magasin coopératif à Stellarton, Nouvelle-Ecosse. Des institutions analogues furent organisées à Sydney Mines, à Reserve Mines et à Glace Bay. Les centres miniers de la Nouvelle-Ecosse furent le berceau de la coopération rochdalienne. C'est également là que le mouvement devait rencontrer ses premiers échecs [6].

La coopération canadienne débuta sous des augures plutôt sombres. Un rapport de l'exécutif national de la Cooperative Union of Canada nous fournit des statistiques sur ses affiliées. Des quelque 250 affiliées qu'elle groupait en 1942, trois comptaient trente ans d'existence, vingt en comptaient vingt et plus. C'est dire que la majorité des coopérati-

---

5. H. Mitchell, *The Grange in Canada,* Bulletin n. 13, Queen's University 1914.

6. H. Mitchell, *The Co-operative Store in Canada,* Bulletin n. 18, Queen's University, 1916.

ves affiliées à l'Union en 1909, année de sa fondation, durent liquider ou disparaître de quelque façon.

Deux faits historiques nous indiquent que le mouvement coopératif s'était manifesté sous toutes ses formes dans le Dominion dès la première décennie du XXe siècle: la présentation du Bill de 1906 et la fondation de la Cooperative Union of Canada, en 1909.

a) *Le Bill de 1906* avait pour but de donner un statut légal uniforme aux coopératives de crédit et d'épargne, aux coopératives de consommation et aux quelques organismes agricoles d'achat et de vente. L'échec du Bill au Sénat accentuait le danger d'éparpillement des efforts coopératifs. En l'absence d'une législation fédérale, on sentit alors un imminent besoin de coordination et d'entraide qui se traduisit par la fondation de l'Union Coopérative du Canada, le 6 mai 1909, à la suite d'une conférence des coopératives canadiennes.

b) *L'Union Coopérative du Canada* devait être un foyer de vulgarisation et un centre de contact pour les coopératives affiliées. Son programme s'inspirait d'ailleurs des méthodes appliquées par l'Union Coopérative de la Grande-Bretagne.

L'Union affilia six sociétés d'un effectif total de 1,595 membres; l'objet de cette Union pourrait se réduire à trois points essentiels:

1. La distinction des vraies coopératives des autres associations à titre coopératif (art. 1);

2. La propagation des idées coopératives dans le Dominion pour le triomphe de la vérité, de la justice et de l'économie; le rapprochement du vendeur et de l'acheteur par la socialisation des profits et l'élimination des malaises de la concurrence;

3. Le développement de l'esprit d'entraide.

B) *1910 à 1925*

A cette époque, des unités coopératives se formèrent dans l'Est et en Colombie Canadienne pour la vente des fruits, des volailles et des œufs. Dans l'Ouest, les fermiers organisèrent des coopératives pour la vente du blé. Dans Québec, la coopération agricole avait fait ses débuts dans la région de Shefford en 1903, sous la direction de l'abbé Allaire, curé d'Adamsville, et elle obtenait de la législature de Québec, en 1909, la loi des sociétés coopératives agricoles qui existe encore après avoir subi des amendements successifs. Québec comptait quatre coopératives centrales en 1919, qui, après la liquidation de la Confédération des Coopératives agricoles, se fusionnèrent dans la Coopérative Fédérée en 1922.

Dans toutes les provinces l'on assiste à un essai des principes et des méthodes coopératives en vue d'apporter une solution aux problèmes posés par le développement de notre agriculture principalement.

a) *La vente du bétail*

En Ontario, les Fermiers Unis fondèrent, en 1914, leur coopérative pour la vente des bestiaux qu'elle prenait en consignation des coopératives locales et qu'elle vendait par l'intermédiaire d'une firme à commission. En 1919, elle formait son propre département de vente. A la fin de 1919, la coopérative avait manipulé 3,683 wagons de bestiaux; de novembre 1924 à septembre 1925, elle en manipula 6,212 [7].

En Alberta, l'Alberta Farmers Co-op. Company inaugurait un département pour la vente du bétail, en 1914, et manipulait 114 wagons dès sa première année d'opération.

En Saskatchewan, la Grain Growers Company organisa, en 1916, un service de vente du bétail qu'elle continua après sa fusion dans The United Grain Growers, en 1917. Les Grain Growers, en 1923, se donnèrent une subsidiaire qui prit charge du Cattle Pool: The United Livestock Growers Ltd. Le Cattle Pool transigea 100,800 têtes de bétail en 1923 et paya à ses membres une ristourne de 1% sur leurs ventes. Plus tard, en Saskatchewan, sur recommandation d'une commission provinciale, on organisa des entrepôts de bétail à Moose Jaw et à Prince-Albert. En 1924, quarante-deux coopératives y firent un chiffre d'affaires de $764,000 [8].

b) *Les produits laitiers*

Dans les produits laitiers, les statistiques indiquent l'existence de 509 sociétés pour la fabrication du beurre et du fromage au Canada en 1920. Ces fabriques se répartissent comme suit:

Québec	223
Ontario	189
Ile du Prince-Edouard	23
Saskatchewan	22
Alberta	13
Colombie Canadienne	12
Nouveau-Brunswick	11
Manitoba	9
Nouvelle-Ecosse	7

Si l'on considère le nombre de fabriques au Canada à cette époque, soit 3,133, on peut dire que 16% environ étaient établies sur une base coopérative. Il ne faut pas oublier cependant que l'unité de fabrication (la fabrique) était plus petite, dans les conditions techniques du temps, qu'elle ne l'est aujourd'hui.

---

7. B. P. Skey, *Co-operative Marketing of Agricultural Products in Ontario,* (a Doctoral Thesis), University of Toronto, May 1933.
8. W. A. Mackintosh, *Agricultural Co-operation in Western Canada,* Toronto 1924.

Toutefois ces chiffres ne nous révèlent rien du caractère coopératif de ces sociétés.

Dans la province de Québec du moins, il convient de noter que la fabrique de beurre ou de fromage n'a jamais adopté, si ce n'est que depuis une quinzaine d'années, une politique nettement capitaliste. Dans la plupart des vieilles fabriques dites privées, le fabricant agissait comme consignataire moyennant X cents par livre de beurre, et plus tard par livre de gras: ce taux était arrêté dans une assemblée générale annuelle de tous les patrons. Le fabricant s'engageait à faire la répartition mensuelle sous la surveillance d'un conseil d'administration (directeurs) qui se réunissait, ou ne se réunissait pas, à chaque répartition. En outre, les patrons s'engageaient à tour de rôle à transporter les produits de la fabrique au wagon et à « faire la glace » en corvée durant l'hiver. Autant de services dont le fabricant devait tenir compte dans la fixation de son taux de fabrication, et autant de caractéristiques coopératives.

En Ontario, la United Dairymen's Co-operative Ltd., une agence centrale pour tous genres de fabriques, se forma en 1920, à la suite de l'acquisition de la Toronto Creamery par la United Farmers Co-operative Company.

En Saskatchewan, The Saskatchewan Co-operative Creameries Ltd groupait, en 1917, dix-neuf fabriques comprenant 20,000 patrons et fabriquant 4,850,000 livres de produits par année.

En Alberta, le ministère de l'agriculture maintenait une agence centrale de vente connue sous le nom de Butter Market Service. En 1812, on y organisait la Calgary Milk Product Association. Un peu plus tard, les United Farmers of Alberta fondèrent une société analogue, The Alberta Co-operative Dairy Producers Ltd. C'était une société provinciale qui fonctionnait d'après les méthodes du Pool.

En Colombie, on assiste à l'organisation de The Cowichan Creamery Association qui groupait The Fraser Valley Milk Producers Association, formée en 1913, et d'autres sociétés engagées dans la vente des œufs. des volailles, de la farine, des fruits et des légumes.

Au Manitoba, les United Farmers of Manitoba organisèrent, en 1921, The Manitoba Co-operative Dairy Ltd.

Dans les Maritimes, ce furent principalement les entreprises privées qui s'intéressèrent au commerce des produits laitiers. Les organisations coopératives connurent le plus de succès dans la vente des œufs et des volailles, grâce à la Prince Edward Island Co-operative Egg and Poultry Association qui groupait quarante coopératives légales.

Les autres provinces ne tardèrent pas à imiter cette association. C'est ainsi que la Coopérative Fédérée, la Coopérative des Fermiers Unis et des crémeries coopératives organisèrent leur service respectif pour la vente des œufs et des volailles. La Saskatchewan Grain Growers et les crémeries de la Colombie Canadienne formèrent leur Turkey Pool [9].

c) La laine

Dans la laine, l'origine des transactions coopératives remonte à 1913, lorsque le ministère fédéral de l'agriculture organisa la classification. Des « locales » s'organisèrent d'abord, les ministères provinciaux d'agriculture s'offrant à leur servir d'agences centrales; « les locales » organisèrent ensuite leur propre centrale, The Canadian Co-operative Wool Growers Ltd. Ses règlements stipulaient la limitation des taux d'intérêt sur le capital, l'augmentation annuelle de la réserve générale et la distribution de trop-perçus. L'organisation réalisa un bénéfice de $28,550. en 1925.

d) Les fruits et légumes

Dans les fruits et légumes, le Nouveau-Brunswick groupa, en 1912, vingt-deux « locales » sous la raison sociale de United Fruit Companies of Nova-Scotia Ltd. En 1917, on y forma une association d'approvisionnements en fournitures, The New-Brunswick Fruit Growers Association.

En Ontario, on vit naître The Erie Co-operative Company, en 1913, et The Niagara Peninsula Growers Ltd, en 1920.

En Alberta, on organisa, en 1921, une association pour la mise en marché des pommes de terre.

En Colombie, notons The Okanagan United Growers, organisée pour l'expédition et la vente des fruits, devenue plus tard the Associated Growers of British Columbia groupant trente « locales » et enfin The Canadian Fruit Distribution Ltd, de Vernon.

Dans la même période, soit toujours de 1910 à 1925, surgirent des organisations pour l'emballage, l'expédition et la vente de produits divers, le tabac et le miel en particulier, et une entreprise coopérative de pêche à Lunenberg, Nouvelle-Ecosse [10].

e) Les céréales

L'entreprise coopérative au service des producteurs de grains débuta péniblement vers 1901, après la formation du Territorial Grain Growers Association. Elle voulait réagir contre les abus du commerce monopolistique.

La situation en 1942

A) Notes statistiques

9. H. S. Patton, *Grain Growers Co-operation in Western Canada,* Cambridge, Mass., 1928; J. F. Booth, *Economic Organization of Canadian Agriculture,* Ottawa 1940; R. Beaulac, *Coopération en Saskatchewan,* Saskatoon 1944.
10. *Annuaire du Canada 1946,* ch. XVII.

TABLEAU I [11]

*Classification des coopératives canadiennes d'après la vente
des produits, le commerce de marchandises et fournitures*
(31 juillet 1942)

Marchandises	Coopératives (nombre)	Valeur des ventes ($)
Produits laitiers	443	39,218,446
Fruits et légumes	193	15,431,804
Grains et semences	114	87,013,500
Bestiaux	321	40,419,386
Volailles et œufs	199	7,192,128
Nid	5	726,529
Produits de l'érable	7	1,137,980
Tabac	9	21,242,760
Laine	7	1,367,060
Fourrure	2	704,935
Bois de construction et de chauffage	10	118,948
Divers	10	189,504
Produits alimentaires	558	9,183,723
Vêtements et fournitures de ménage	180	1,371,542
Dérivés du pétrole, accessoires d'autos	561	7,239,512
Provendes, engrais chimiques	834	15,826,570
Machines et outillage	164	1,289,803
Charbons, bois et matériaux de construction	427	2,930,525
Divers et non spécifiés	191	4,485,772
Totaux	4,235	$257,090,427

TABLEAU II

Coopératives canadiennes, par province
(31 juillet 1942)

Province	Coopératives (nombre)	Membres
Ile-du-Prince-Edouard	24	11,148
Nouvelle-Ecosse	131	15,794
Nouveau-Brunswick	29	7,376
Québec	409	33,827
Ontario	264	48,411
Manitoba	106	63,643
Saskatchewan	514	210,567
Alberta	137	105,475
Colombie	102	19,305
Interprovincial	6	45,768
Totaux	1,722	561,314

11. *Id. Ibid.*, pp. 554-555. Le Tableau I ne comprend pas les magasins coopératifs de la province de Québec; le Tableau II omet les statistiques relatives aux magasins coopératifs des villes de la province de Québec.

B) *Regard sur quelques secteurs*

a) *Pêcheries*

Les coopératives de pêcheurs ont une origine relativement récente tant sur les côtes de l'Atlantique que du Pacifique. Elles sont nées du besoin de faire face à des situations nouvelles imposées par la mécanisation, ou l'adoption de techniques nouvelles en général, et à l'entrée en scène de grandes firmes monopolistiques du type de la Maritime National Fish Co. Ltd. D'après les renseignements fournis par le Ministère des Pêcheries, la première coopérative de pêcheurs aurait été établie à Tignish, Ile-du-Prince-Edouard, en 1924. Il ne se serait pas formé d'autres coopératives de pêcheurs avant 1930. Mais les statistiques de 1942 estimaient à soixante-sept le nombre de coopératives de pêcheurs sur les côtes de l'Atlantique. Ce chiffre n'inclut pas les coopératives de la région gaspésienne, qui étaient au nombre de dix-sept en 1942 [12].

L'Annuaire du Canada ne fait pas mention des coopératives de pêcheurs sur la côte du Pacifique. On trouve par ailleurs, dans les statistiques pour l'année 1941, qu'il existait à cette époque cinq coopératives, dont deux âgées d'une quinzaine d'années, une de dix ans et deux autres de fondation récente.

La préparation du poisson, la vente, le transport sont leurs principales fonctions. En outre, ces coopératives achètent ordinairement, pour le compte des pêcheurs des agrès de pêche et des filets. Plusieurs exploitent des magasins coopératifs pour répondre aux besoins généraux de leurs membres.

b) *Epargne et crédit*

Le mouvement de crédit populaire a gagné l'Ouest canadien en provenance des provinces maritimes, la Nouvelle-Ecosse en particulier, après le néo-mouvement d'Antigonish. La Nouvelle-Ecosse se serait inspirée de l'expérience de la province de Québec et de la Nouvelle-Angleterre où Alphonse Desjardins avait fondé plusieurs caisses au cours des deux premières décades du siècle.

---

12. Voir le rapport des Pêcheurs Unis dans l'*Inventaire du Mouvement coopératif*, Cinquième congrès général des coopérateurs, Québec, Conseil Supérieur de la Coopération, 1944, pp. 113-118.

TABLEAU III [13]

Sommaire des syndicats de crédit, par province, année financière 1942

	Syndicats (nombre)	Membres (nombre)	Prêts consentis (dernière année)	Prêts consentis (depuis fondation)
Ile-du-Prince-Edouard	45	5,580	95,067	518,067
Nouvelle-Ecosse	202	28,553	892,174	5,654,099
Nouveau-Brunswick	140	20,648	697,695	2,322,000
Québec: Desjardins	650	187,528	6,000,000	112,061,694
Autres	9	1,690	81,243	258,399
Ontario	129	23,699	1,869,603	14,093,430
Manitoba	60	6,448	262,686	678,520
Saskatchewan	92	9,179	435,668	1,111,433
Colombie	85	6,376	237,077	362,247
Alberta	74	6,283	354,872	883,563
	1,486	295,984	10,926,085	137,943,452

Une chronologie sommaire de la législation en matière d'épargne et de crédit nous indique approximativement l'origine relativement récente des caisses en dehors de la province de Québec:

TABLEAU IV

Législation en matière d'épargne et de crédit coopératifs, par province

Colombie	1938
Alberta	1938
Saskatchewan	1937
Ontario	1922
Nouveau-Brunswick	1936
Nouvelle-Ecosse	1932
Ile-du-Prince-Edouard	1936

c) Assurance

Les mutuelles d'assurance, contrôlées et dirigées par les membres-cultivateurs, constituent l'une des formes les plus anciennes de coopération au pays. Elles opèrent depuis soixante-quinze ans. Les statistiques les plus récentes nous donnent le nombre de 365 mutuelles-incendie couvrant un risque global de plus d'un milliard de dollars [14].

---

13. *Annuaire du Canada 1946*, ch. XVII, p. 556.
14. Pour statistiques relatives aux Mutuelles dans la province de Québec, voir *Inventaire 1944*.

d) Téléphone

Les services téléphoniques sont du type le plus commun. Les statistiques de 1942 (Annuaire du Canada 1934-44) établissent à 102,286 le nombre d'usagers répartis dans 2,348 coopératives, représentant un immobilisé total d'environ $20,000,000.

e) Hospitalisation

En 1941, le Canada comptait 38 systèmes d'assurance collective d'hospitalisation. Ces systèmes reposent sur une base contributoire par famille ou individu. En vertu de leur contribution, les abonnés ont droit à un tarif d'hospitalisation préférentiel et à de nombreux services gratuits.

Il en existait, en 1941, cinq en Nouvelle-Ecosse, deux au Nouveau-Brunswick, sept en Ontario, une au Manitoba, trois en Saskatchewan, sept en Alberta, treize en Colombie et une en voie de formation dans la province de Québec. C'est le Manitoba qui a pris l'initiative d'organiser ce système. Ses réalisations figurent aujourd'hui comme les plus importantes du pays. Grâce à leurs contributions mensuelles, les abonnés ont droit à 21 jours d'hospitalisation: nourriture, soins généraux, médicaments, avec privilèges de radiologie, etc.

Le plan de l'Ontario, soutenu à la fois par l'Association des hôpitaux et l'Association médicale de l'Ontario, ressemble à celui du Manitoba, tout en différant du plan habituel d'assurance. Les deux hôpitaux publics de Kingston distribuent aux abonnés usagers de l'année le montant des fonds provenant des honoraires prescrits, au prorata de la participation des usagers et sur condition d'acquittement de comptes.

f) Logement et autres

Trois groupements de la Nouvelle-Ecosse se sont donné des habitations coopératives, dans le voisinage de Glace Bay et de Reserve Mines, avec l'assistance de la Commission provinciale du logement et la collaboration des membres qui fournissent la main-d'œuvre. Des étudiants des universités de Toronto et de Kingston maintiennent des maisons en coopération.

Il existe des sociétés de frais funéraires en Saskatchewan et dans la province de Québec. Il existe quelques coopératives de transport, dont l'une aux Iles de la Madeleine: La coopérative de transport maritime et aérien.

* * *

C'est sur la production du blé que s'est édifié l'Ouest canadien. Les conditions climatologiques et techniques de ce type de production, la situation faite aux producteurs par les commerçants et des spéculateurs (on a peut-être exagéré toutefois) ont fait naître des associations à caractère volontaire, des unions de fermiers, des coopératives locales, provinciales, et enfin les Wheat Pools. Graduellement le mode coopératif de distribution a pénétré dans les diverses branches d'activité économique. Mais au principe, on trouve toujours le blé comme production de base et comme cellule primaire des autres branches de production. La Saskatchewan illustre bien ce phénomène, car son mouvement coopératif occupe la première place parmi les provinces, tant par le nombre d'unités coopératives que par le nombre de branches de production que ces unités embrassent.

Ailleurs on trouve au principe de l'organisation coopérative un autre type de production. Les régions d'Okanagan (Colombie), la péninsule de Niagara (Ontario), la Vallée d'Annapolis (Nouvelle-Ecosse), sont des régions fruitières. La coopération y a plus ou moins réussi selon que le besoin d'un organisme de mise en marché s'est fait plus ou moins sentir chez le producteur. On rapporte que dans la région d'Ontario, région rapprochée de marchés urbains que le producteur peut atteindre facilement, la coopération a pénétré à peine.

En ce qui concerne la consommation, la coopération n'eut de succès que dans les centres urbains de mentalité ouvrière et de gagne-petit. Les grands centres furent toujours des cimetières de coopératives de consommation et, comme l'écrivait C. R. Fay: « *Canadian town-life itself is unco-operative except in banqueting and on public worship.* »

Le mouvement de Nouvelle-Ecosse, qu'on est convenu d'appeler le mouvement d'Antigonish, doit son succès à la misère et à l'abjection de petits villages côtiers et aussi à la tradition coopérative de quelques centres miniers, autant qu'à l'action dynamique de l'Université St-François-Xavier. Cependant, le thème d'éducation du néo-mouvement repose peut-être trop sur une philosophie et une psychologie de la misère; ce qui le rendrait impopulaire dans les milieux bourgeois.

Dans Québec, la coopération s'est développée lentement dans le cadre de la paroisse, avec la caisse populaire, dans le cadre de la région avec la beurrerie, la meunerie et, enfin, dans le cadre provincial avec la Coopérative Fédérée. Comme partout ailleurs, dans les grandes villes, la coopérative de consommation n'a pas fait merveille faute d'objectifs précis et de besoins perceptibles. A Montréal, deux coopératives de consommation seulement, jeunes encore, font des progrès marquants. La plus ancienne coopérative de consommation, d'après les renseignements récents, serait la coopérative de Sainte-Anne-de-Roquemaure, dont la viabilité ou l' « orthodoxie » ne posent plus de doute aujourd'hui.

On se rappellera l'importance des unions dans la genèse et le développement des coopératives au Canada. L'histoire nous enseigne qu'ici au Canada particulièrement, les coopératives nées viables ont eu pour point de départ quelques associations de caractère professionnel et qu'elles se sont alignées tant bien que mal dans une sorte de tradition créée par ces sociétés de caractère professionnel poursuivant des buts lucratifs. On remarquera la présence de telles associations dans toutes les provinces: des Farmers' Unions dans les provinces anglo-canadiennes, les sociétés d'agriculture et les cercles agricoles dans le Québec et notamment, en ces dernières années, l'Union Catholique des Cultivateurs.

De ce point de vue on reconnaîtra par où nous sont venus les courants d'influence américaine, anglaise, belge et française, au Canada. On n'oubliera pas non plus, d'un autre point de vue, l'influence des techniques américaines et, il va sans dire, la pression des difficultés spécifiquement canadiennes dans l'avènement et la progression de la solution coopérative.

Deuxième partie

LE QUÉBEC

Introduction

Si l'on excepte la part de contribution qu'il peut fournir à l'élaboration d'une typologie historique de biculturalisme, l'essai sur la *Dualité* recoupe plusieurs aspects de l'essai sur le *Fait Canadien*. Pour cette raison il aurait pu figurer dans la première catégorie; et cependant, l'optique qu'il ouvre et les références au Québec qu'il propose justifient bien sa place parmi les études d'intérêt régional. Et puisqu'il assume la province de Québec comme objet d'étude, il ressemble aux autres essais de cette seconde partie. Tous ces essais ont pour fond commun la notion d'espace économique.

François Perroux a précisé et rendu explicite la notion d'espaces économiques et nous en retenons en particulier celle d'« espace polarisé » pour désigner un réseau de relations reliant des parties hétérogènes d'un ensemble où dominent certains pôles. Il existe divers types de polarisation, et donc divers systèmes de relations reliant de quelque point de vue des parties complémentaires: relations technologiques, financières, commerciales ou autres. Aussi peut-il y avoir autant d'espaces que de systèmes de relations abstraites. (*Encyclopédie Française,* IX, 9. 70. 12-13). Il ne faut donc pas se surprendre si les réalités économiques contenues dans la nation ou la province, débordent les cadres politiques: la nation se complète économiquement par des apports extérieurs, et tel est le paradoxe de l'histoire que d'avoir voulu contenir dans la Nation des réalités économiques qui n'y appartiennent que d'une façon imparfaite ou incomplète.

Il faut bien remarquer toutefois que l'historiographie économique n'accepte pas les bornes géographiques que lui impose la politique et que ses explications transcendent aussi souvent que nécessaire les frontières conventionnelles. On comprend mieux d'ailleurs les applications de cette théorie de l'espace qu'une réflexion récente a rendu explicite en considérant son cheminement à travers une certaine historiographie économique ou en suggérant, au moins, qu'elle y existe de façon embryonnaire et implicite.

Certains historiens des villes ont mis au jour les fonctions de diffusion et d'attraction qu'ont exercées les centres commerciaux de l'Europe occidentale. Pirenne, par exemple, nous revèle des espaces polarisés à travers le rayonnement des agglomérations urbaines au cours de la renaissance économique du Moyen Age. Ce type historiographique s'insère dans le courant de recherches sur l'évolution à l'échelle séculaire de l'organisation économique et dont on trouve l'expression authentique ou originale dans l'Ecole allemande. Oublions pour l'instant la vocation que se donnait l'« Ecole Historique » de refaire l'Economie Politique ou de se substituer à la théorie reçue et pensons plutôt à l'intention exprimée par Karl Bücher d'introduire dans l'Ecole une méthode de travail qui aide à expliquer le développement économique, une méthode qui, aujourd'hui, peut s'avérer utile aux historiens.

Bücher voit dans l'évolution économique trois étages ou stades d'organisation: domestique, urbaine, nationale (*Hauswirtschaft, Stadtwirtschaft, Volkswirschaft)*. A chaque étage correspond un principe d'organisation politique: patriarcal, féodal, mercantiliste ou nationaliste. Seulement à l'analyse qu'en fait Bücher, on se rend bien compte que les liaisons économiques — relations, structures, tendent à se renouveler, à se reconstituer, plus vite que les formes d'organisation qui veulent les contenir. Elles constituent en quelque sorte l'« extension du marché » et elles dépendent plus des moyens de transport et de communication que des décrets politiques. L'évolution économique devance l'évolution politique et l'Etat n'arrive plus à contenir dans son territoire (espace homogène) les réseaux qui composent la vie économique (l'espace économique). La position du pouvoir politique en regard du pouvoir économique reflète une situation d'infériorité. Le pouvoir politique n'arrive plus à embrasser toutes les réalités économiques parce qu'il a tendance à s'attarder à des normes et méthodes appartenant au stade antérieur d'organisation: ainsi l'on pourrait dire qu'il demeure patriarcal en régime urbain ou régional, féodal en régime national, et mercantiliste en régime contemporain. Les relations de pouvoir à pouvoir engendrent une dialectique où s'affrontent valeurs de civilisation et valeurs de culture.

La révolution commerciale, en faisant éclater les anciens cadres, a révélé la vocation de l'homme à de nouvelles destinées; on s'est rendu compte que cette vocation dépendait d'une concentration d'intérêts et donc d'une extension des réseaux de transport et de communication. L'économie devenait sociale et il fallait, à l'avenant, organiser une politique de concentration, réorganiser à l'échelle sociale. Or la concentration s'est effectuée autour de la personne du monarque, et l'aire de la monarchie s'est étendue jusqu'aux limites possibles, c'est-à-dire, aux limites fixées par la procédure des guerres. Certes, la richesse augmentait, dira Adam Smith, mais la défense demeurait beaucoup plus importante que l'opulence. Et, fait remarquable, les mesures employées pour réaliser l'économie sociale et pour contenir les réalités économiques dans un contenant « national » assujetti au monarque étaient copiées dans presque tous les détails sur la politique économique des villes du Moyen Age. Ces mesures sont ordinairement comprises sous le mot « mercantilisme ». La tradition académique y voit un système théorique qui se résumerait à ce principe que la richesse d'un pays consistait dans la somme d'argent comptant qu'il possédait ou à l'ensemble de quelques moyens propres à procurer une balance favorable, balance à solder en numéraire, en définitive. Cette réduction de la réalité historique au filon théorique par besoin de reconstituer une genèse de pensée économique ou de montrer l'enrichissement de cette pensée par apports successifs appauvrit la perception historique: comme si l'on pouvait une fois pour toute tirer tout le jus de l'histoire. Elle nous fait croire à l'existence d'une théorie mercantiliste là où n'existait qu'une croyance vague en l'efficacité des expédients choisis par le monarque. Pourtant la réalité historique évoquée par le mot « mercantilisme » est beaucoup plus riche en enseignement que ne le laisse croire la littérature sélective des théoriciens de la pensée. Les économistes de la « seconde école historique » (Schumpeter) — dont Gustav von Schmoller et Karl Bücher — nous rapprochent davantage de l'expérience économique; ils nous introduisent à cet extraordinaire ouvrage D'Eli Heckscher sur le *Mercantilisme*. Le mercantilisme a été avant toute rationalisation, une pratique, et il a trouvé une expression typique dans la politique de Colbert pour un régime national, fermé à l'étranger et capable de satisfaire, par le travail des nationaux, tous les besoins des habitants du royaume. Si Bücher, d'une part, indique que les politiques de Colbert sont sorties des pratiques antérieures par application à des réalités nouvelles et plus vastes, Heckscher, de son côté, explique le processus vers l'absolutisme qui entraîne ces politiques et qui se déroule comme une lutte contre les particularismes avec lesquels il doit compter, bon gré mal gré. Ce processus aurait respecté la vocation historique de certaines villes à l'exercice de quelque contrôle économique, sans relâcher l'intention d'abolir les frontières entre ces particularismes et de les orienter vers une commune conception de l'intérêt national. Pour la promotion du royaume, on essaiera d'abolir si possible, ou de diminuer les droits aux frontières des principautés, les péages sur les routes et les cours d'eau et d'introduire des standards communs de poids et mesure. Pour assurer au royaume l'approvisionnement en matières brutes, on va instituer le contrôle des exportations et les *regalia* forestiers, etc... Remarquons que l'abolition ou la diminution des douanes ou péages internes s'accompagnent d'une introduction d'un système de douanes aux frontières nouvelles dites nationales. Voilà. On transposait au plan national des règles du jeu définies et imposées autrefois par les villes. La juridiction des villes sur la banlieue — la *Bannmeile* germanique, cette relation de complémentarité entre le centre artisanal et la campagne agricole, était transformée en relation de complémentarité entre métropole et colonie, les règles du jeu étant inscrites dans le colonial. Et les mots employés pour décrire les mécanismes et les réalités plus ou moins complexes de cette nouvelle relation étaient, en ce qui concerne le vocabulaire anglais du moins, empruntés aux réalités anciennes. Prenons comme modèle *Staple*, étant donné que ce mot évoque des structures anciennes et introduit à la fois certaines conceptualisations de l'historiographie contemporaine.

   Staple voulait dire produit de base, ou produit principal dans l'économie, d'une région ou d'un pays. Ce serait dans le langage de la stratégie économique un produit clé: l'acception du mot demeure la même. Le mot *Staplers* désignait les marchands spécialisés dans le négoce des produits bruts avec l'étranger, moyennant licence du roi. Ils devaient utiliser comme base d'opération ou entrepôt une ville assignée à cette fonction, le plus souvent située à l'extérieur, à Calais, par exemple. Les produits bruts y étaient concentrés pour vente ou pour exportation. C'était la *Staple Town*, une étape ou un relais dans le circuit commercial. Et tel est le sens premier du mot français *étape:* ville, localité, comptoir, où il y a entrepôt et commerce d'échange. En anglais *Staple* assume un sens semblable mais par dérivation seulement, comme dans *Staple Town*. Son sens premier demeure celui de produit de base, comme dans *Staple economy*. On pourrait sans scrupule, et non sans raison historique, traduire *Staple economy* par « économie d'étape » mais l'usage veut qu'on parle plutôt d'économie coloniale. Telle est l'économie des pays jeunes, riches en matières brutes, faibles en population, pauvres en technologie, et qui choisissent d'affecter leurs ressources productives à la production massive de quelque produit brut pour l'exportation. Ces économies ont le caractère spécifique de dépendance à l'égard du pays importateur; elles sont en quelque sorte à la merci d'un pays technologiquement plus évolué et elles arrivent difficilement à s'accorder au rythme de l'économie dominante. Particulièrement difficiles sont les rajustements en période de transition lorsque la demande fléchit ou s'oriente vers de nouveaux produits. Les changements technologiques dans les vieux pays ont des répercussions profondes sur les structures sociales des jeunes pays d'économie dépendante. Aussi, l'on comprend que des historiens aient entrepris d'étudier l'évolution des jeunes pays dans l'optique de la dépendance économique.

   Les Canadiens anglais ont fait un usage amusant du mot *Staple*; ils ont exploité à plein leur privilège de transformer ad libitum les substantifs en adjectifs: *Staple economy, Staple approach* et, naguère, *Staples ap-*

proach. Staple theory même. Ils se sont demandé jusqu'où pouvait aller la validité de cette « théorie », jusqu'à quel point elle pouvait servir à l'étude des économies en voie de développement et, donc, en train de devenir diversifiées. Pour plus de sécurité, quelques-uns ont cru qu'il valait mieux parler (au pluriel) de *Staples approach*. Eh bien, s'il fallait écrire l'histoire des activités spécialisées, depuis la morue ou le castor jusqu'à l'uranium, on n'en finirait plus. Aussi des savants canadiens réunis en congrès à Toronto se sont-ils interrogés sur la validité de cette méthode dans l'étude de l'économie du Canada postérieure à 1820 ou 1840. Toutefois, ils n'ont pas pris la peine d'ouvrir une enquête sur la question. Nos collègues anglophones n'aiment pas discuter méthode depuis qu'un humoriste a dit que la méthodologie en histoire pouvait être un prétexte pour se dispenser de faire de l'histoire. Et même ils hésitent à faire de l'histoire économique (cette discipline semble tomber en défaveur) depuis qu'un célèbre auteur de *textbook* a dit ce qu'il pensait des historiens économistes: ceux qui se sentent incapables de pénétrer dans le champ rigoureux de l'économique des temps présents se fourrent la tête dans le sable du passé. Ce sont les autruches de la science économique... Voilà. Ce n'est point le moment de juger les historiens; mais il est permis d'exprimer en passant le désir que l'histoire serve de correctif à ce provincialisme intellectuel, caractéristique d'une certaine espèce de théoriciens. A toute fin pratique, il faut bien faire un peu d'histoire si l'on veut cerner la notion d'économie dépendante, sous-jacente, à une certaine historiographie canadienne — dont H. A. Innis a été le plus illustre représentant.

La notion de *Staple* dans la recherche historique a été remise en question depuis quelque temps à cause de l'insistance à rendre explicites les modèles de croissance et de développement. Parallèlement aux modèles de croissance applicables aux pays sous-développés, on voudrait des modèles adaptables aux économies coloniales, et l'on aimerait expliquer la validité des modèles implicites reliés à la notion de *staple* et appliqués à l'économie des pays jeunes, et non nécessairement arriérés. Tous ces modèles ont une genèse et c'est, croyons-nous, en interrogeant les auteurs qui ont étudié la formation des courants commerciaux et des agrégats économiques en Europe et aux Etats-Unis qu'on peut arriver à cerner la notion d'économie dépendante et à comprendre les conditions de croissance de ce type d'économie.

Les pays jeunes d'hier ou d'aujourd'hui et, à toute fin pratique, les régions en voie de développement, sont les représentants d'un *stade* de développement qu'ont connu les régions d'Europe ou d'Amérique à une période ou l'autre de leur histoire. Ce sont des pays ou régions où les activités d'exportation constituent la principale variable indépendante ou déterminante d'un ensemble. Ces activités se déroulent par concentration en certains lieux, elles entraînent la formation de centres exerçant la double fonction d'attraction et de diffusion. Ainsi, par la double influence centrifuge et centripète qu'exercent ces centres, les activités d'exportation ou de production de matières brutes en arrivent à créer des différenciations régionales, différenciations axées sur des lieux qu'on nomme métropoles ou sous-métropoles. Les activités dirigées de l'Allemagne par la Hanse, de l'Angleterre par les *Staplers* ou les *Merchant Adventurers* nous éclairent sur la question. Des historiens ont étudié particulièrement ces phases caractéristiques de l'évolution économique de l'Europe et de l'Angleterre; ils ont fait école en Allemagne avec William Roscher, Gustav Schmoller et Karl Bücher notamment, et en Angleterre avec W. Cunningham et W. J. Ashley.

Les économies coloniales, celles des pays neufs d'outre-mer, qui se sont développées en dépendance plus ou moins étroite des vieux pays, ont été jusqu'à un certain stade de leur évolution des économies polarisées de l'extérieur, par un pays dominant appelé analogiquement métropole. Telles ont été les économies des régions de production spécialisée du sud des Etats-Unis d'Amérique, de l'Australie, de la Nouvelle-Zélande et du Canada. Elles ont eu leurs historiens et c'est dans l'optique de l'espace polarisé que les ont vues leurs historiens: G. S. Callender, J. B. Condliffe, N.S.B. Gras, W. A. Mackintosh, H. A. Innis. Même l'influence de l'Ecole de Géographie allemande s'y retrouve, via Mario I. Newbigin et H. J. Mackinder, comme l'indique l'emploi des mots « centre » et « périphérie » dans H. A. Innis par exemple, pour désigner région dominante et région dépendante. Une certaine littérature sur le sous-développement emploie aussi un vocabulaire semblable pour désigner des inégalités interrégionales. Enfin, toutes ces notions fragmentaires ont été reprises et intégrées dans l'élaboration récente de la théorie des espaces économiques par l'Ecole française.

* * *

Dans l'effort de construction théorique portant sur les économies contemporaines dominées par les grandes unités de production, l'on voit apparaître des notions familières d'une certaine tradition historiographique et géographique sans que, toutefois, ni les géographes, ni les historiens ne les aient jamais rendues explicites. Les liaisons observées dans le développement concret, les points de contact et les lieux de concentration de certains types d'activité commerciale ou industrielle qui servent de relais dans les circuits et qui différencient des fonctions ou créent des relations de complémentarité ou de dépendance à divers niveaux de la réalité, économique, ou autres, sont autant de phénomènes acquis à la connaissance historique. Cependant, au niveau de l'épistémologie, ces réalités demeurent diffuses et imprécises. On pourrait donc convenablement essayer de les rendre plus intelligibles et, en les replaçant dans le circuit nouveau que représente la théorie des espaces développée par l'Ecole française, d'en tirer une conceptualisation utile à la recherche historique.

Ce qui fait la richesse de la théorie des espaces, c'est la notion de relation qui l'informe. Or qu'est-ce qu'une relation, si ce n'est la liaison de deux termes et un fondement qui en détermine l'existence et la durée. Le besoin qui fonde la relation peut être technique, financier, démographique, culturel, ou autre; à l'origine, il n'est pas nécessairement ou purement économique. Et une région peut être liée à d'autres par un réseau de relations multiples.

Un Québec apparemment autonome vivait d'interdépendance, même au XIXe siècle. Telle activité régionale du Québec que l'on croyait isolée du reste du monde se trouvait éminemment internationale par son insertion dans une structure impériale. Telle était, par exemple, la construction navale. Pourtant, l'étude sur la construction navale à Québec ne révèle pas toute la connexité des relations; car la construction navale nous apparaît comme une activité liée à la technologie du bois et stimulée par le commerce du bois. Pour compléter la trame de l'activité économique dans la région de Québec il aurait fallu ajouter une étude sur les exportations de bois et une autre sur l'immigration que le commerce du bois supportait. Nassau Senior a contribué à la création d'un espace économique en constatant que les navires affectés à l'importation de bois d'Amérique en Angleterre pouvaient avantageusement transporter des émigrés à Québec plutôt que de s'en retourner sur lest.

Vers le milieu du XIXe siècle, les centres industriels des Etats-Unis en voie de se constituer, de même que les plaines agricoles en voie de se peupler, déclenchaient des migrations massives à l'échelle de l'économie nord-atlantique, et les Canadiens français entraient dans le sillage des migrations. Les agglomérations urbaines devenaient bientôt des foyers de développement technologique et de promotion culturelle. Foyers de promotion financière aussi. Des réservoirs d'épargne s'y constituaient, avec la grâce des épargnants de l'univers nord-américain qui y aliénaient leur privilège d'investisseurs, l'épargne nord-américaine s'y trouvait reliée à quelque foyer d'investissement circonscrit par des entrepreneurs opérant à l'échelle mondiale. Les techniques de communication, déjà au XIXe siècle, rendaient possible la réalisation de pareils carrefours.

L'information, les techniques d'information, condition et rançon des fonctions métropolitaines, en utilisant la presse écrite comme véhicule d'information et de propagande, ou comme médium de communication, ont développé une civilisation de papier. Et le besoin de papier a projeté l'entreprise américaine dans les régions forestières du Québec et de l'Ontario qui lui offraient d'abondantes sources d'énergie électrique. Ces liaisons des Etats-Unis avec les régions du Nord, liaisons qui, au fond, étaient commandées par les grands réseaux métropolitains d'information, allaient avoir sur le Québec des répercussions culturelles. Dans un mouvement long et complexe exigeant des confrontations de pouvoirs politiques et économiques, mouvement parti des centres métropolitains des Etats-Unis,

l'entreprise capitaliste apportait au Québec une nouvelle dimension technologique; ce qui était déjà, dans un temps premier, une influence exercée
sur le Québec. Elle y transformait une matière brute en papier; et ce papier, utilisé par la grande presse, revenait au Québec pour y porter le
message de la culture américaine; ce qui était encore, dans un temps second, une influence exercée sur le Québec.

Une étude sommaire des implications culturelles de ce type d'industrialisme nous amène tout naturellement à réfléchir sur l'importance de la
communication dans le développement des empires contemporains.

Toutefois, si les liaisons historiques illustrent de quelque façon comment se trament les espaces, toutes n'ont pas cette consistance qui met
en cause de grands empires. Par contraste, nous repérons dans l'histoire
du Québec certaines liaisons de son univers agricole, dont on voulait
pourtant conserver l'intégrité, avec d'autres milieux agricoles d'Europe.
Où l'on voit que l'existence de certains foyers de culture dans un vieux
pays peut éveiller un besoin dans un jeune pays et favoriser la formation
d'un axe d'échange, d'espèce économique ou non. Dans les relations du
Québec avec la Belgique, par exemple, qui dira si l'économique a précédé
le culturel. On sait que le Québec a longtemps importé de Belgique des
missels ou autres instruments de liturgie; de la Belgique, par l'intermédiaire de Jésuites ou de Rédemptoristes, le Québec a aussi importé une dose
d'intégrisme flamand qui a marqué un peu les origines de son mouvement
coopératif.

1

La dualité canadienne et l'économique: tendances divergentes et tendances convergentes *

L'activité économique a-t-elle rapproché ou éloigné les deux groupes ethniques ou culturels qui dominent le paysage démographique du pays ? Telle est la question à discuter. Du point de vue économique, on peut dire que les groupes culturels se caractérisent par l'intensité de leurs besoins, de leurs propensions vers des objectifs de consommation et de production, et par leur génie d'adaptation dynamique. Pour mieux cerner ces spécificités, nous userons tout au long de ce travail d'une typologie qu'on retrouve, sous des formulations diverses, chez Tawney, Delaisi et Handman [1]. Selon ce dernier, deux types sociaux ont caractérisé le monde occidental: le type bureaucratique et le type pécuniaire.

L'organisation de type bureaucratique ou fonctionnelle caractérise une société hiérarchique, primitivement établie sur la richesse foncière et dont le gouvernement peut être, tour à tour, ou simultanément, aristocratique, théocratique, militaire. L'adhésion à ce type d'organisation

---

* Extrait de *La Dualité canadienne,* Essais sur les relations entre Canadiens français et Canadiens anglais. Ouvrage réalisé par Mason Wade, avec la collaboration de Jean-C. Falardeau, Presses des Universités Laval et Toronto 1960.
1. R. H. Tawney, *The Acquisitive Society,* New York, Harcourt, 1946; F. Delaisi, *Les Deux Europes: Europe industrielle et Europe agricole,* Paris, Payot, 1929; Max Handman, *The Bureaucratic Culture Pattern and Political Revolution* in *American Journal of Sociology.* XXXIX, 1933. L'élément fondamental de cette typologie, l'accumulation du capital, se trouve dans John Stuart Mill, *Principles,* Book I, ch. XI.

sociale entraîne donc l'exercice d'une « fonction » communautaire. C'est l'instinct de conservation et l'idée de promotion hiérarchique, et non l'instinct d'acquisition, qui dominent ce type de société. La base est rurale, l'inspiration féodale. Le pouvoir d'acquisition que chacun y exerce n'est pas basé sur le procédé mercantile d'achat et de vente, mais sur le statut social.

L'organisation de type pécuniaire implique l'esprit d'entreprise au sens économique du terme, c'est-à-dire un goût du risque doublé d'une aptitude aux investissements productifs. Dans cette société, le prestige social dépend de l'aptitude à manipuler les biens et services en vue d'un gain, à « investir » pour acquérir la richesse. Le prestige attaché au pouvoir politique n'est, dans la société de type pécuniaire, qu'accidentel ou dérivé.

Ces types représentent deux pôles d'intégration; ils peuvent, à certaines phases historiques, s'imposer tous les deux à l'intérieur d'un même groupe ethnique et créer une situation de duopole social. Mais on ne peut pas dire que cette dualité d'objectif détruit le caractère du *we-group*, car les facteurs de cohésion culturelle sont plus nombreux que n'en peut révéler l'organisation sociale, surtout au niveau de l'économique dont il est ici question. Par contre, l'intégration culturelle en fonction d'un type unique, soit bureaucratique soit pécuniaire, intégration qui finit par s'imposer sur le plan architectonique de la politique, peut marquer profondément l'économie d'un groupe ethnique.

Heckscher a démontré que la formation des états nationaux, français et anglais entre autres, s'est opérée sous le signe du duopole social [2]. En d'autres termes, la politique de ces états apparut, disons au XVIIe siècle, comme la résultante de deux forces sociales tendant vers des objectifs différents. En France, les tendances bureaucratiques l'auraient emporté, cependant que les tendances pécuniaires auraient dominé la politique anglaise.

On retrouve une semblable dichotomie dans les entreprises colonisatrices des états européens. Le mercantilisme continental (hispano-français) s'appuie sur la mer et le littoral; son objectif est commercial ou, s'il est aussi territorial, c'est qu'il considère les terres comme un point d'appui. Mais le mercantilisme maritime respecte son élément féodal représenté par la Couronne: il laisse à l'exécutif (la Couronne) son contrôle des terres.

Dans les deux types mercantilistes, anglais et français, les éléments bureaucratiques (de caractère féodal) et les éléments pécuniaires (de type commercial) coexistent. Ce qui donnera à l'un ou à l'autre son caractère final, ce sera la prédominance des éléments de première espèce sur les autres, ou vice versa.

---

2. Eli Heckscher. *Mercantilism,* London, Allen & Unwin, 1935.

* * *

La première phase du développement économique de la colonie française en Amérique du Nord se réduit presque uniquement à l'histoire du commerce des fourrures dont l'organisation avait été de structure compétitive d'abord (annexe des pêcheries), de structure monopolistique ensuite, avec les compagnies de Rouen et des Cent-Associés, et enfin, de structure semi-monopolistique, marquant, avec la Compagnie des Habitants, un mouvement en faveur d'une certaine décentralisation. Ces compagnies de l'époque pré-Colbertienne inaugurèrent une politique de gratification de pouvoirs à un groupe délégué de la Couronne, sorte de féodalité marchande, instrument d'une société bureaucratique [3].

Par suite de l'expansion territoriale de la traite et de la multiplication des coureurs de bois — rendue nécessaire d'ailleurs après la destruction de la Huronie — il devint très difficile de contenir l'activité commerciale dans les limites du contrôle administratif. Le système de licence établi par Lauzon en 1654, et maintenu par D'Argenson, pour soumettre l'initiative privée à l'administration, ne réussit pas à enrayer l'individualisme de Chouart des Groseilliers et de Radisson. Des recommandations faites par Colbert à Talon, en 1665, au moins les cinq premières se rapportent au prestige de l'autorité royale; les autres révèlent des soucis d'ordre social ou économique, mais aucune d'elles ne souligne l'importance d'une classe économique soustraite au paternalisme d'état [4].

La règle générale des relations entre métropole et colonie fut celle du pacte colonial: monopole du commerce et de l'industrie réservé à la métropole, prohibition d'entreprises susceptibles de heurter les intérêts métropolitains imposée aux colonies. Mais il y eut des dérogations; et c'est précisément dans le mécanisme de celles-ci et dans leur résultat final qu'on peut saisir la portée générale de la règle. Les recommandations de Colbert à Talon semblent contenir quelques-unes de ces dérogations: encouragement aux manufactures, aux chantiers maritimes, aux mines... La chapellerie, petite industrie coloniale qui remontait à 1660, fut supprimée en 1736 par ordre du ministre [5]. L'industrie des textiles lancée par Talon subsiste à force de gratifications: ce fut le cas de l'industrie des frères Charron, par exemple [6]. La malversation règne dans l'entreprise de la tannerie, avec l'intervention d'une intendance qui distribue des quotas de production [7]. La construction navale, industrie gratifiée de subsides

---

3. La charte de la compagnie des Cent-Associés (27 avril 1627) reflète l'esprit de cette politique.

4. Pierre Clément, éd., *Lettres, instructions et mémoires de Colbert*, vol. III, Paris 1865.

5. H. A. Innis, ed., *Select Documents in Canadian Economic History*, 1497-1783, Toronto, University of Toronto Press, 1929, p. 392.

6. P. E. Renaud, *Les Origines économiques du Canada*, Mamers, G. Enault, 1928, p. 384.

7. *Ibid.*, pp. 398-399.

aux constructeurs, et aux armateurs qui y feraient leurs premières commandes de navires, n'a pas réussi à produire une bonne qualité de vaisseaux [8]. Quant aux mines, les Forges de Saint-Maurice en illustrent assez bien l'histoire: les forges ont subsisté grâce à l'intervention du roi. En somme, les tentatives pour introduire l'industrialisme en Nouvelle-France ont échoué. On a réussi à introduire un réseau de moulins assez imposant dans l'économie du Canada du XVIIIe siècle; mais ces entreprises ne justifient pas de parler d'industrialisme, dans le sens métropolitain du terme.

La réglementation (protection aux étrangers ou forains de France, contrôle et surveillance des marchés) a favorisé le petit commerce des autochtones, petit commerce inféodé à l'administration. Le grand commerce s'y opère par infiltration des étrangers, avec l'appui plus ou moins avoué des administrateurs. Nous retrouvons les éléments d'une société bureaucratique: une masse populaire à faible pouvoir d'achat, des « petits bourgeois » en mal de s'ennoblir et de s'enrichir, des administrateurs collaborant clandestinement avec les gros riches venant de l'extérieur [9].

On peut, semble-t-il, dégager deux aspects fondamentaux de l'empire français en Amérique: un aspect géographique, un aspect social.

L'empire comprenait deux types d'économie, maritime et continental, géographiquement disloqués, mais que la tradition impériale aurait voulu intégrer dans un même réseau commercial. Or l'on sait que, pour des raisons géographiques, techniques ou autres, on n'a jamais réussi à intégrer ces deux types d'économie. Pour autant que le progrès de cet empire dépendait d'un avant-poste maritime, la perte de l'Acadie en 1713, y introduit une brèche que les efforts péniblement tentés à Louisbourg n'ont pas réussi à réparer.

Du point de vue social, l'empire était divisé en lui-même. Cette dichotomie trouvait son expression la plus frappante dans l'opposition entre petits marchands, boutiquiers, détaillants d'une part, qui s'appelaient « habitans » et auxquels s'associaient les paysans (après la conquête le terme n'eut plus qu'une connotation rurale), et les marchands-entrepreneurs, capitaines de navire ou autres. Dans l'organisation militaire, division semblable, qui engendra « un vif antagonisme entre les officiers canadiens et ceux qu'on envoyait de France pour conduire la guerre. Les frictions, les rivalités et l'amertume qui en résulta, contribuèrent beaucoup à amoindrir les premiers succès du côté français, succès qui étaient dus à une meilleure préparation, obtenue aux dépens des intérêts normaux du Canada et de sa population. » [10]

---

8. *Ibid.*, p. 438.
9. G. Frégault, *François Bigot, administrateur français,* 2 vol., Montréal, *Les Etudes de l'Institut d'Histoire de l'Amérique française,* 1948. Voir en particulier, vol. I, troisième partie, et vol. II; quatrième partie.
10. Adam Shortt, ed., *Documents relatifs à la monnaie, au change et aux finances du Canada sous le régime français,* Ottawa, APC, 1925, pp. lxxx-lxxxii.

En résumé, on retrouve dans l'organisation économique de la Nouvelle-France les caractères originaux de l'organisation économique de la France métropolitaine. Dès l'origine de la Nouvelle-France apparaît une féodalité marchande; à sa phase finale, on retrouve une dualité de structure dans laquelle l'habitant, au sens commercial du terme, qu'il fût boutiquier, artisan ou autre, prend figure de vassal. Transposé dans le nouveau monde, cet héritage métropolitain a quand même subi l'influence constante des conditions du milieu. Et ces conditions expliquent, dans une grande mesure, le manque d'intégration de l'empire français en Amérique; elles ont servi de prétexte au zèle de l'administration locale, par exemple, dans la lutte de l'administration contre l'expansionnisme commercial. Mais les efforts d'adaptation aux conditions géographiques font ressortir d'autant les tendances du type bureaucratique. L'organisation administrative d'une telle société, inspirée d'un mercantilisme de tradition hispano-française, nous permet-elle de parler d'un état en Nouvelle-France ? Et l'organisation économique elle-même justifierait-elle de conjecturer l'existence de bourgeois-entrepreneurs répondant aux exigences des milieux où prédomine le type pécuniaire ?

*   *   *

La conquête a provoqué l'exode de tous ces Français qui étaient venus en Nouvelle-France soit pour l'administrer ou la défendre, soit pour l'approvisionner en temps de guerre; elle a provoqué aussi l'exode d'une catégorie de seigneurs habitués à un niveau relativement élevé de dépenses. Les habitants sont restés et ils ont gardé les deux institutions essentielles à leur survivance: la seigneurie et l'Eglise.

A l'administration française, depuis longtemps militarisée, on a substitué une administration anglaise de type militaire. On l'a confiée à des généraux d'armée, qui ont reconstitué la société bureaucratique, à l'aide d'un « tiers état » que leur avait légué la bureaucratie française.

> *It was on the whole a friendly period of laissez-faire; every effort was made to preserve the French way of life in matters of seigneurial law or habitants' custom. Although most of the administrative officials had left the Colony, the old hierarchy of seignior, priest and peasant remained, and their good will was secured by a policy which leading French-Canadian historians have accepted as being just and merciful* [11].

Ce mode de vie — ce *French way of life*, a pu se perpétuer après la conquête, et malgré la conquête, grâce à l'indifférence économique de l'Angleterre envers le Canada, indifférence de l'époque et commune à la France et à l'Angleterre. La remarque d'Adam Shortt sur l'attitude de la

---

11. G. S. Graham, *Britain and Canada,* London, Longmans Green, 1943, p. 6.

France envers le Canada s'applique aussi bien à l'Angleterre conquérante; le Canada, économiquement inutile, doit jouer un rôle stratégique; il faut le confier à une bureaucratie militaire.

> Les détails du programme de l'action française en Amérique n'étaient que le corollaire de visées plus importantes, tendant à enrayer le développement de l'empire britannique, dont l'agrandissement mena- çait gravement les ambitions impérialistes de la cour de France. De ce moment, le Canada ne fut donc plus considéré au point de vue de ses propres intérêts, mais seulement de l'appui qu'il pourrait donner aux ambitions de la France. On y voyait une base d'attaque contre la puissance grandissante de la Grande-Bretagne en Amérique. Aussi, sa population et ses ressources furent-elles complètement utilisées dans ce but. Durant la dernière lutte coloniale, les dépenses faites pour le Canada et pour les opérations militaires poursuivies sur son territoire, ou au-delà de ses frontières, furent toutes décidées et effectuées d'après la méthode européenne, et sur une échelle non moins européenne [12].

Ce point de vue explique que l'Angleterre ait hésité dans son choix entre la Guadeloupe et le Canada jusqu'aux négociations de 1762. Un groupe d'intérêts fit pencher la balance en faveur du Canada: celui des planteurs anglais qui ne voulaient pas une Guadeloupe anglaise susceptible d'être résorbée dans le réseau *yankee*. Terre-Neuve, avec ses pêcheries, était, dans l'opinion du Board of Trade, réputée supérieure au Canada et à la Louisiane réunis. C'était le point de vue économique. Mais à la crainte des planteurs des îles d'Amérique allait se conjuguer le point de vue militaire et impérialiste, qui voyait dans le Canada une région-tampon, une base pour enrayer le courant autonomiste des *Yankees*. Le Canada fut confié à des militaires. Solution impérialiste qui favorisait la survivance de Français en Amérique: « *a fortunate thing for Canada that a precedent should have been set during the military regime for an administration which was sympathetically adjusted to the needs and feelings of the new subjects.* » [13]

Les Anglais y sont donc venus sans rompre la continuité; ils y ont restauré un régime bureaucratique auquel les Canadiens étaient habitués depuis longtemps. Certes, l'administration devenait anglophone, mais elle ne dérangeait rien à la base. Il est vrai que l'élément pécuniaire, relative- ment faible à cette époque, devait créer un certain déséquilibre en con- testant le droit que s'arrogeaient les militaires de diriger la colonie de façon non conforme aux exigences du progrès commercial. Mais leur récrimination ne portait pas à conséquence aussi longtemps qu'il s'agissait du commerce traditionnel [14].

---

12. Adam Shortt, ed., *op. cit.*, p. lxxx.
13. G. S. Graham, *op. cit.*, p. 6.
14. D. G. Creighton, *The Commercial Empire of the St. Lawrence, 1760-1850*, Toronto, Ryerson, 1937, ch. II.

Les entrepreneurs du commerce des fourrures avaient besoin, pour régner économiquement, d'une main-d'œuvre rompue au dur métier du trappeur, du canotier, et du *winterer*, comme les militaires, à qui l'on confiait l'administration de la colonie, avaient besoin d'une petite noblesse, et d'un clergé uniquement préoccupé de survivance, pour régner politiquement. Ainsi s'effectuait un rapprochement qu'on pourrait qualifier d'équivoque. L'Ancien Régime, soit l'organisation sociale perpétuée par les paysans, les curés et les seigneurs, fournissait la base d'une société bureaucratique dont la nouvelle administration anglaise, représentée par l'élément le plus conservateur de la culture anglo-saxonne, constituait maintenant la superstructure. Mais la nouvelle administration n'eut pas la vertu de rallier tous les éléments de la culture anglo-saxonne. « *By all I can find,* écrivait Maseres, *the English and the French agree together tolerably well and speak well of each other: but there are great animosities between the English themselves one with another.* » [15] Les Canadiens, par contre, que l'ancienne administration avait entraînés à la docilité, surtout au cours de circonstances de guerre, n'affichaient aucune ambition politique.

Il n'en fut pas ainsi des commerçants, sitôt qu'ils eurent à réclamer auprès de l'administration des réformes politiques conformes à leurs besoins. Ils s'attaquèrent à ce système.

> but in this period their attack was directed only at the apex and not at the base of the social and political system of Quebec. Their quarrel, in the first few decades of British rule, was not against the great mass of the French Canadians; it was against the British governors, the British military, the British and French bureaucracy, and the French-Canadian « noblesse ». The merchants accepted the bulk of French-Canadian institutions and customs because they were the superstructure of which the fur trade was the base [16].

L'organisation sociale de type bureaucratique avait obtenu, après la conquête, une politique conforme à ses aspirations, soit une intégration à partir du principe ou du type bureaucratique. Au début du XIXe siècle, elle devait perdre ce type d'intégration et subir, dans la défensive, le gouvernement des autres, et chercher ailleurs un nouveau principe d'intégration. Cette désorientation avait un fondement économique.

Au début du XIXe siècle, le pays avait déjà subi de grandes transformations, la plupart attribuables à l'introduction de nouveaux types d'activité commerciale et, fondamentalement, à l'immigration de milliers de Loyalistes. Ces types nouveaux, beaucoup plus complexes que le commerce traditionnel des fourrures, requéraient une armature financière. De plus, au cours des guerres napoléoniennes, le gouvernement britannique

---

15. W. S. Wallace, ed., *The Maseres Letters, 1766-1768,* cité dans Creighton, *Commercial Empire of the St. Lawrence,* p. 34.
16. D. G. Creighton, *op. cit.,* pp. 32-33.

avait découvert une valeur économique au Canada et jetait son dévolu sur ses ressources forestières.

Enrichie de nouveaux apports et fortifiée dans son commerce par une politique mercantiliste tout à fait appropriée, la « société acquisitive » afficha une attitude d'intolérance envers l'autre société (comprenant aussi le groupe de paysans et boutiquiers anglophones du Haut-Canada) qui refusait de l'appuyer dans ses desseins; et ses desseins, elle les associa à la cause britannique. Elle s'attaqua, non plus à la superstructure administrative, mais à l'infrastructure. Dans l'impossibilité de gouverner par voie majoritaire dans une assemblée qu'elle avait pourtant réclamée, conformément à la tradition britannique, elle va se retrancher dans l'exécutif qu'elle associe à la famille financière (*Family Compact* et « Clique du Château »).

C'était, dans la tradition britannique, prendre une attitude réactionnaire et, pour ainsi dire, renverser le cours de l'évolution historique. Mais un tel renversement n'était pas sans fondement pragmatique, car une économie continentale appuyée sur la richesse foncière fournissait au plus fort, s'il s'associait à l'exécutif (dans la tradition britannique, celui-ci s'attribuait le revenu des terres), l'occasion de gouverner sans majorité populaire. Une administration de mentalité militaire avait jadis retardé la concession d'une assemblée populaire; maintenant une classe mercantile devenue réactionnaire et réfractaire aux enseignements de la tradition britannique va retarder la concession du gouvernement responsable.

De la sorte, le gouvernement britannique heurtait un groupe de descendance bureaucratique qui, en dépit de son inexpérience démocratique, avait résolu de se prévaloir de la nouvelle constitution de 1791. Ainsi s'amorçait pour les Canadiens français, une période de luttes, qui devait durer une trentaine d'années, au moins. Cette période s'est déroulée en deux phases; l'une de défensive inaugurée sous le régime de la Terreur et qui dura jusqu'en 1820 environ: Britanniques et Canadiens s'insultent réciproquement; l'autre d'offensive, menée à la lumière du principe constitutionnel (la question des subsides soulevée par nécessité en 1817): ce point de vue attira la sympathie de divers groupes anglophones au sein de l'empire britannique. Par un étrange renversement des rôles, les Canadiens français devenaient les défenseurs de la cause libérale et, comme tels, s'assimilaient à l'aile réformiste du Haut-Canada.

Mais la politique, envisagée dans cette perspective, n'est qu'une mise en scène; et l'alignement des forces sociales qui la provoque dépend des circonstances de milieu et de la position de ces forces les unes vis-à-vis des autres et par rapport à leurs aspirations respectives. De même le nationalisme n'est qu'une affirmation d'un groupe particulier à partir du principe de nationalité; il n'épuise pas, tant s'en faut, la signification historique de la culture qu'il veut affirmer.

Dans la querelle des subsides au XIXe siècle, deux types d'aspiration se heurtent, deux mondes s'affrontent. Le choc les replie sur elles-mêmes, et l'on peut dire que, durant tout le XIXe siècle, les deux groupes vont leurs cours économiques, de façon parallèle, divergente même, un peu comme deux étrangers, que la politesse ou la diplomatie rapprochent fortuitement ou accidentellement. Bien plus, l'économie les divise ou les éloigne même; car l'action économique procède de l'intime même des cultures, pour autant qu'elle implique un choix. Or, ce choix se traduit tangiblement par des investissements qui, une fois réalisés, commandent des attitudes, sociales ou politiques, ou exigent une protection d'état. Mais un tel choix qui engendre des investissements n'est pas, pour autant, un geste matérialiste. Au contraire, c'est plutôt, sur le plan de la culture, un geste de première valeur, puisqu'il manifeste les modes de réaction d'une société à son milieu. Les investissements sont la manifestation d'aspirations culturelles; ils expriment, avec les institutions et les groupes dominants qui les suscitent, les stimulent ou les protègent, un système de valorisation sous-jacent à la société même qu'ils tendent à promouvoir et à protéger. Ils expriment un ensemble de propensions qui, précisément, s'élaborent au sein même d'une culture.

On peut donc distinguer trois phases dans l'élaboration des caractères originaux du groupe culturel canadien-français.

a) La première génération est composée d'un groupe d'immigrants; elle est, selon Parkman, systématiquement soustraite à l'influence calviniste [17]. Il serait difficile de prouver que cette espèce d'immigrants accusât une *intensité sociale* supérieure à celle de la société française de l'Ancien Régime, telle que définie par Hauser [18].

b) Les générations suivantes n'eurent pas la chance d'*intensifier* le groupe. L'esprit de thésaurisation, selon Shortt, domine le milieu rural [19]. Les exigences militaires de la traite des fourrures assujettie à la concurrence anglo-hollandaise d'abord, et à la double concurrence anglaise ensuite (nord-sud), imprimèrent à l'administration un caractère fortement bureaucratique. La tradition mercantiliste française, inefficace en région maritime, et incapable d'y maintenir ses positions, affaiblissait la région continentale, en la privant d'un avant-poste maritime jugé essentiel à son développement économique. A cette faiblesse, s'ajoutait la faillite de l'industrialisme en Nouvelle-France.

c) La société rurale, édifiée sur une agriculture de subsistance en majeure partie, a vécu en marge du grand commerce. Elle ne s'est guère

---

17. Francis Parkman, *The Old Regime in Canada,* Boston, Little, Brown & Co., 1874, ch. XVII.

18. Voir H. Hauser, *The Characteristic Features of French Economic History from the Middle of the Sixteenth to the Middle of the Eighteenth Century* in *Economic History Review,* vol. IV, n. 3, pp. 257-272.

19. Adam Shortt, ed., *op. cit.,* p. lxxxix.

aperçue de la transition au régime britannique jusqu'au jour où, affirmant la supériorité britannique, on mit en cause la question raciale. Ce fut, pour les Canadiens français, le début d'une période de repli, l'occasion d'une prise de conscience. Ils sont devenus une « race » retranchée dans le terroir et dans l'Eglise; et tels ils sont demeurés durant tout le XIXe siècle.

* * *

Si l'évolution économique et politique influe sur l'organisation sociale, celle-ci, à son tour, conditionne le développement économique. Mais comment relier cette notion à un schéma d'étude économique; en d'autres termes, en quel sens établir que les attitudes sociales ont pu conditionner, disons, un volume ou un taux de production ? En ce sens que tel groupement culturel exprime des propensions susceptibles d'orienter la courbe de développement économique. Telles sont, par exemple, les propensions à s'accroître et à se multiplier, les propensions à s'instruire et à rechercher les innovations scientifiques, ou à les accepter, à accroître le capital productif, ou encore à accepter des immigrants, à bâtir des églises, des presbytères, des couvents, à importer des communautés religieuses (ce qui est une espèce de propension à accepter des immigrants [20]).

Il est remarquable qu'à l'époque où débute l'immigration massive destinée à s'associer à la société de type pécuniaire, les Canadiens français, se multipliant à un rythme supérieur à celui de l'augmentation de leur richesse matérielle, commencent à émigrer. Quant à leurs propensions à investir, elles expriment une tendance au capital improductif de l'espèce la plus propre à soutenir le terroir et l'Eglise. L'espèce d'immigration admise dans cette société reflète les mêmes caractères, ou répond aux mêmes aspirations.

Durant la période de l'Union, la société de type bureaucratique, qu'on identifiait alors au groupe francophone et catholique romain, a fondé 234 paroisses nouvelles, établi vingt communautés religieuses, dont cinq d'hommes et quinze de femmes; elle a confié à des communautés religieuses la direction de quatre-vingt-douze écoles nouvelles ou maisons d'enseignement, de neuf hospices et hôpitaux, de douze institutions diverses, fondé sept collèges classiques et une université [21]. La liste est impressionnante et, transposée en termes financiers, elle pourrait révéler un volume d'investissements comparable à celui des investissements effectués, durant la même période, sous le signe de Mercure, du moins dans le secteur privé.

Cependant que la nouvelle constitution laisse place à un gouvernement d'inspiration pécuniaire, comme en témoignent les grands travaux publics effectués sous le régime d'Union, et, plus tard, sous le régime de

---

20. Voir W. W. Rostow, *The Process of Economic Growth*, Oxford, Clarendon Press, 1953, Part I, ch. III.
21. Données compilées d'après *Le Canada ecclésiastique*.

Confédération, cette même constitution assure liberté d'action à la société de type bureaucratique. Celle-ci s'exprime par des investissements qui lui sont propres. A l'intérieur de son univers, elle fait preuve d'un dynamisme proportionnel à celui de l'autre société.

Les investissements publics d'inspiration pécuniaire destinés à l'aménagement de l'espace national et à l'extension du marché eurent pour parallèles les investissements d'inspiration bureaucratique centrés sur la terre et sur l'Eglise. Deux sociétés coexistent sous un même régime constitutionnel. Dans le rajustement constitutionnel de 1840, les deux sociétés ont trouvé un *modus vivendi*. Un nationalisme de terroir, doublé de cléricalisme, depuis longtemps stimulé par les attaques passionnées d'un britannisme qui prenait des attitudes de *jingo*, trouve un élément de sécurité dans le duumvirat ministériel du régime d'Union. Mais cela ne pouvait durer. Pour des raisons politiques, et pour des raisons économiques, dont les principales furent indiquées par George Brown dans son discours sur la Confédération, on dut reviser les conditions de cette coexistence. Au cours de l'Union, on avait déjà remarqué que les dépenses émargeant au budget pour le compte du Bas-Canada ne répondaient pas à la conception qu'on se faisait alors d'un budget national. Ces dépenses étaient de nature plutôt locale, disait-on alors. Il était normal que les revenus d'état, pour la plupart provenant des douanes, fussent appropriés à des dépenses d'intérêt national; et il était inadmissible qu'on les affectât au service d'une société étrangère au grand commerce (une agriculture de subsistance ne contribue pas au revenu des douanes) et absolument réfractaire à la taxation directe.

Aussi fut-il conclu en 1867 que les affaires locales seraient dévolues aux législatures provinciales, ainsi que toutes prérogatives locales associées au contrôle des terres, source de revenus. Ainsi, les prérogatives traditionnelles de la Couronne, c'est-à-dire, ce qu'il y avait de féodal dans l'héritage canadien fut défini comme relevant normalement des législatures provinciales.

La définition des pouvoirs du gouvernement général et des pouvoirs des législatures provinciales accuse, à cette époque, la supériorité de la société pécuniaire sur la société bureaucratique refoulée par la constitution de 1867 au secteur local. L'expansion vers l'ouest, la grande politique nationale inaugurée par Macdonald, mais virtuellement contenue dans la constitution de 1867, manifestent un comportement politique d'inspiration pécuniaire. La politique provinciale du Québec, au contraire, du moins considérée dans ses grands gestes du XIXe siècle, affirme des prérogatives féodales exploitées par une bureaucratie bipartite: les politiciens et les curés. Même le rôle de la province de Québec en matière de chemins de fer, disons à la fin du siècle dernier, assume au regard des grands objectifs de l'époque (la colonisation en particulier, c'est-à-dire la route et la chapelle, selon une définition du XIXe siècle) une signification bureaucratique. Seul l'élément militariste, caractère important d'une société bureaucratique, paraît manquer; mais on le retrouve dans les luttes électorales, dans les querelles d'Eglise, et dans les procès entre voisins.

Durant tout le XIXe siècle, et même au-delà, les deux types d'organisation sociale ont évolué parallèlement, chacun à sa façon et dans sa sphère économique propre. L'organisation de type bureaucratique, représentée en majeure partie par le groupe francophone, a développé son terroir, elle a amplifié son contrôle clérical. L'association du Curé Labelle avec Mercier est caractéristique: donne-moi la terre et la route, je te donnerai la chapelle et la paroisse. Mais il ne faudrait pas croire que tout le groupe francophone et catholique romain s'est conformé aux normes de cette organisation. Ce qu'on a appelé exode rural, fut dans une grande mesure, la manifestation d'une tendance à s'associer au mode de vie pécuniaire. On quitte la paroisse, on émigre vers des contrées lointaines, ou vers la ville, pour gagner de l'argent et pour y relever son niveau de vie matérielle. Pour quelques-uns, sans doute, c'était une façon de prendre congé de certaines institutions.

Au niveau des classes dirigeantes (les gens instruits ayant place dans la hiérarchie de l'univers bureaucratique), la plupart prêchaient l' « attachement au sol » la poursuite d'un mode de vie rural à tout prix: on peut, dans la perspective contemporaine, les appeler « agriculturalistes ». Mais d'autres, timidement d'ailleurs, et tout en protestant de leur attachement à la hiérarchie, proposaient une autre solution au problème de la désertion du terroir. Pour eux, il eût été possible, sans risque de contamination, d'évoluer vers un mode de vie pécuniaire: on les appelle « industrialistes ». Leur point de vue implique que même les institutions évoluent et qu'elles n'ont pas été établies dans le dessein de tyranniser la société qu'elles avaient la tâche de servir.

La technologie contemporaine a mis un terme aux divergences économiques entre les deux types d'organisation sociale que nous avons décrits. Aujourd'hui, leurs opérations économiques sont convergentes, elles se confondent même dans certains secteurs d'activité. Le charbon et la vapeur avaient inauguré cette tendance; il fallait l'électricité pour la confirmer. L'électricité a placé sur la carte économique du pays certaines régions que la technologie du XIXe siècle avait ignorées. La province de Québec, bastion d'une société de type bureaucratique, est devenue la base géographique d'un développement industriel; elle a été projetée dans l'univers anglo-américain.

Cet aspect soulève une question fondamentale. Quelle influence exercent les techniques, sur un type d'organisation sociale donnée; ou quelles sortes de transformation peut-on leur attribuer ? Notons que les techniques, comme les investissements, procèdent de l'intime d'une culture: elles manifestent des aspirations qui, fondamentalement, sont loin d'être matérialistes. Elles s'élaborent au sein même des sociétés qui affirment des propensions à la recherche scientifique. Le terme « technologie » évoque la dignité de leur origine.

Normalement, les techniques ne se plaquent pas sur une organisation sociale, mais elles en procèdent. Et cependant, il peut arriver qu'elles s'imposent du dehors à certaines organisations sociales traditionnellement réfractaires au type de culture qui les engendre. Alors l'aptitude à les assimiler dépend de l'aptitude ou de la propension à substituer un enseignement scientifique, commercial, technique, universitaire, à l'enseignement traditionnel d'un collège classique destiné à servir une société de type bureaucratique.

Il n'est pas question ici de discuter les influences de la technologie « étrangère » sur un type d'organisation fermée [22]. On peut toutefois choisir d'en indiquer quelques-unes en prenant pour critères certains problèmes qui ont orienté le cours de la « dualité canadienne » ou qui ont, en tous cas, marqué l'histoire de la province de Québec. Tels sont les problèmes suivants: les terres, l'hydro-électricité, les coûts de production industrielle.

* * *

A l'origine du déplacement des lignes de forces des deux cultures vers un foyer commun de convergence, on peut situer cette transformation discrète, mais profonde, du rôle traditionnellement assigné à la terre, dont le contrôle avait constitué une prérogative féodale. La terre est devenue au XIXe siècle, fonction du capitalisme financier. Lorsque s'opéra cette transformation, l'organisation pécuniaire, formée dans l'atmosphère du début du XIXe siècle, a cessé de se retrancher dans l'exécutif pour devenir parlementaire, car c'était au niveau parlementaire que devaient se discuter les problèmes de l'entreprise ferroviaire. Le chemin de fer a donné à la terre une valeur rentable et bien plus, elle en a fait un objet de spéculation.

La province de Québec, en tant qu'elle représentait un type d'organisation bureaucratique, n'a jamais connu cette connotation capitaliste conférée à la terre. Quelques individus ont pu s'y enrichir, au moyen des terres, mais à la façon bureaucratique, ou de la façon qu'avait pu s'enrichir Bigot par d'autres moyens. La terre est restée territoire, c'est-à-dire, une surface pour étendre ou propager le terroir et l'Eglise.

Cette fonction nouvelle de la terre, issue du capitalisme financier, fut saisie par les artisans de la Confédération, qui ont soustrait aux provinces de l'ouest le contrôle des terres pour en faire un instrument d'expansionnisme d'inspiration pécuniaire. Cette politique a laissé indifférente

---

22. Voir S. Herbert Frankel, *The Economic Impact on Under-developed Countries,* Oxford, Basil Blackwell, 1953, Essay II; Ragnar Nurkse, *Problems of Capital Formation in Underdeveloped Countries,* Oxford, Basil Blackwell, 1953, introd.

la province de Québec, car celle-ci, grâce à la Confédération, prenait possession entière d'une législature locale à laquelle fut dévolu le contrôle des terres. Vis-à-vis l'ouest canadien, le gouvernement fédéral, refuge des éléments pécuniaires, se justifiait d'agir ainsi. Il avait ses propres objectifs, les provinces de l'ouest, sans tradition féodale, étaient ses propres créatures. La tradition aborigène a toutefois pris ombrage. L'affaire Riel l'a en quelque sorte associée à la tradition bureaucratique du Québec.

La situation se révéla plus complexe lorsque la terre, à cause de la technique hydro-électrique, devint fonction du capitalisme industriel. A ce stade technologique, sa mise en valeur exigeait des investissements massifs. Pour attirer de tels investissements, il fallait une politique des terres favorable à l'entreprise capitaliste. Aussi bien les hommes politiques, ceux du premier quart du siècle en particulier, se firent-ils les propagandistes de leur province en proclamant l'abondance des ressources hydrauliques et forestières qui s'offraient aux capitalistes désireux d'investir dans la province de Québec. Et pour bien marquer que l'abondance des ressources n'épuisait pas le potentiel capitaliste de cette province, on proclamait également la frugalité de sa population, qu'un régime d'éducation avait prédisposée de longue date à rejeter toute forme de socialisme et à accepter des conditions de travail favorables à l'entrepreneur.

Cette politique d'inspiration pécuniaire n'était-elle pas de nature à alerter une population demeurée fidèle à la tradition bureaucratique ? Tout naturellement, le parti de l'opposition devenait le défenseur de cette tradition, mettant la population en garde contre les idées et les mœurs qui s'insinuent avec le capital étranger. Que vaut la mise en valeur de nos terres lorsqu'elle n'est pas dirigée par « les nôtres ». Ne vaut-il pas mieux rester pauvres et maîtres chez soi que de devenir riches malgré soi en aliénant ses biens aux étrangers ?

Ce thème de propagande politique à l'endroit des capitalistes « étrangers » de même que l'avertissement exprimé par l'opposition, avaient fourni des sujets de discours aux rhétoriciens de notre génération. Mais ces discours, comme les graves et courageuses dissertations sur le rapport entre l' « économique » et le « national » dont ils s'inspiraient, ne devaient pas modifier le cours des événements. La terre du Québec était devenue fonction du capitalisme industriel.

Pour cette province, c'était subir, à sa base même, la plus grande transformation de son histoire. La terre, maintenant synonyme de ressources naturelles, fournit de l'électricité, du papier, des métaux non ferreux, et des métaux ferreux. Cette transformation s'était préparée lentement, en laboratoire, et en dehors du Québec. Elle était le produit du génie scientifique que la société traditionnelle de type bureaucratique, plutôt tournée vers les belles-lettres, ne s'était guère souciée de produire. Mais ce qu'on n'avait pu produire, on dut l'accepter du dehors et réadapter l'enseignement à l'avenant des nouvelles exigences avec la collaboration de scientistes naturellement entraînés à l'étranger. C'était, du jour au lendemain, passer de la féodalité au capitalisme et tourner le dos au vieux quartier latin.

L'évolution technologique des derniers trente ans n'a fait qu'amplifier la fonction nouvelle assignée à la terre; et les événements saillants de cette dernière période, tels que la dépression des années 1930 et la prospérité des années 1940, n'ont pu que ralentir ou accélérer le processus de rapprochement entre les deux types d'organisation sociale, qu'une espèce nouvelle d'activité économique tend à confondre dans une communauté d'intérêts.

Le dernier aspect de la question implique le problème des coûts de production. Une organisation sociale qui, traditionnellement, se montre réfractaire aux innovations, se trouve dépourvue lorsqu'elle est projetée dans un univers de concurrence; car les concurrents, grâce à leurs mises au point techniques, opèrent sur une base de coûts décroissants. L'organisation sociale de type bureaucratique, dans sa phase d'imperméabilité, n'a pas été alerte à cette forme d'adaptation qui caractérise le capitalisme industriel. Elle a bien pu se donner des extensions commerciales ou industrielles, à divers degrés, depuis la fabrication de chandelles jusqu'à l'entreprise de transport maritime; mais elle n'a pas été capable de s'ajuster aux exigences du capitalisme contemporain.

Comment expliquer en effet que ses entreprises aient disparu ou aient perdu leurs raisons sociales ? C'est que, à une phase particulière de leur histoire, elles ont subi le choc de la concurrence. Elles n'étaient pas conçues à l'avenant d'un univers capitaliste; elles ont été résorbées dans ce grand univers. On a essayé d'enrayer cette tendance, on a fondé des ligues d'achat chez nous et on a désigné des boucs émissaires. On a mesuré les tailles économiques.

S'il faut parler en termes d'adaptation dynamique, on peut dire toutefois que la grande corporation a inauguré une ère d'espérance pour tous ceux qui ont à cœur de conserver certains caractères originaux de l'organisation sociale de type bureaucratique; car la technologie, elle-même un produit de l'histoire, ne détruit pas ce que l'histoire édifie.

Or, la grande corporation d'aujourd'hui comprend trois fonctions distinctes [23], qui représentent trois paliers de collaboration. C'est d'abord la fonction de ceux qui y investissent: cette fonction est devenue universelle, et l'épargne recueillie par la plus pure des compagnies d'assurance d'aujourd'hui est résorbée dans une fonction universelle, qui est capitaliste. Il y a ensuite la fonction de ceux qui participent à la marche de

---

23.   Voir Adolf A. Berle, Jr., and G. C. Means, *The Modern Corporation and Private Property*, New York, Macmillan, 1947, Book I, ch. V-VI.

l'entreprise. Elle est accessible à tous les groupes ethniques. C'est celle des ingénieurs et scientistes formés à l'université, mais c'est surtout celle des dirigeants qui détiennent la clef des ressources naturelles, et la clef de l'usine contemporaine. Et enfin, la fonction de ceux qui dépendent de l'entreprise assume une signification nouvelle depuis l'avènement des grands syndicats. On peut dire que les problèmes de travail ont eu, sur les deux types de sociétés, l'influence d'un dissolvant. Les syndicats ouvriers sont un signe de rapprochement des deux groupes, le symbole le plus caractéristique de la convergence économique que nous avons tenté de définir.

*　*　*

Les deux groupes ethniques, anglophone et francophone, appartiennent historiquement à des types d'organisation sociale différents. Ces types eux-mêmes portent la marque des cultures européennes auxquelles ils se rattachent. Transposés en Amérique, ils affirment leurs caractères originaux, que l'influence d'un milieu nouveau modifie, atténue ou amplifie, mais ne détruit pas. Les classes sociales dominantes et les institutions qu'elles dirigent canalisent ces propensions vers des objectifs économiques. La politique est le moyen, direct ou indirect, grâce auquel les propensions engendrent des conséquences économiques. Mais la politique est fortement conditionnée par la technologie. Elle peut, par conséquent, varier en fonction de facteurs exogènes au groupe social qu'elle a mission de servir, surtout dans un monde dominé par des investissements internationaux au service de techniques productives. C'est ce qui arrive lorsqu'une société de tradition bureaucratique doit accepter une technologie qu'elle n'a pas engendrée. Une société ainsi exposée aux pressions de la technologie contemporaine doit reviser son système éthique en fonction du temps qui passe et modifie tout, même les structures sociales.

2

Le caractère continental de l'industrialisation au Québec *

La mise en valeur des richesses naturelles du Bouclier canadien au cours des années 1918-1938 a consacré la vocation industrielle du Québec. Avec les industries du papier, les mines et surtout l'industrie hydro-électrique, le Québec est entré dans une deuxième phase d'industrialisation à caractère nettement continental. Ces industries, en effet, en raison même des ressources qu'elles mobilisaient et des marchés qu'elles exigeaient, étaient entraînées à une exploitation à l'échelle nord-américaine.

Entrée relativement tard dans le courant du nouvel industrialisme, la province de Québec y entrait quand même en son temps, c'est-à-dire, à un stade de développement technologique où l'entreprise américaine découvrait chez elle des ressources appropriées aux besoins des grands centres métropolitains de l'Amérique du Nord. Ainsi la province s'est industrialisée sous l'impulsion des foyers de développement des Etats-Unis, avec des capitaux importés des Etats-Unis, à l'aide de techniques qui n'étaient sans doute pas exclusives aux Etats-Unis mais qui furent véhiculées au Canada par des équipes d'ingénieurs américains et adaptées aux conditions canadiennes par des cadres préparés aux Etats-Unis. En d'autres termes, c'est des Etats-Unis que lui sont venus le capital financier et ses rouages de gestion, le génie d'entreprise et les cadres de l'administration. La province offrait à l'entreprise américaine des matières brutes et

* Article publié dans *Recherches sociographiques,* vol. **VI**, n. 3, sept.-déc. 1965.

des manœuvres. Par-dessus tout, elle s'engageait à collaborer avec l'entreprise américaine en lui procurant des conditions favorables d'exploitation. On comprend aujourd'hui les réticences de certains groupes du Québec pour qui un tel engagement évoquait l'image d'un nouveau pacte colonial, style XXe siècle.

Ce nouveau régime industriel étayé par les Etats-Unis se manifeste dès la fin du XIXe siècle mais il ne se réalise pleinement qu'une vingtaine d'années plus tard, du moins dans la province de Québec. Dans la Colombie britannique, la grande exploitation minière de la région de Kootenay débute à la fin du XIXe siècle en liaison avec l'entreprise américaine. Dans l'Ontario, à la même époque, s'établissent à Sault-Sainte-Marie les entreprises de Clergue, venues de Philadelphie. Avec l'ouverture des mines d'argent, d'or et de cuivre, la grande entreprise gagne le nord de l'Ontario et le nord-ouest du Québec. Elle atteint Rouyn en 1925 et Val-d'Or en 1936.

I. *L'influence économique des Etats-Unis dans le développement économique du Canada*

L'influence américaine dans le développement économique du Canada s'est exercée de façon tantôt positive, tantôt négative, tout le long de la frontière transcontinentale qui sépare les deux pays. A diverses périodes de leur existence, toutes les provinces l'ont subie, soit directement, soit indirectement. La province de Québec n'a pas échappé à cette constante de l'histoire canadienne.

Nous avons des exemples historiques de l'activité américaine dans la province de Québec dès le début de la période industrielle. Nous pouvons citer les textiles et l'amiante dans les Cantons de l'Est, les forges et les fonderies dans la région de Montréal. Mais nous négligerons ces cas et d'autres plus récents, comme les manufactures et les mines du Québec-Labrador, pour nous arrêter aux caractères historiques de la contribution américaine au développement du plateau laurentien.

On peut dire que, vers 1880, les grandes unités de production, et en particulier, la formation d'un complexe sidérurgique dans les Etats américains des Grands Lacs de même que le développement des centres métropolitains avaient modifié les cadres de l'entreprise. L'industrie sidérurgique et ses dérivées, l'industrie des métaux non ferreux et l'industrie de la pâte et du papier, s'organisaient à l'échelle continentale et en fonction d'un marché nord-américain ou international.

A cette époque, des changements majeurs venaient de se réaliser tant au Canada qu'aux Etats-Unis. D'une part, la dynamique interrégionale de l'économie américaine ne reposait plus sur l'axe mississipien. Les techniques nouvelles de transport et les institutions financières favorisaient plutôt l'intégration du *Middle West* aux Etats industriels de la Nouvelle-Angleterre et de l'Atlantique moyen et ce nouvel arrangement facilitait le développement de l'industrie lourde dans la région des Grands Lacs [1].

D'autre part, l'économie canadienne dépendait de moins en moins de l'axe laurentien qui, au temps du mercantilisme britannique, l'avait intégré au réseau des relations de l'Atlantique du Nord comme fournisseuse de matières brutes. Elle avait tenté un certain marché commun avec les Etats-Unis mais le régime de réciprocité canado-américaine n'avait duré que douze ans (1854-1866). Les exportations de bois à l'Europe étaient en déclin; les exportations de céréales, de même. Les Canadiens assumaient alors la tâche difficile d'un rajustement fondé sur un nouvel axe transcontinental et national.

Deux événements majeurs avaient marqué, de part et d'autre de la frontière, ces rajustements de localisation ou d'orientation des entreprises: aux Etats-Unis, la guerre civile; au Canada, la Confédération. La guerre de Sécession avait accéléré les intégrations régionales; après la guerre civile, on organisa la colonisation de l'Ouest. Au Canada, la Confédération entraînait la construction d'un chemin de fer transcontinental et donc l'ouverture d'un vaste hinterland. Le chemin de fer Pacifique-Canadien ne fut cependant terminé qu'en 1885.

.A peine l'économie canadienne avait-elle mis en place son infrastructure de transport et de communication que, déjà, l'entreprise américaine créait des axes de développement canado-américaine. Des industries s'installent au nord du lac Supérieur (Sault-Sainte-Marie); d'autres à Sudbury, à Hamilton, à Montréal. Elles y apportent du capital, des techniques, le génie d'organisation. Elles y trouvent un marché canadien en croissance. Elles peuvent même, en régime préférentiel, accéder au marché britannique. Elles extraient des matières brutes pour les industries américaines ou encore, si elles transforment au Canada ces matières brutes c'est en vue d'un marché américain. Presque toutes les raisons historiques de localisation d'entreprises américaines au Canada sont réductibles à cette relation de complémentarité envisagée du côté américain.

Pour autant qu'il dépendait des techniques et du capital américains, le développement économique du Canada devait compléter l'économie américaine ou s'ajuster aux structures américaines. On pouvait, au besoin, rajuster les tarifs douaniers. Les frontières politiques gênaient parfois mais n'empêchaient pas la marche de l'entreprise capitaliste dans l'espace. Les cloisons qui séparaient les entrepreneurs et les politiciens n'étaient pas imperméables. Comme les richesses du Bouclier ne diffèrent

---

1. Sur cet aspect de la dynamique géo-historique. voir Albert Faucher, *L'Emigration des Canadiens français au XIXe siècle: position du problème et perspectives* dans *Recherches sociographiques*, vol. V. n. 3. sept.-déc. 1964. pp. 277-317. (Reproduit ici pp. 255-296.)

pas tellement d'une province à l'autre (sauf peut-être en ce qui concerne les sites hydro-électriques), il n'est pas étonnant que la marche se soit d'abord effectuée vers l'Ontario pour gagner ensuite le Québec. Dans le cas des métaux non ferreux, la marche fut nettement caractéristique.

C'est dans cette perspective spatio-temporelle de l'entreprise nord-américaine que se situe notre analyse. Elle porte sur trois cas particuliers d'histoire industrielle: 1° le fer, le charbon et les métaux non ferreux; 2° l'énergie hydro-électrique; 3° le bois de pâte et le papier.

II. *Les industries du fer, du charbon et des métaux non ferreux*

La construction du Pacifique-Canadien et la colonisation des plaines de l'Ouest créaient une demande domestique de matériaux de construction, dont l'acier, pour la fabrication du rail et de l'équipement de chemin de fer. C'était l'occasion d'établir une industrie domestique du fer et de l'acier. Mais où trouver le charbon et le minerai de fer ? Dans les Apalaches canadiennes, très peu de minerai approprié aux nouvelles techniques de l'acier; aucun, dans les basses-terres du Saint-Laurent... Dans les provinces centrales, pas de charbon bitumineux; au nord du lac Supérieur, quelques gisements de minerai Bessemer que va exploiter une entreprise américaine de Sault-Sainte-Marie.

Dès 1897, Francis H. Clergue, un promoteur de Philadelphie, obtint une charte du gouvernement de l'Ontario pour constituer la Lake Superior Power Co. et, en 1899, pour constituer la Consolidated Lake Superior Co. of Sault Ste. Marie qui groupait les entreprises: Lake Superior Power Co., Lake Superior & Power Co. (charte du Michigan), Sault Ste. Marie Pulp & Power (charte de l'Ontario) et Tagona Power & Light Co. (charte de l'Ontario). Le siège social était situé à Philadelphie. Francis H. Clergue était un promoteur américain représentant un groupe majoritaire de financiers de Philadelphie qui supportaient l'intégration des entreprises de la région de Sault-Sainte-Marie. Celles-ci comprenaient la Sault Ste. Marie Pulp & Paper; l'Algoma Central and Hudson's Bay Railway, un chemin de fer destiné à relier Sault-Sainte-Marie au district du Michipicoten en vue de l'exploitation du minerai; l'Algoma Steel, l'usine de production primaire, dont Clergue était président; l'Algoma Tube Works Ltd., constituée par association de capitaux américains et canadiens.

L'aciérie de Sault-Sainte-Marie, entreprise bien intégrée et la première à produire de l'acier Bessemer en territoire canadien, ne réussit pas à ses débuts à concurrencer le rail allemand et dut fonctionner à un rythme inférieur à celui de son plein rendement. La demande des entreprises ontariennes, en particulier la construction du chemin de fer du nord de l'Ontario, contribua à son relèvement au cours de la première décennie du siècle.

L'entreprise sidérurgique de Sault-Sainte-Marie constitue un cas bien typique de la participation américaine au développement des ressources canadiennes. Attirée par la demande canadienne de l'entreprise ferroviaire (on avait terminé le Pacifique-Canadien en 1885; on construisit deux autres chemins de fer transcontinentaux, de 1900 à 1915, en outre du chemin de fer du nord de l'Ontario), et par l'abondance de richesses naturelles (forêts de conifères, gisements de minerai, sites hydro-électriques), cette entreprise a ouvert deux courants d'influence des Etats-Unis au Canada: l'un, technologique: Pittsburgh-Sault-Sainte-Marie; l'autre, financier: Philadelphie-Sault-Sainte-Marie.

Ce type de liaison est caractéristique d'une tendance dans l'histoire canadienne, soit, l'établissement de succursales américaines en territoire canadien. En 1920, un représentant de la Canadian Bank of Commerce s'exprimait ainsi sur ce sujet devant un groupe d'Américains de New York.

> Il nous semble, disait-il, que les Etats-Unis en tant que nation doivent s'attendre à une diminution constante de leur commerce avec le Canada. Quant à l'industrie, toutefois, pour peu qu'elle possède de la vision et de l'esprit d'entreprise, cette perte peut être tournée à profit. Si les clients ne peuvent se rendre à l'usine, que l'usine aille aux clients. En d'autres termes, ouvrez une succursale au Canada. Avant la guerre, un grand nombre d'industries importantes des Etats-Unis s'étaient établies au Canada, et ainsi, non seulement elles évitaient le tarif mais elles s'assuraient de participer à un marché en constante expansion. Depuis la fin de la guerre, ce mouvement s'est encore accusé et on estime que, depuis un an, près de 200 maisons américaines ont installé des succursales au Canada ou acquis des intérêts dans des industries déjà existantes. Il est hors de doute que l'avenir du Canada s'annonce brillant: ses richesses naturelles sont à peine exploitées; la question tarifaire, la situation de l'échange, son immense potentiel hydraulique, ses conditions de travail favorables et, enfin, ce n'est pas le moindre avantage, l'assurance d'être en position préférentielle vis-à-vis les pays britanniques — tels sont les facteurs qui ont plus ou moins influencé la décision des directeurs de ces industries de venir au Canada [2].

Ce mouvement de l'entreprise américaine vers le Canada était amorcé bien avant 1920 dans l'industrie manufacturière: dès le XIXe siècle, avec l'industrie textile, il avait atteint la province de Québec. Ainsi, la barrière tarifaire et l'abondance de richesses naturelles et d'une main-d'œuvre conciliante semblent avoir facilité l'industrialisation par les succursales américaines. Par ailleurs, le tarif protecteur sur le charbon, tout en favorisant les charbonnages des provinces maritimes, aggravait le problème du combustible dans les provinces centrales, tout particulièrement

---

2. L. S. Patterson, 25 février 1920, cité dans *Canadian Annual Review*, 1920, p. 150.

dans l'Ontario, et préparait la formation de la Commission hydro-électrique de l'Ontario, système de socialisation promu par Adam Beck.

L'exploitation des mines de nickel dans la région de Sudbury illustre davantage la complexité de la grande entreprise contemporaine et son caractère plurinational.

L'extraction de minerai de nickel-cuivre ne commence effectivement qu'en 1886. Les compagnies Canadian Copper, Dominion Mineral et H. H. Vivian, avaient installé des hauts fourneaux sur leurs terrains respectifs pour la réduction du minerai. Il restait toutefois à résoudre deux problèmes: le raffinage de la matte; l'organisation d'un marché. Le promoteur et directeur de la Canadian Copper, J. A. Ritchie, était un Américain de l'Ohio. Il organisa l'acheminement de la matte vers une raffinerie de la Virginie (Orford Copper Co.) qui venait de mettre à point la technique de raffinage. Mais on n'avait pas résolu le problème du marché. L'utilisation de ce métal demeurait fort limitée: on ne l'employait en fait que dans les arsenaux. Or, le gouvernement de l'Ontario s'intéressait vivement à cette question de marché. C'est à sa requête que Charles Tupper, haut-commissaire du Canada à Londres, organisa des visites industrielles en Allemagne, en France et dans le Royaume-Uni, en compagnie d'un représentant de la marine américaine et d'un représentant de la compagnie Canadian Copper. Au terme de ces visites, le gouvernement américain décidait d'utiliser un alliage nickel-acier dans la fabrication des matériaux de la marine et le Congrès votait $1,000,000 pour l'achat de matte en Ontario. Pour lors, on reconnaît dans la Canadian Copper une compagnie canado-américaine axée financièrement sur l'Ohio, technologiquement sur la Virginie, commercialement sur Washington.

Toutefois, on n'avait pas trouvé la solution définitive et satisfaisante au problème du marché car la Canadian Copper n'était pas le seul producteur. La compagnie H. H. Vivian & Co., reliée à une société métallurgique de Swansea (pays de Galles), devait se confronter avec la société Le Nickel, dominée par la finance Rotschild et qui exploitait les gisements de la Nouvelle-Calédonie. La bataille du marché donna lieu à de savantes combinaisons qui aboutirent à l'organisation de l'International Nickel contrôlée par le capital américain et enfin, en 1928, pour des raisons surtout légales, à l'International Nickel Co. of Canada. Nous ne voulons pas discuter ici cette stratégie du marché: nous la signalons seulement pour illustrer les ramifications internationales d'une industrie.

Les capitaux que cette industrie du nickel et du cuivre nikelifère a mobilisés dans la région de Sudbury devaient servir de point de départ à l'exploitation minière du Bouclier. En 1916, une enquête menée par le gouvernement de l'Ontario évaluait à une dizaine de millions de dollars les investissements au site de Sudbury, seulement dans la section canado-américaine. La structure du capital accusait une prédominance américaine. La grande entreprise s'était lancée à l'assaut du rébarbatif Bouclier et l'exploitation minière entraînait des développements secondaires qui se supportaient mutuellement. La centrale hydro-électrique et le chemin de fer constituaient les assises d'un impressionnant réseau allant de Sudbury à North Bay, de là à Cobalt, Porcupine et Kirkland Lake dans l'Ontario; de Kirkland Lake à Rouyn, Val-d'Or, Senneterre et Barraute dans le Québec. Le gouvernement de l'Ontario avait préparé cette marche vers le nord en y construisant le chemin de fer du Témiscamingue et du Nord-Ontario dans le dessein d'ouvrir les zones argileuses du Bouclier à la colonisation agricole (1903-1906). Une filiale de ce chemin de fer, le Nipissing Central, devait relier le territoire ontarien au nord-ouest québécois.

On peut aussi affirmer que l'intention agricole a précédé l'intention industrielle dans les constructions de chemins de fer. On avait construit le Pacifique-Canadien pour relier la plaine laurentienne aux prairies de l'Ouest. Au cours de cette construction dans les zones arides du Bouclier, on découvrit un potentiel minier et, à l'endroit appelé Sudbury, des gisements de cuivre et de nickel. L'analogue se produisit au cours de la construction du chemin de fer de l'Ontario-Nord. On découvrit, au nord de North Bay, des gisements de cobalt, gisements de surface et de teneur phénoménale. La découverte fut décisive.

Les revenus des mines d'argent de cobalt ont servi de capital qui a permis de développer le nord: ils ont été réinvestis dans les mines d'or et de cuivre. Ainsi la ville de Cobalt a engendré, grâce au chemin de fer, la ville de Porcupine en 1909. Après Porcupine, ce furent les découvertes de Kirkland Lake, de Larker Lake et, enfin, de Rouyn-Noranda dans le Québec. Avec Porcupine et les mines subséquemment ouvertes, on entrait dans une phase difficile de développement tant au point de vue financier qu'au point de vue technique. Il ne s'agissait plus de mines de surface ou de minerai exploitable à ciel ouvert, comme à Sudbury ou à Cobalt. Il fallait investir dans des puits souterrains, équiper ces puits d'étais, de pompes, d'ascenseurs et de ventilateurs et il fallait construire des centrales électriques. Dans ce genre d'aménagement industriel, l'apport technique et financier américain n'était sûrement pas négligeable.

Au Québec, dans la région de Rouyn et de Val-d'Or, les mines de cuivre et d'or devaient avoir les mêmes exigences, étant donné que la zone abitibienne des gisements aurifères et cuprifères fait partie de la même formation géologique. L'entreprise industrielle y pénétra par la route de l'Ontario. La finance américaine s'associa à la finance canadienne. La Bourse des mines fut instituée à Toronto et Toronto fournit aussi le capital technique. Le nouveau nord minier du Québec fut polarisé par la métropole ontarienne. En outre, la hausse du prix de l'or au cours de la grande crise économique (trente-cinq dollars américains l'once, en 1934) a singulièrement favorisé le nord-ouest québécois. Grâce à la politique américaine de l'or, l'économie minière de la province de Québec devenait un secteur progressif.

III. L'entreprise hydro-électrique et l'industrie de l'aluminium

La pénétration du capitalisme américain en territoire québécois au tournant du siècle procédait d'un besoin croissant de sources d'énergie et de matières brutes. Elle dépendait aussi de la demande croissante d'énergie électrique des grands centres urbains et industriels; de la demande des métaux nouveaux de la sidérurgie; enfin, de la demande de papier journal.

Aux Etats-Unis, le développement hydro-électrique était né des services publics d'éclairage et de transport en commun dans les grandes agglomérations urbaines. Il fut ensuite soutenu par les industries de réduction des métaux dont, en particulier, l'aluminium, et d'autres grandes consommatrices d'énergie telles que l'industrie du bois de pâte et de papier. De son côté, la demande de papier journal a suivi la courbe d'expansion des centres métropolitains. C'était l'époque où s'organisaient les journaux à fort tirage, tels que le *New York Daily News,* le *Chicago Tribune,* le *New York Times,* les publications à bon marché, les feuilles de nouvelles à sensation et d'annonces illustrées. A la même époque, on voyait apparaître les syndicats de gestion groupant et contrôlant des entreprises journalistiques et publicitaires. Cet industrialisme, qu'on associe à l'expansion des grandes agglomérations urbaines et métropolitaines, allait maintenant gagner de nouvelles régions puisque, en effet, il révélait l'importance des forêts de conifères et des sites hydro-électriques du Bouclier canadien. Les investissements américains dans ces nouveaux secteurs allaient ajouter de nouvelles dimensions économiques à la province de Québec et modifier le réseau des relations à l'échelle continentale. La province de Québec n'allait pas résister à l'avance des Etats-Unis. Ceux-ci offraient un marché, la technique et le capital; celle-là des sources d'énergie nouvelle. des matières brutes et des manœuvres. Ce type d'industrialisme illustre ce que Sombart appelle « la vertu agrégative » des techniques scientifiques.

La première trouée de l'industrialisme américain fut percée dans la section québecoise du Bouclier canadien, à Shawinigan, par l'Aluminum Company of America (ALCOA). Depuis 1890 environ, cette compagnie était engagée dans une politique d'acquisition de sites hydro-électriques. politique qu'elle considérait essentielle à son expansion future et, peut-être aussi, au maintien de son monopole. En 1897, Jobin Foreman, un Américain, acquérait les droits sur la chute de Shawinigan pour $50,000. En 1898, J. E. Aldred fondait la Shawinigan Water & Power Co. L'ALCOA y pénétrait en 1899 et, en 1900, construisait une usine d'aluminium après avoir acquis un droit de préemption. Cette tactique de préemption consistait à conclure avec les gouvernants ou avec des compa-

gnies déjà constituées des contrats à clause restrictive *(restrictive cove-
nants).* En vertu de ces contrats, les fournisseurs d'énergie électrique s'engageaient à ne pas vendre d'électricité ou à ne pas céder de sites hydro-
électriques à d'autres producteurs éventuels d'aluminium. Ainsi, en 1895,
l'ALCOA avait loué les terrains et acheté de l'énergie électrique de la
Niagara Hydraulic Power pour une période de 25 ans, cette dernière con-
sentant à ne pas fabriquer d'aluminium et à ne pas vendre d'électricité à
cette fin. Elle devait conclure une entente semblable, en 1903, avec la
St. Lawrence River Power Company, de Massena, New York.

L'ALCOA, avons-nous dit, pénétra dans le Québec en 1899. Aussi-
tôt, elle passa un contrat de dix ans avec la Shawinigan Water & Power
Company. Celle-ci s'engageait à fournir de l'électricité à une filiale de
l'ALCOA, la Northern Aluminum Ltd, qui exploitait un haut fourneau
et des générateurs électriques à Shawinigan. Le contrat contenait une
clause restrictive à l'effet que la compagnie ne vendrait pas d'électricité
à des concurrents éventuels de la Northern Aluminum [3]. Graduellement,
l'ALCOA s'engagea dans une politique de développement, soit en ache-
tant des centrales électriques (St. Lawrence River Power Co., Long Sault
Development Co., en 1907), soit en acquérant des sites déjà concédés
à des individus par le gouvernement de la province de Québec.

Les premières concessions de sites hydro-électriques dans la région
du Lac-Saint-Jean à des individus ou à des représentants de syndicats
américains remontent au tournant du siècle. Le 22 juin 1900, le gouvernement québécois concédait à B. A. Scott, au prix de $6,000, la rivière
Saguenay depuis la Chute-à-Caron jusqu'à la ligne de division entre les
cantons Taché et Delisle (îles et terrains inclus), pour une puissance ap-
proximative de 200,000 c.v. Le concessionnaire devait, dans un délai de
trois ans, y dépenser en travaux d'aménagement la somme de $1,000,000
ou, à défaut de remplir cette obligation, verser une amende de $6,000.
La transaction fut conclue devant notaire, en juin 1900, et l'amende fut
payée en 1903. Cette même année, le gouvernement accordait des lettres
patentes à la Oyannel Company, confirmant celle-ci dans ses droits de
propriétaire. De la même façon, Thomas L. Wilson, en décembre 1899,
avait obtenu du gouvernement le lit de la rivière Saguenay depuis la rivière Shipshaw jusqu'en amont de la Chute-à-Caron (un potentiel estimé
alors à 100,000 c.v.) pour la somme de $3,000, à condition d'y dépenser
$300,000 dans un délai de quatre ans, à défaut de quoi, le concessionnai-
re devait verser une amende de $7,000. Cette amende aussi fut versée.
Encore en juin 1900, L. T. Haggins acquérait le site hydraulique de la
Grande-Décharge, à partir du lac Saint-Jean jusqu'à la ligne de division
des cantons Taché et Delisle (terrains et îles non inclus), un potentiel estimé à 200,000 c.v., à condition d'y dépnser $500,000 dans les quatre ans.

---

3. C. Muller, *Aluminum and Power Control* in *The Journal of Land and
Public Utilities Economics,* 1946.

à défaut de quoi le concessionnaire devait payer en 1903 une amende de $9,000. Le paiement de cette amende le confirmait dans ses droits de propriétaire.

Ces droits et privilèges originaux passèrent à la Quebec Development Co. et au consortium Duke-Price. William Price, industriel anglo-canadien, propriétaire d'usines de pâte, était un gros consommateur d'électricité. J. B. Duke, organisateur de l'Américan Tobacco Co. et président de la Southern Power Co., en Caroline du Nord, se joignit à Price pour constituer la Duke-Price Power Co. Ltd., propriété de Quebec Development Co. Ltd., dont Duke possédait 62½ pour cent des parts. La nécessité de nouveaux investissements dans la région entraîna Davis, président de l'Aluminum Company of America, dans le sillage de Duke. Davis entreprit des négociations avec la famille Uihlein, financiers de Milwaukee, Illinois, intéressés à la production de l'aluminium et possédant des terrains de bauxite en Guyane anglaise (Amérique du Sud) et une usine d'électrodes à Niagara, la Republic Carbon Co. Uihlein s'associa à Davis et à la famille Mellon, actionnaires principaux de l'ALCOA. Davis acheta les droits de Price, s'associa à Duke dans le consortium Duke-Davis et, après la mort de Duke en 1925, l'ALCOA acheta 53½ pour cent du stock de la Duke-Price Power Co., et signa un contrat de cinquante ans avec cette compagnie pour l'achat de 100.000 c.v. par année de la centrale de l'Ile-Maligne.

Les capitalistes américains s'étaient donc taillé un empire dans la région du Lac-Saint-Jean. L'opinion publique s'en alerta et le journal nationaliste de Montréal, *Le Devoir,* au cours de l'été de 1925, entreprit d'interroger le gouvernement sur ses transactions avec les capitalistes américains. Plus particulièrement, on voulait savoir ce que les concessions de sites hydro-électriques rapportaient à la province. Plutôt exaspéré, le premier ministre du Québec répondit aux critiques dans une conférence de presse qu'il accordait au journal *La Patrie* en août 1925. Selon le premier ministre, le gouvernement ne faisait que respecter les contrats. Les Américains, disait-il, demandent tout simplement d'exploiter en 1925 ce que la province leur a concédé vingt-cinq ans plus tôt et au prix de cette époque-là. Le premier ministre fit la déclaration suivante:

> M. Mellon, secrétaire d'Etat des Etats-Unis, MM. Davis et Duke, sont intéressés dans le projet actuel. Ce sont des Américains. Eh oui, et après ? Est-ce qu'on oublie que ce sont des capitaux anglais qui ont fait New York ? Est-ce qu'on oublie aussi que l'énergie produite par la Chute-à-Caron ne devra pas sortir de la province et que les promoteurs du projet ont accepté cette condition *sine qua non* ? [4]

---

4. *Le Devoir,* 18 août 1925. M. Mellon n'était-il pas plutôt secrétaire du Trésor ? Ou encore s'agirait-il de Richard B. Mellon, frère du secrétaire trésorier Andrew Mellon ? Il était directeur de la Guarantee Company. Richard B. et Andrew étaient deux actionnaires importants de l'ALCOA. Voir *Canadian Mining Journal,* May 7, 1926.

Rappelant que l'industrie de l'aluminium allait investir $75,000,000 pour constituer « un centre mondial de production d'aluminium », le premier ministre ajoutait certaines précisions qui mettaient en évidence la puissance de négociation de la finance américaine dans les transactions de ce genre:

> Nous n'avons même pas assez de capitaux américains intéressés dans nos entreprises. Car vous savez qu'il serait difficile de réunir 75 millions pour une affaire comme celle de la Chute en ne s'adressant qu'aux Canadiens. Nous avons besoin pour nous développer de l'or de nos voisins. Et cela, qu'on ne l'oublie pas, nous profite au premier chef. Croyez-vous, en bonne vérité, que si le capital américain n'était pas intéressé dans notre pulpe, nos industries du papier auraient un débouché naturel et facile aux Etats-Unis ? [5]

Ainsi, la province de Québec, du gré de ses gouvernements, avait confié la mise en valeur d'une part de ses richesses naturelles aux voisins du Sud. L'industrie hydro-électrique, dans la région du Lac-Saint-Jean, était devenue un fief industriel des Etats-Unis. La localisation d'une industrie de l'aluminium au Lac-Saint-Jean plaçait la province dans le contexte de l'industrialisme nord-américain. C'était un événement.

IV. L'industrie du bois de pâte et du papier

Cette industrie fait ressortir encore davantage le rôle des Etats-Unis dans le développement économique de la province de Québec: a) l'industrie du bois de pâte et du papier requiert un marché vaste et soutenu parce qu'elle exige une capitalisation massive; b) l'industrie du bois de pâte et du papier engendre des effets multiples de création et de développement. Une analyse sommaire de ces deux propositions peut servir de préliminaire à l'exposé des quelques faits qui, à notre avis, fixeront les caractères les plus frappants de l'influence des Etats-Unis dans le développement économique de la province de Québec.

La consommation du papier et du carton aux Etats-Unis faisait un bond remarquable à la fin du XIXe siècle. Elle se maintient jusqu'en 1946 aux taux suivants d'accroissement *per capita* [6]:

1899	57 lbs
1919	119 ”
1939	243 ”
1946	377 ”

La demande croissante de papier qui résultait de l'accroissement de la population, de la formation de centres métropolitains comme New York. Philadelphie, Chicago, Los Angeles, et aussi de l'apparition des grands quotidiens et magazines, soulevait le problème de la rareté de matières

5. *Ibid.*
6. E. W. Zimmermann, *World Resources and Industry*. p. 411.

brutes. Cette demande suscitait des mouvements de « conservation des ressources » tant au Canada qu'aux Etats-Unis et inspirait des velléités de politique réciprocitaire entre le Canada et les Etats-Unis.

Dès le début du siècle, la question du bois de pâte était devenue un objet de discussion politique entre le gouvernement des Etats-Unis et les divers gouvernements provinciaux. Depuis la fin du XIXe siècle, les Etats-Unis importaient du bois en quantité croissante des provinces canadiennes. Celles-ci, dès 1900, avaient commencé à s'inquiéter de ce drainage de leurs forêts par les Américains et à s'interroger sur la possibilité d'une politique de restriction à l'exportation. On estimait à cette époque que les Etats-Unis consommaient la moitié de la production mondiale des scieries et l'on prévoyait que les compagnies américaines devraient compter de plus en plus sur les forêts de conifères du Canada pour la fabrication du papier journal. Déjà, au début du siècle, la province de Québec exportait 200,000 cordes de bois de pâte aux Etats-Unis et ce volume devait augmenter de 25 pour cent par année jusqu'en 1910.

Le président des Etats-Unis, dans son message au Congrès du 25 mars 1909, recommandait de placer le bois de pâte sur la liste des produits admis en franchise et de réduire le tarif douanier sur le papier importé de tout pays qui n'imposait pas de droit d'exportation sur le bois de pâte. Déjà, à cette époque, les manufacturiers américains admettaient ne pouvoir soutenir la concurrence des usines de pâte canadiennes à moins qu'on ne leur donnât accès aux forêts canadiennes ou qu'on ne leur permît de se procurer du bois aux mêmes conditions que les usines canadiennes. Au Canada, on parlait d'imposer des droits sur l'exportation de bois mais les opinions étaient partagées sur ce point. On ne pouvait toutefois le faire sans l'intervention du gouvernement central et pareille intervention aurait empiété sur la souveraineté des gouvernements provinciaux en matière de richesses naturelles. La province de Québec était opposée aux droits sur l'exportation du bois et l'Association forestière était d'avis qu'on devait plutôt, à l'exemple de l'Ontario, obliger les entreprises américaines à utiliser au Canada le bois du Canada en recourant à l'embargo. L'Ontario optait pour l'embargo en 1900, le Québec en 1910, le Nouveau-Brunswick en 1911 et la Colombie en 1913. L'embargo s'appliquait à l'exportation de bois provenant des terres de la Couronne. Les intérêts américains qui avaient obtenu des concessions forestières du gouvernement pour une superficie de 12,000 milles carrés ne pouvaient donc plus exporter aux Etats-Unis. En 1911, le gouvernement américain réduisait les droits de douane sur le papier journal et, en 1913, il les abolissait.

L'importance économique de l'industrie du bois de pâte et du papier tient à sa complexité même. C'est une industrie à secteurs nombreux qui constituent respectivement des types techniquement autonomes mais économiquement interdépendants. Un dollar investi dans la production d'une tonne de papier journal entraîne un fort multiplicateur. On s'en rend compte à l'analyse du coût total du produit ou à l'analyse des facteurs de localisation de l'usine. Ce n'est pas le lieu de le démontrer ici. Qu'il suffise de signaler trois secteurs d'activité correspondant aux stades de production: 1° l'abattage du bois et son transport de la forêt à l'usine; 2° la consommation de l'énergie et du combustible; 3° la fabrication de la pâte et du papier.

Il faudrait mentionner les effets de cette industrie sur le transport routier, ferroviaire et maritime, et sur les services qui s'y rapportent. Il faudrait mentionner également les effets sur l'industrie chimique. Celle-ci d'ailleurs, par l'effet d'entraînement initial venant du secteur de papier journal soutenu par la demande américaine, a développé d'autres usages de la pâte de bois. Aujourd'hui, la production de la pâte de bois n'est plus seulement fonction de la demande de papier ou de carton mais aussi de la demande de matériaux de construction, de plastique, de cellophane. etc.

Voilà donc une multitude de manufactures gravitant autour de l'entreprise hydro-électrique et dont on peut dire qu'elles soutiennent et prolongent l'impulsion initiale des usines de pâte et de papier. Il semble bien toutefois que celles-ci n'exercent plus, à notre époque, une influence primordiale sur le taux de développement industriel. Certes, elles conservent leur importance absolue dans l'économie du Québec mais elles ne déterminent plus le rythme des investissements nouveaux.

Les nouvelles conditions d'échange, soit, l'entrée libre du papier journal sur le marché américain et l'embargo de la province, ont accentué la tendance migratoire de l'entreprise américaine vers la province de Québec. Les régions de la Mauricie et du Lac-Saint-Jean, de l'Ottawa-Gatineau, devaient recueillir la plus grande part des investissements américains dans les papeteries québécoises. Durant la guerre de 1914-19, la demande croissante de journaux, de nouvelles et d'annonces, ainsi que la hausse des prix ont stimulé les investissements dans l'industrie du papier journal. Dans le Québec, il y avait, en 1920, trente usines dont dix-huit fabriquaient de la pâte de bois, et douze, de la pâte et du papier. Elles étaient localisées, pour la plupart, en des territoires nouveaux où elles apportaient l'électrification et des routes. Elles ont transformé de simples hameaux ou des camps forestiers en petites villes dont les noms sont depuis longtemps familiers: Dolbeau, Kénogami, Grand-Mère, Shawinigan, La Tuque, Masson, Buckingham-Est, Templeton. L'après-guerre. les années 1920, et en particulier, la période de 1924 à 1927, furent des périodes remarquables de capitalisation grâce à des compagnies telles que l'International Paper, la Ste. Anne Pulp & Paper, la Brompton Pulp & Paper et l'Anglo-Canadian. En 1950, on comptait, dans la province. cinquante-quatre usines de pâte et de papier.

En 1900, une entreprise américaine dirigée par les quatre frères Clarke lançait des opérations forestières sur la Côte Nord, à 340 milles en aval de Québec, à seize milles de Sept-Iles, en un lieu qui devait s'appeler Clarke City. Ils construisirent une centrale électrique sur la rivière Sainte-Marguerite et, en 1908, une usine de pâte. L'agglomération de La Tuque, sur le Saint-Maurice, naissait en 1900 avec la Brown Corporation, une compagnie américaine de l'Etat du Maine.

L'industrialisation de la région de Chicoutimi - Lac-Saint-Jean n'a pas débuté avec la finance américaine. C'est, au contraire, l'entreprise canadienne-française qui l'a déclenchée en implantant des usines de pâte à papier. Elle s'est ensuite propagée avec l'entreprise anglo-canadienne. Elle s'est enfin consolidée avec la collaboration des sociétés de gestion nord-américaines.

Les Dubuc, les Gray, les Jalbert et les Perron, sont, dans la région du Lac-Saint-Jean, des noms qu'on associe à la grande entreprise. La Compagnie de Pulpe de Chicoutimi fut constituée en 1898 par les actionnaires de la Compagnie Electrique et avec du capital recueilli presque entièrement chez les Canadiens français. Pour l'époque, c'était une entreprise assez importante puisqu'elle produisait trente-cinq tonnes de pâte sèche par jour et employait une centaine d'hommes. L'usine avait coûté $125,000. Son marché principal était la Grande-Bretagne.

Une deuxième usine de pâte d'une capacité semblable et située à Jonquière, sur la rivière aux Sables, commençait ses opérations à l'automne de 1900. Elle était l'initiative de Joseph Perron. William Price s'en portait acquéreur en 1903. En 1901, Damase Jalbert ouvrait la Compagnie de Pulpe, de Val-Jalbert, aux chutes de la Ouatchouan. En 1909, Price installait à Jonquière la première machine à papier, et, en 1912, commençait à fabriquer du papier journal. En 1911, la Price Brothers Co. construisait une centrale électrique et une usine de papier qui commençait à produire en 1913. Le site allait devenir Kénogami, la ville-sœur de Jonquière. Ces usines allaient subir des agrandissements successifs en 1917, en 1920 et en 1924.

Sur la petite Péribonka, le colonel B. A. Scott, propriétaire de la scierie de Roberval, ouvrait une petite usine de pâte qu'il vendait en 1917 à la compagnie Price, celle-ci voulant acquérir les réserves forestières plutôt que l'usine elle-même. L'usine fut simplement abandonnée. Une autre petite usine sur la Métabetchouan (Saint-André-de-l'Epouvante) disparut, victime d'un incendie de forêt. La Compagnie de Pulpe de Val-Jalbert, qui était, depuis 1910, la propriété de la Compagnie de Pulpe de Chicoutimi, passa aux mains de la Price Brothers en 1927. Cette usine fut abandonnée, la Price Brothers s'étant établie à Riverbend (Petite-Décharge) en 1925 et à Dolbeau (rivière Mistassini) en 1927.

La compagnie Price était, depuis environ 1914, la plus grande consommatrice d'électricité dans la région et sa politique d'expansion entraînait une politique de participation au développement hydro-électrique. Elle se tourna vers le colonel B. A. Scott qui était associé à la Quebec Development Co., alors propriétaire, comme nous l'avons déjà signalé, de sites sur la rivière Saguenay. Or, les projets de harnachement du Saguenay exigeaient des dépenses énormes. Aussi, Price dut-il faire appel à la finance américaine. Il s'associa au magnat du tabac de la Virginie pour constituer la compagnie Duke-Price et celle-ci assuma l'œuvre de la Quebec Development Co. Enfin, Price vendit ses intérêts à Davis, le président de l'Aluminum Company of America. Avec le nouveau syndicat Duke-Davis, les sites hydro-électriques de la région devenaient le fief de l'Aluminum Company of America [7].

C'est ainsi que les syndicats financiers américains ont pénétré dans la région de Chicoutimi - Lac-Saint-Jean pour y participer à l'aménagement hydro-électrique en association, d'abord avec l'industrie de la pâte et du papier, ensuite avec l'industrie de l'aluminium. Les étapes sont caractéristiques. En premier lieu, l'industrie de la pâte et du papier construit les premières centrales électriques. Puis, l'expansion de cette industrie pose, dans la région, un problème de rareté d'énergie qu'on ne peut résoudre adéquatement, semble-t-il, sans recourir aux syndicats financiers américains. Ceux-ci enfin offrent une solution plus qu'adéquate aux besoins des industries déjà installées et attirent l'Aluminum Company of America.

Cette organisation était complexe et il n'est pas facile d'identifier le processus des décisions qui s'y prenaient. L'enquête menée en 1935 par M. Victor Barbeau révélait l'organisation pyramidale des industries de la pâte et du papier et la liaison directe de certains producteurs avec des syndicats d'acheteurs, de courtiers ou d'associations d'éditeurs de la grande presse américaine. Un exemple: en 1935, la St. Lawrence Corporation (Montréal), société de gestion, gouvernait la St. Lawrence Paper Mills (Trois-Rivières, la Brompton Pulp & Paper (East-Angus) et la Lake St. John Power & Paper (Dolbeau). Or, la St. Lawrence Corporation était fournisseur du syndicat américain Hearst, société de gestion pour un groupe de journaux américains. Autre exemple: le réseau d'usines de la Canadian International Paper, fief américain, était une filiale de l'International Paper, celle-ci étant elle-même filiale de l'International Paper & Power, de Boston. Le réseau comprenait des usines à Trois-Rivières, à Gatineau et à Témiscamingue. L'Ontario Paper, filiale du Chicago Tribune, construisait une usine à Baie-Comeau en 1936 [8].

---

7. Documentation: *Pulpe et papier*, Société historique du Saguenay.
8. Victor Barbeau, *Mesure de notre taille*, Montréal, Editions *Le Devoir*, 1936.

Dans les années 1920, l'International Paper contrôlait le marché nord-américain du papier journal et faisait la vie difficile aux compagnies qui ne lui étaient pas associées en coupant les prix. Pour éviter ou retarder la liquidation des usines les moins efficaces, ce qui eût entraîné des désastres sociaux, MM. Taschereau et Ferguson, respectivement premiers ministres du Québec et de l'Ontario, décidèrent, en 1927, d'intervenir. Pour faire contrepoids à l'International Paper, ils invitèrent quatorze compagnies à se constituer en cartel. Celui-ci, le Newsprint Institute, fut établi en 1928. Avec l'appui de ce nouveau cartel, leur créature en somme. les premiers ministres devenaient des négociateurs plus efficaces.

Les gains faciles de la période d'après-guerre, la tendance des entreprises à réinvestir leurs profits dans de nouvelles usines, la formation de nouvelles sociétés de gestion, furent autant de facteurs qui contribuèrent à la surcapitalisation et à l'expansion excessive de l'industrie de la pâte et du papier dans la province de Québec jusqu'à la crise de 1929. Ajoutons que le gouvernement québécois, par son empressement auprès des capitalistes américains et par son insistance à proclamer l'abondance des richesses naturelles de la province et la docilité de sa main-d'œuvre. joua à sa façon un rôle incontestable.

* * *

L'industrialisme du XXe siècle a mis en valeur les régions pourvues de pétrole et de potentiel hydro-électrique. Il s'est dirigé plus particulièrement vers les régions qui offraient, outre ces sources nouvelles d'énergie. des matières brutes comme le bois et les métaux non ferreux. Dès le début du siècle, il pénétrait dans la province de Québec, reconstituant pour ainsi dire les courants historiques d'influence interrégionale que nous avons essayé de définir dans un cadre géographique. L'impulsion venait des centres industriels et financiers et, en définitive, de l'*entrepreneurship* qui opérait la liaison essentielle à toute activité économique entre les ingénieurs ou les praticiens de la science et les « capitalistes », c'est-à-dire ceux qui risquent leur épargne ou celle des autres dans une entreprise. Ainsi, les trois facteurs que met en relief notre exposé sont. du côté américain: la demande, la finance et l'*entrepreneurship,* ce dernier facteur étant seulement implicite dans notre modèle.

Quant à la mise en valeur du plateau laurentien, il ne faut pas oublier que la présente étude en décrit seulement les caractères historiques. Dans cette perspective, la demande de « ressources » a chronologiquement assumé l'allure d'une demande dérivée ou créée par des centres métropolitains déjà constitués. Une demande strictement « nationale » qui eût motivé la mise en valeur du plateau laurentien demeure inconcevable. La grande industrie est née au Québec sous le signe de l'internationalisme.

Le capital, de son côté, est le fruit d'une acquisition ou d'une accumulation séculaire. A l'époque de la « deuxième révolution industrielle ».

il est fortement concentré ou institutionnalisé. Son instrument d'opération est la compagnie de gestion à caractère international.

Quant à l'*entrepreneurship,* nous l'avons présenté comme une fonction « technologique » au service à la fois de la demande et du capital. L'avènement du gigantisme industriel au Québec a introduit un type d'entrepreneur qui doit exploiter une affaire à l'échelle continentale ou internationale. Cet entrepreneur est forcé d'assumer de vastes espaces économiques comme base de calcul. L'entrepreneur traditionnel, celui de la petite et de la moyenne entreprise, n'en subsiste pas moins mais il est, en quelque sorte, un exploitant en second.

L'étude des cas que nous avons présentés (métaux, hydro, pâte et papier) peut aider à comprendre la complexité de cette « révolution industrielle » qu'à subie la province de Québec depuis une cinquantaine d'années. Nous avons pu constater que des îlots économiques, plus ou moins importants dans l'économie du Québec d'autrefois, sont devenus des pôles de croissance, du fait de leur liaison financière, commerciale et technique avec des centres métropolitains des Etats-Unis.

Tout en ouvrant des perspectives nouvelles, cette liaison n'a pu que soulever des problèmes ou mettre en question certaines valeurs traditionnelles. Nous rappelons, à titre d'exemple, la conception traditionnelle du rôle du gouvernement devant les problèmes que lui apportait le nouvel industrialisme. On se souvient, en particulier, de l'effort des premiers ministres du Québec et de l'Ontario pour constituer, en 1928, un cartel de quatorze compagnies. En cette occasion, on a pu voir les premiers ministres provinciaux négocier avec des dirigeants de sociétés de gestion américaines, ainsi, M. Taschereau avec M. Graustein, sur les questions de quotas de production ou de prix. Le rôle traditionnel des ministres provinciaux acquérait une importance nouvelle parce qu'ils devaient maintenant traiter avec des entreprises de type multinational, en tant que dépositaires du domaine public (sous-sol, forêts, sites hydro-électriques). Les artisans de la Confédération avaient convenu de remettre au gouvernement « local », entendons provincial, la gestion des richesses naturelles. A l'époque, cette décision ne semblait pas grosse de conséquences. Le moins qu'on puisse en dire aujourd'hui, c'est que les artisans de la Confédération n'avaient guère prévu la variable technologique.

Ce que nous appelons technologie est un aspect de l'héritage social. C'est un attribut de la culture. L'usage qu'on peut faire des matières brutes en dépend: à tel niveau technologique correspond tel usage. Ce que nous appelons « ressources naturelles » assume le caractère même de la relativité historique. Dans cette perspective, on peut dire que l'entreprise américaine à la recherche de matières brutes a modifié la fonction traditionnelle du plateau laurentien et que, dès le début du siècle, elle a conçu la province de Québec comme une région différenciée dans un univers

capitaliste. Mais la technologie n'est pas tout. La mise en valeur du plateau laurentien allait exiger la contribution de toutes les ressources: celles
de la terre, celles des hommes et de leurs institutions, dont le gouvernement. Elle devait mobiliser tout l'héritage de la communauté nord-américaine.

La connexité de tous ces facteurs, que l'on peut désigner du terme
général de « ressources », a donné lieu à des rapprochements de personnages aussi hétérogènes que le président de l'ALCOA, le ministre québécois des Terres et Forêts, le premier ministre de la province et le président du Newsprint Institute de New York, dans un engagement de caractère international. Nous voyons en présence, d'une part, un président
de compagnie de gestion, représentant de l'entreprise soi-disant privée,
et, d'autre part, un premier ministre, responsable de la gestion des affaires publiques. Tous les deux discutent pour ainsi dire sur un plan d'éga-
lité. L'un fournit la technique, la finance et le marché; l'autre offre un
territoire qu'il veut mettre en valeur et des manœuvres auxquelles il veut
procurer de l'emploi. Il peut être facile aujourd'hui de blâmer un premier
ministre et de dire de lui qu'il a livré à fort bon compte la terre du Québec aux étrangers; mais dans ce temps-là, plusieurs citoyens du Québec
n'y trouvaient rien à redire et louaient même sa puissance de négociation.

Le besoin de matières brutes orientait l'industrialisme américain
vers le plateau laurentien. En acceptant de s'associer à cet industrialisme,
la province de Québec s'assurait un marché soutenu, des investissements
de capital et une collaboration technique. Du même coup, elle s'engageait
cependant dans la voie d'un développement qui allait profondément bou-
leverser ses structures sociales.

3

*Pouvoir politique et pouvoir économique dans l'évolution du Canada français**

La notion de pouvoir économique, en soi, ne suscite guère d'intérêt: elle est trop vague. Mais elle peut devenir intéressante si on se demande qui utilise le pouvoir économique, par quels moyens, à quelles fins. En somme, il faut relier la notion imprécise de pouvoir économique à la notion concrète de contrôle.

Le monde des affaires est animé d'une dynamique tendue vers le contrôle ou vers la recherche de moyens propres à contrôler, à limiter ou à utiliser la faculté que possèdent les autres de prendre des décisions ou de s'immiscer dans le mécanisme des décisions.

Les façons d'accéder au contrôle peuvent varier avec les divers groupes qui recherchent le contrôle. Le public, sorte de pouvoir amorphe et diffus, constitue une cible que tous les groupes s'efforcent d'atteindre mais d'une façon particulière. On le considère ordinairement comme passif et malléable et c'est à cause de ce pouvoir latent qu'il représente que les groupes tendus vers le contrôle attachent tant d'importance à la presse et au clergé, deux puissances capables de le noyauter et de le canaliser en fonction de quelque contrôle. Le meilleur des énergies visant le contrôle demeure quand même tourné vers le gouvernement, car celui-ci représente à la fois une source de pouvoir et un champ de bataille. Que

* Article publié dans *Recherches sociographiques*, vol. VII, nos 1-2, janvier-août 1966.

les hommes d'affaires essaient de le contrôler, directement ou indirectement, par la voie de l'opinion publique, ou par quelque groupe de pression susceptible d'influencer le cours des décisions, les deux principaux concurrents dans la recherche du contrôle demeurent les dirigeants d'entreprises et les gouvernants.

Les hommes d'affaires essaient de refouler la vague montante des interventions gouvernementales, d'éviter les règlements ou de brimer une législation susceptible d'entraver les mouvements de l'entreprise. De son côté, le gouvernement essaie de développer ses fonctions, de se tenir en forme, de se maintenir aussi efficace que la direction des affaires prétend l'être. L'un et l'autre groupes soutiennent qu'ils ne veulent rien d'autre que le bien-être du peuple.

C'est par le moyen des groupes de pression que l'on tend à influencer l'action politique et c'est une tension qui veut s'installer en permanence et non comme simple rouage d'élection. Les élections ne représentent plus qu'un épisode dans le processus politique, surtout lorsque s'affrontent, au niveau de l'entreprise, des groupes incarnant deux philosophies différentes de propriété et de contrôle, l'un favorisant la socialisation, l'autre la libre entreprise en tout et partout. Et qui niera l'importance de la grande entreprise moderne comme moyen de contrôle, puisque, par sa structure légale et financière, elle diffuse à l'extrême la propriété, source potentielle de pouvoir, et centralise à l'extrême aussi le contrôle qui est source de gouvernement ?

A partir de ces constatations préliminaires, nous pouvons élaborer un outillage rudimentaire qui nous tiendra lieu de modèle d'analyse historique et dont les éléments nous amènent à poser le problème par. rapport au concept de conflit. Ces éléments sont les suivants:

1° Les champs d'opération ou, en termes plus abstraits, les espaces économiques propres à chaque engagement ou à chaque conflit;

2° Les organisateurs ou les institutions en cause;

3° Les objectifs;

4° Les tactiques et les règles administratives du conflit.

On pourrait ajouter un cinquième élément: la référence à quelque schème de valeur, si celui-ci n'était pas déjà sous-entendu.

L'exposé qui suit comprend trois parties:

I. Le destin des contrôles économiques dans la société pré-industrielle du Québec — ce qui veut être une réflexion sur la situation de contrôle du gouvernement que privilégie une société à prédominance rurale.

II. Les contrôles économiques et les fonctions politiques dans l'évolution industrielle et commerciale du Québec — ce qui comporte une étude sommaire de deux cas, dans l'optique indiquée précédemment: *a)* l'énergie électrique: *b)* l'industrie des pâtes et du papier.

III. L'origine, le fondement et les objectifs du contrôle économique exercé par les grandes entreprises des pâtes et du papier et de l'hydro-électricité — ce qui sous-entend que les deux types d'entreprises peuvent être envisagés dans l'optique d'un contrôle qu'ils visent en commun.

I. *Le destin des contrôles économiques dans la société pré-industrielle*

Deux tendances contraires se sont manifestées dans l'histoire de l'économie industrielle depuis le relâchement des liens mercantilistes de l'Etat: d'une part, une tendance à la démocratisation politique; d'autre part, une tendance à la concentration de la propriété industrielle et commerciale. Cette concentration, doublée naguère d'une centralisation, a singulièrement favorisé la formation d'agences de contrôle économique à l'affût du pouvoir. Cette concentration ne s'est toutefois pas réalisée dans l'agriculture où la propriété est demeurée parcellaire, et l'agriculteur, un propriétaire isolé. Néanmoins, malgré l'effritement de la propriété agricole, on pouvait déceler une certaine tendance à la centralisation administrative orientée vers des objectifs de défense. Cette tendance présageait la formation de groupes de pression au niveau des associations professionnelles et des sociétés coopératives.

Les relations des groupes d'intérêts agricoles avec le gouvernement nous paraissent relativement simples: elles sont pratiquement vides de conséquences technologiques et financières; elles s'établissent entre groupes primaires ou entre individus et le monarque ou son représentant, celui-ci pouvant être ministre, sous-ministre, ou simple député, ou organisateur d'élections porteur d'un message payant.

Les politiciens des générations du XIXe siècle, et même du XXe, se sont donc aperçus que, même dans une société rurale, des contrôles pouvaient se constituer. Ils se sont rendu compte que, possédant le pouvoir politique, ils devaient, s'ils voulaient le conserver, exercer des contrôles et empêcher que ne se constituent des groupes de pression. Les politiciens craignaient l'électorat comme les dictateurs, l'assassinat. Fustel de Coulanges a dit de l'absolutisme royal qu'il était une forme de tyrannie tempérée par l'assassinat; on peut aussi bien dire de l'abus de pouvoir dans la société traditionnelle du Québec qu'il était une espèce de tyrannie modérée par l'électorat.

Les factions politiques dans le Québec préindustriel avaient retenu du système absolutiste et mercantiliste que le pouvoir politique devait assumer tous les contrôles économiques. Ils paralysaient ou effritaient les groupes de pression à coups d'octrois à l'agriculture, à la colonisation, aux bonnes routes. Cette forme de patronage, que déjà Lord Durham avait décelée dans la société canadienne-française, s'est avérée efficace même après qu'on eût reconnu la vocation industrielle du Québec. Elle s'est avérée efficace aussi longtemps que l'ancienne société rurale put assurer un vote majoritaire. Des factions politiques ont supporté les journaux qu'ils avaient transformés en organes de propagande et, une fois au pouvoir, elles ont empêché les intérêts économiques de la classe agricole de se constituer en foyers de contrôle qui eussent gêné l'exercice du pouvoir politique. Sans doute, les gouvernements du Québec préindustriel devaient-ils compter avec les pouvoirs économiques et éviter que les contrôles économiques ne leur échappent entièrement; mais les gouvernements plus récents, ceux de la période industrielle, paraissent moins obsédés par l'idée de résorber tous les contrôles qui pourraient avoir une incidence électorale. Les gouvernements du Québec contemporain semblent compter davantage avec ce qu'ils appellent les « groupes intermédiaires »; ils ne négligent point toutefois de s'appuyer sur une bureaucratie et, au besoin, d'éclairer l'opinion publique selon des méthodes qui oscillent entre la propagande et l'éducation populaire.

Dans l'ancienne société rurale du Québec (on pourrait en dire autant de la société ouvrière), le gouvernement voyait d'un mauvais œil la formation des groupes susceptibles d'influencer le destin électoral. On préférait traiter directement avec les individus, c'est-à-dire avec une matière pulvérisée et manipulable à la pelle. Qu'on se rappelle le destin des cercles agricoles et des premières coopératives.

Les sociétés professionnelles auraient pu devenir des foyers de contrôle économique si elles avaient voulu être autre chose que des réceptacles d'octrois. Les cercles agricoles se sont constitués, entre 1870 et 1875, comme associations professionnelles de cultivateurs et ils se sont fédérés dans l'Union nationale agricole. Mais les chefs ayant sollicité l'aide financière du gouvernement, le Parlement adopta, en 1893, la Loi des cercles agricoles, leur vota des subsides et s'en empara. Les cercles agricoles devinrent des sociétés de production subventionnées et surveillées et, comme l'écrivait le rédacteur de la *Terre de chez nous* en 1943, ils perdirent leur vertu économique: ils se sont contentés d'organiser des concours de labour, d'acheter des verrats et des taureaux de race; ils ont acheté des coupe-cornes, des pelles à cheval et des charrues à patates. Quant aux sociétés coopératives, elles ont été vidées de leur vertu coopérative [1]. Entre 1910 et 1914 étaient nées trois centrales coopératives: la Société des fromagers, le Comptoir coopératif, la Société des producteurs de semences de Sainte-Rosalie, et, en 1915, la Confédération des sociétés coopératives. En 1922, la Confédération disparaissant, les trois premières centrales constituaient par fusion la Coopérative fédérée. Celle-ci fut

---

1. Esdras Minville éd., *Etudes sur notre milieu, L'agriculture*, Montréal 1943, ch. X, XI, XII, par Firmin Létourneau, Henri-C. Bois, Gérard Filion.

cependant maintenue en tutelle jusqu'en 1930, le législateur ayant introduit dans sa charte des articles qui accordaient au ministre de l'Agriculture des pouvoirs discrétionnaires dans cette entreprise. La situation fut rectifiée en 1930 en faveur des coopératives, celles-ci n'en demeurant pas moins des créatures frêles. Une législation de 1939 les replaça sous la tutelle du gouvernement mais cette législation fut rayée des statuts en 1940 [2].

II. *Les contrôles économiques et les fonctions politiques dans l'évolution industrielle et commerciale du Québec au cours de la période 1920-1940.*

Dans l'ancienne société du Québec, le destin des foyers de pouvoir économique se déroule dans les rapports des groupements agricoles avec le gouvernement et de façon relativement simple. Aussi longtemps que les politiciens réussissent à pulvériser les influences, c'est le ministre qui règle leur destin. Ce n'est donc pas de ce côté-là que l'on peut trouver les exemples historiques de contrôle économique. C'est plutôt du côté de la société industrielle qu'il faut se tourner. Si nous situons dans les années 1920 et 1930, les exemples que nous y trouvons illustrent la complexité des rapports d'un industrialisme déjà concentré et de ses agences de contrôle avec un gouvernement non encore dégagé des routines de la société traditionnelle et quasiment dépourvu d'organes de contrôle économique. Nous trouvons, par exemple, qu'un gouvernement du Québec dans les années 1930 ne possède pas les services qui l'eussent rendu capable de dialoguer avec la bureaucratie des entreprises de l'électricité et de l'industrie du papier journal. La faiblesse du gouvernement s'aggrave du fait que les grandes entreprises se mêlent d'influencer l'opinion publique par le truchement d'une presse subventionnée, principalement en ce qui regarde les services d'utilité publique. A force de mettre en garde la population contre les méfaits de la socialisation des services publics, les grandes entreprises constituées préparent aux gouvernants un électorat favorable au *statu quo*.

La complexité des rapports entre les grandes entreprises et le gouvernement s'accuse encore à d'autres égards. On a appris, par exemple, dans l' «affaire » de l'électricité, que les grandes entreprises étaient organisées à la façon des gouvernements et, indubitablement, mieux que le gouvernement provincial et que les gouvernements municipaux du Québec à cette époque. Ces entreprises possèdent des départements comparables à des ministères gouvernementaux: justice, trésor, propagande, etc., et, en vertu du privilège que leur confère leur statut de personnes juridiques

---

2. Albert Faucher, *Histoire de la coopération agricole dans la province de Québec,* dans *Cours par correspondance: Coopératives agricoles,* Livret n. 1, Publication du Service Extérieur d'Education Sociale de l'Université Laval, 1947. (Reproduit ici pp. 209-226.)

de dialoguer avec le gouvernement, elles emploient des *lobbyists*. Ceux-ci mobilisent eux-mêmes tellement de ressources qu'ils en arrivent sans difficulté à se retrancher dans l'anonymat. Ces grandes entreprises ont à traiter avec le gouvernement et elles peuvent affronter le gouvernement aux divers niveaux: législatif, exécutif, judiciaire, administratif, selon la nature des problèmes qui motivent leur action.

Le cas de l'énergie hydro-électrique

La question de l'électricité du Québec dans les années 1930 a nourri une chronique assez abondante. Nous utilisons aujourd'hui certains documents qui nous permettent de tracer les contours de cette question. Mentionnons particulièrement le rapport du Comité municipal d'enquête sur les taux d'électricité dont faisait partie le docteur Philippe Hamel (1930); la Commission provinciale sur l'électricité (1934), communément appelée Commission Lapointe; le Programme de restauration sociale de l'Ecole sociale populaire (1934) qui marque l'origine de l'Action libérale nationale et, d'une certaine façon, de l'Union nationale. Au principe et au terme de ce périple et au centre du champ de la bataille, on retrouve la figure du docteur Philippe Hamel dont le labeur aura produit des résultats posthumes. En 1944, défait politiquement mais non découragé, il fait reproduire le texte de l'engagement solennel contracté par vingt-quatre députés de l'Union nationale en 1936, texte qui avait été publié dans *La Nation* l'année suivante. Tel que publié en 1937, ce document portait la notule: « Nos députés respecteront-ils leur signature ? » En 1944, le docteur y ajoute cette réflexion: « En 1936, on nous a trahis après la victoire, en 1944, on nous trahit avant la défaite. » [3]

On voit donc que la question de l'électricité se pose d'abord sur le plan municipal en 1930 et qu'elle est au centre des disputes de la politique provinciale à la fin de la décennie. Par fidélité au schème de notre exposé, disons que les parties au drame sont les municipalités (certaines municipalités), la province qui y est entraînée en raison de ses fonctions législatives et administratives, et les compagnies dites privées, dont la *Beauharnois* qui avait fait l'objet d'une enquête fédérale en 1931. Les objectifs ? Il s'agit de négociations de taux, avec les villes d'abord, mais la question déborde bientôt cette dispute et c'est tout le régime de finance et de propriété qui est mis en cause. Quant au champ des forces et des règles administratives du conflit, ce sont des aspects de la dynamique des espaces économiques en Amérique du Nord. Ce que nous pouvons en dire aujourd'hui s'applique aussi bien à la question du papier journal si étroitement liée à celle de l'électricité. Il en sera question dans une autre partie de cette étude.

---

3. *Le Canada*. 13 mars 1944.

Parlons d'abord de la question de l'électricité et de sa dimension historique. Nous traiterons ensuite de l'industrie du papier journal de façon à rendre compte des institutions en conflit et des objectifs de contrôle. Quant aux champs d'opération et à l'administration du conflit, mieux vaut en parler comme d'une condition commune à l'électricité et au papier. Le sujet nous réfère à des espaces plus ou moins abstraits qui débordent l'espace géographique du comptoir et du terroir: ce sont les espaces créés par les grandes entreprises à caractère nord-américain qui ont colonisé la province de Québec depuis une cinquantaine d'années.

Le *Rapport sur les taux de l'électricité élaboré par la Commission spéciale d'enquête nommée par le Conseil de ville de la cité de Québec* [4], en décembre 1930, prend à partie la compagnie Quebec Power et la compagnie Shawinigan Water and Power, dont la première est une filiale parmi d'autres. Cette enquête est née de la constatation que la ville de Québec paie trop cher son électricité, que cette cherté peut bien avoir pour cause des vices de structure financière qui entraînent un abus de pouvoir, et que ces vices permettent une exploitation du consommateur par un petit nombre d'investisseurs-promoteurs. La ville de Québec n'est d'ailleurs pas la seule. La ville de Chicoutimi, en particulier, porte plainte devant la Commission des services publics contre la Compagnie électrique du Saguenay, filiale de la Shawinigan Water and Power. La Commission, paraît-il, n'aurait pas réussi à voir la comptabilité des compagnies comme elle l'aurait voulu; faute de quoi elle se serait rabattue sur l'expérience des municipalités déjà engagées dans l'administration de leurs propres services électriques. Ce procédé lui permettait d'ailleurs de comparer les taux de la ville de Québec avec ceux des autres municipalités et des services municipalisés, comme Sherbrooke, Westmount, Rivière-du-Loup, et le réseau des municipalités affiliées à l'Hydro-Ontario. La Commission de l'Hydro-Ontario, fédération de municipalités, vend l'électricité au prix du gros à ses membres, puis les municipalités la revendent au consommateur sous la surveillance d'une commission municipale [5]. La Commission centrale desservait 75 pour cent de la population ontarienne en 1928. Or, selon les commissaires de l'enquête de la ville de Québec, les compagnies d'électricité ont tout fait pour rabaisser dans l'opinion publique le prestige grandissant de l'Hydro-Ontario et pour éviter qu'il serve d'exemple aux municipalités des autres provinces: « l'Etat, dit-on, mauvais étudiant et piètre ingénieur, est incapable de gérer le service de l'électricité qui s'appuie sur des recherches scientifiques » [6].

---

4. Tel est le nom exact de ladite commission.
5. Voir *Rapport sur le taux de l'électricité*, deuxième partie; aussi Philippe Hamel, *The Electricity Trust, Proof Presented before the Electricity Commission of the Province of Quebec*, 1934, p. 37: « *In 1930, the Quebec Power refused the members of the investigating committee... permission to examine its books* ».
6. Philippe Hamel, *The Electricity Trust*, p. 72.

La ville de Sherbrooke a municipalisé ses services de génération d'électricité et de distribution dès 1908 en expropriant la compagnie Sherbrooke Gas & Water au terme d'une lutte longue et difficile. Depuis vingt-deux ans, disent les Commissaires, le service d'électricité de Sherbrooke subit les attaques d'une presse locale que les compagnies privées ont gagnée à leur cause.

La Commission recommande la municipalisation. Mais certains groupes font pression contre la municipalisation. D'ailleurs, Montréal, qui y avait déjà pensé, s'est récusée devant l'indignation du Board of Trade qui se donnait pour protecteur du bien public.

En 1927, le Conseil de ville de Montréal avait décidé, en principe, de municipaliser la Montreal Water and Power au prix de $14,000,000. Or, le Montreal Board of Trade s'éleva contre ce projet et l'assemblée générale autorisa son conseil d'administration à prendre des procédures contre la ville, en vue de tuer le projet, et elle l'autorisa même à lancer une souscription publique pour défrayer le coût de ses procédures. Le premier ministre fit savoir au Board of Trade que s'il voulait la permission de porter le cas devant la Cour Suprême pour empêcher la ville de Montréal d'acheter la Montreal Water and Power à $14,000,000, il lui accorderait volontiers cette permission. On en fit une question de légalité [7].

Dans les années 1930, l'électricité est un thème d'élections municipales et la question de la municipalisation tend à déterminer l'alignement des partis. Le cas de Saint-Hyacinthe est fameux. Cette ville organise sa propre centrale en 1933, elle négocie un emprunt de $300,000 à cette fin et se procure des moteurs Diesel en Allemagne. C'est le résultat d'une campagne menée rondement par le maire T.-D. Bouchard, alors président de l'Assemblée législative. L'opposition est vive et la propagande contre la socialisation est bien orchestrée. La question gagne la politique provinciale [8], et à l'automne de 1934, le gouvernement du Québec nomme une commission d'enquête sur les compagnies de service public dans la province. La Commission Lapointe, comme on la désigne ordinairement, a été créée, disent les adversaires, à la demande des partisans de la nationalisation qui se cherchaient une tribune [9].

La Commission Lapointe recommande le contrôle des compagnies privées par le gouvernement mais elle ne veut pas recommander la nationalisation; elle recommande plutôt une régie à pouvoirs étendus en matières de finance, de production, de distribution et de taux de consommation domestique, commercial industriel. Mais une commission soumise au contrôle politique n'a pas l'heur de plaire aux réformistes. L'électricité

7. *Montreal Star*, April 6, 7, 11, 1927.
8. *L'Information*, 25 novembre 1933.
9. *Ibid.*, 23 février 1935.

devient un thème d'élections générales. Elle est un ingrédient important dans la formation de l'*Action libérale nationale* en 1935, consécutive à la publication du *Programme de restauration sociale* de 1934. Dans ce *Programme*, le chapitre « Trusts et finance » est signé par le docteur Philippe Hamel. Celui-ci dénonce, comme il l'avait fait l'année précédente devant la Commission Lapointe, le trust de l'électricité qu'il accuse d'être un agent corrupteur. Il recommande la création d'une Hydro-Québec comme concurrente de l'entreprise privée, ainsi qu'une politique de concession de sites hydro-électriques plus sévère. Il demande une enquête sur la Beauharnois Power Corporation, la Beauharnois Company et la Montreal Light Heat and Power Consolidated. Il demande aussi « protection du gouvernement aux municipalités qui, après un référendum, désirent municipaliser leur service d'électricité » (*Programme de restauration sociale*). Enfin, il recommande un plan d'électrification rurale progressive.

L'Information, journal financier de Montréal, résume l'attitude du gouvernement dans la controverse de l'électricité. Le premier ministre protège les compagnies, il n'est pas là pour chambarder l'ordre établi, y lit-on dans un article éditorial du 18 mai 1935. Des théoriciens nés d'hier s'attaquent à l'entreprise hydro-électrique, ils veulent tout renverser. Voici une entreprise qui a très bien réussi chez nous, qui a très bien rémunéré ses épargnants: il faut la protéger. Et puis, la nationalisation coûterait cher à la province, l'actif étant évalué à $500,000,000. Et le premier ministre déclare: « Allons-nous dire que nous allons faire perdre cet argent aux actionnaires et aux obligataires ? Non ! Une telle Hydro n'est pas possible. » [10]

Le cas de l'industrie du papier journal

Cette industrie est étroitement liée à l'histoire du tarif nord-américain. L'entrée en franchise du papier journal canadien aux Etats-Unis à compter de 1913, comme corollaire à l'embargo du Québec décrété en 1910, marque une étape mémorable dans l'histoire de l'industrialisation du Québec. L'International Paper Company incarne un contrôle économique, en particulier un contrôle quasi-monopolistique des prix. Elle possède en matière de négociations une puissance égale à celle d'un gouvernement. Associée aux entreprises hydro-électriques, bien articulée avec les compagnies de gestion, l'International Paper fait partie de ce groupe d'entreprises dont Charles E. Merriam dit qu'elles ont la structure d'un empire politique: un corps législatif, un exécutif, une administration, c'est-à-dire une bureaucratie, un secrétariat d'Etat *(Public Relations Office),* un bureau légal, une trésorerie. Ces entreprises peuvent même taxer le con-

---

10. *Ibid.,* 18 mai 1935; aussi, 25 novembre 1933: les compagnies sont constituées d'actionnaires et d'obligataires et ceux-ci ne se recrutent pas que parmi les millionnaires: s'y trouvent aussi des veuves et des compagnies de fiducie chargées d'administrer des biens de mineurs.

sommateur en transférant au consommateur une partie des coûts de production ou de distribution, et, nous le verrons, elles distillent leur propre
idéologie et prennent les moyens pour la faire accepter [11].

Le problème du papier journal en est un de richesses naturelles.
Politiquement, c'est un problème qui relève du gouvernement provincial
mais à certains égards seulement. S'agit-il d'exporter du papier journal,
alors le problème débouche sur les juridictions fédérales. L'International
Paper Co. transcende l'un et l'autre; c'est une entreprise internationale ou
plurinationale. Problème complexe aussi, car l'industrie du papier journal
comprend au moins trois sphères d'opérations étroitement liées mais distinctes: la coupe du bois, la fabrication des pâtes, la fabrication du papier.
Il y aurait une question de contrôle économique fort intéressante à dé-
battre en ce qui concerne la seule question de la coupe, au sujet de quoi
l'opinion publique, comme pour la question hydro-électrique, s'est montrée
plutôt inquiète. Le problème de la coupe s'est posé en fonction des droits
d'exploitation et des concessions de lots de forêt: la question des « limites
à bois », dans le langage du terroir. Arrêtons-nous seulement à la question
du contrôle économique de l'International Paper Co. C'est d'ailleurs la
plus intéressante parce que ses ramifications nous révèlent un Québec
subitement projeté sur le plan des négociations internationales.

Les histoires qu'on a racontées sur le sujet sont centrées sur les
personnes de MM. Taschereau et Graustein, respectivement premier ministre du Québec et président de l'International Paper [12]. Cela se passait
entre 1927 et 1929. Ainsi, la crise des usines de papier journal débute en
période de prospérité et non durant la dépression économique des années
1930. L'on ne peut éviter de présenter un résumé de ces histoires, étant
donné qu'elles demeurent une bonne introduction au sujet. On gagnerait
toutefois peu en s'y limitant. Plutôt, il faut qu'elles nous aident à définir
le problème dans sa dimension historique, une dimension qui nous révèle
un Québec affecté par des contrôles ou des contraintes économiques qui
s'exercent à l'échelle internationale. Un premier ministre électoralement
contrôlé par une société de terroir doit, ou mener ses négociations en
secret ou, s'il les dévoile, accepter que ses concitoyens le considèrent
comme un magicien de la magie noire.

Une façon de résumer l'affaire serait de répondre à deux questions:
1. Qu'est-ce que l'International Paper Co. ? 2. En quoi consistent les
négociations en 1928 ? Il faudra éclairer davantage cette affaire en répondant à la question qui fera le sujet de la troisième partie: d'où vient le
pouvoir économique des industries de l'électricité et du papier et comment

---

11. Charles E. Merriam, *The Role of Politics in Social Change*, New York
1936, pp. 49-50.
12. V. W. Bladen, *Introduction to Political Economy*, Toronto 1941, ch.
VI.

ces industries en arrivent-elles à exercer pareil contrôle sur la vie économique du Québec ?

L'International Paper Co. est l'entreprise maîtresse qui cote les prix du papier journal de tous les Etats américains, à l'exception des Etats de la Côte du Pacifique qui relèvent d'un autre cartel. A l'occasion des renouvellements de contrats à long terme, très souvent le prix du papier est fixé par rapport à une moyenne des prix annoncés par les trois plus grandes compagnies, en réalité, par rapport à la cote de l'International Paper Co. qui fabrique à elle seule environ 20 pour cent de tout le papier journal aux Etats-Unis [13].

La Canadian International Paper Company est une filiale de l'International Paper and Power Company qui remonte à 1898 et qui résulte de la consolidation de dix-neuf sociétés de l'Etat de New York. Pour pallier une rareté croissante de matières brutes dans l'Etat de New York, la compagnie fit l'acquisition de territoires forestiers dans le Québec, construisit, en 1921, une usine aux Trois-Rivières et adopta, en 1924, une politique vigoureuse, à l'occasion d'une réorganisation de ses cadres. Elle acheta des usines en faillite, ferma des usines marginales, en construisit de nouvelles et pratiqua une politique de collaboration avec l'entreprise hydro-électrique. En 1925, elle pénètre dans la région de la Gatineau; en 1926, elle double la capacité de ses usines aux Trois-Rivières. La Canadian Hydro-Electric Corporation est une compagnie de gestion pour le compte de l'International Paper Co. [14]. Cette dernière n'est pas la seule mais son leadership est incontesté. Les trois grandes compagnies sont la Canadian International, l'Abitibi et la Canada Power and Paper, chacune ayant un rendement dc 2,000 tonnes par jour. Suivent de près, la St. Lawrence Corporation, la Price Brothers qui produisent de 1,100 à 1,200 tonnes et la Donnacona, qui produit 500 tonnes par jour.

Viennent ensuite une douzaine de compagnies dont le rendement varie de 37 à 500 tonnes par jour. On comprend leur faiblesse relative si l'on considère que les trois grandes contrôlent à elles seules la moitié de la production du papier journal. Les ententes dans le but de restreindre la production sont donc relativement faciles. Jusqu'en 1927, on ne conteste pas le leadership de l'International dans la fixation des prix; après 1927, ce leadership est contesté à cause de la formation d'un cartel pour la mise en marché de quatorze compagnies canadiennes, soit, pour la vente de 50 pour cent de la production. Ce cartel s'appelle la Canadian Newsprint Company. Faute de pouvoir discipliner ses membres, il n'eut pas raison de l'International, celle-ci annonçant une réduction de prix en 1928. La même année fut constitué le Newsprint Institute une forme de

13. Arthur Robert Burns, *The Decline of Competition*, New York 1936, ch. III.

14. C. P. Fell, *The Newsprint Industry* in *The Canadian Economy and its Problems*, H. A. Innis, ed., Toronto 1934.

cartelisation destinée à contrôler 70 pour cent de la capacité canadienne de production. Ce cartel fut constitué à l'instigation des premiers ministres du Québec et de l'Ontario.

Voici ce que disait le conseiller légal du Newsprint Institute devant la Federal Trade Commission, en 1929:

> L'automne dernier, les premiers ministres du Québec et de l'Ontario se sont mis à s'inquiéter sérieusement de la tournure des événements dans l'industrie du papier journal qui était tombée dans une grande dépression. On avait tellement sur-développé cette industrie qu'on en était arrivé à conclure des contrats à des prix qui n'offraient aucune possibilité de profit. Et la menace d'une guerre des prix allait entraîner la ruine d'un certain nombre d'usines. C'est dire que des communautés entières se trouveraient privées d'emploi comme conséquence de la fermeture d'usines d'un coût relativement élevé... Les doléances populaires furent si pressantes que les gouvernements durent s'en occuper et signifièrent à plusieurs compagnies en activité qu'elles devaient elles-mêmes prendre contrôle de la situation, sans quoi le gouvernement s'en mêlerait. Etant donné que la majeure partie de la matière brute provient des propriétés de la Couronne, les premiers ministres firent savoir, en termes non équivoques, qu'ils ne voulaient pas qu'on utilise leurs forêts d'une façon préjudiciable à l'intérêt public. Les manufacturiers furent convoqués et les premiers ministres leur adressèrent la parole pour leur dire qu'ils devraient trouver les moyens de répartir la production sur la base des rendements des usines afin d'assurer de l'emploi aux centres de production de papier de même qu'aux opérations forestières qui en dépendent. La production était alors très inégalement répartie et un rajustement signifiait que les usines les plus anciennes devraient sacrifier une part de leurs contrats de production aux usines moins favorisées. Rien d'étonnant alors qu'il y eut de la résistance et que les gouvernements durent exercer des pressions pour amener les récalcitrants à se soumettre... Un secrétaire fut nommé à qui l'on confia l'exécution du plan. Tel est le Newsprint Institute of Canada. Il n'est pas constitué en corporation et c'est au plus ce qu'on pourrait appeler une association involontaire [15].

Là encore, on n'a pas obtenu les résultats désirés. L'*Institute* fut dissous et une autre association constituée en 1931 dans le dessein de restaurer l'ordre au moyen d'un système de *pro rata* qui eût permis aux usines de produire à 60 pour cent de leur rendement. De guerre lasse, le gouvernement de Québec passa sa Loi de la protection des ressources forestières en 1935.

Pour clore cet incident, laissons parler l'honorable Alexandre Taschereau:

---

15. George H. Montgomery, *Newsprint Paper Industry*, p. 87, cité par V. W. Bladen, *op. cit.*, Introd., pp. 173-174.

Je me suis rendu compte et j'ai décidé qu'il était à peu près inutile de poursuivre des négociations avec les compagnies papetières. Mon expérience, c'est qu'il est très difficile de trouver de la coopération et de la loyauté chez les producteurs de papier journal. Une législation s'impose, et nous avons l'intention de prendre des mesures que nous jugerons nécessaires pour sauver cette industrie de base [16].

III. *Origine, fondement et objectifs du contrôle économique exercé par les grandes entreprises du papier journal et de l'hydro-électricité*

Le contrôle économique tire son origine de la propriété et, plus exactement, des structures légales et financières de l'entreprise qui permettent, d'une part, de diffuser à l'extrême la propriété de façon à pulvériser le pouvoir inhérent à la propriété, et, d'autre part, de centraliser le contrôle autant que possible. Etant donné par ailleurs qu'il s'exerce sur de vastes entreprises agrégées, ou concentrées, comme on dit, sur le plan des opérations, le contrôle finit par assumer des fonctions quasi-publiques. L'entreprise devient pseudo-privée. Et plus grande est la centralisation du pouvoir, plus grande la tendance à intégrer les entreprises d'exploitation. Entre la concentration qui résulte de la rationalité économique d'une part, et le contrôle qui se développe comme abus de pouvoir en vue d'éliminer les concurrents et d'influencer le cours des prix d'autre part, il n'y a qu'une différence de degré.

Il y a des raisons historiques qui expliquent le rapprochement des entreprises — le rapprochement, par exemple, de certains syndicats d'acheteurs de papier journal et de certains groupes de producteurs, ou encore, le rapprochement des producteurs de papier journal, de détenteurs de territoires forestiers et des entreprises hydro-électriques. Citons le cas du syndicat Hearst, de New York, dans ses relations avec l'International Paper. Ce syndicat acquiert, en 1931, des intérêts prépondérants dans la Canada Power & Paper Corporation, résultat d'une fusion absorbant la St. Maurice, la Wayagamack, et la Belgo-Canadian. Ceci se produit au terme d'une lutte longue et difficile qu'on ne peut raconter sans recourir au langage technique du *contract market* et du *spot market* pour décrire les tensions entre producteurs et consommateurs ou les difficultés d'ajuster l'offre à la demande. Dans cette affaire, les petits journaux comme les petits producteurs de papier ont trouvé la vie dure et ont manifesté une tendance à recourir à l'intervention du gouvernement. Les « gros », d'un commun accord, ont fait cause commune contre les interventions publiques [17].

---

16. V. W. Bladen, *op. cit.,* p. 177.
17. L. Ethan Ellis, *Print Paper Pendulum,* New York 1948.

Ces problèmes ont pu voiler une transformation plus profonde que la simple concentration de la propriété. Cette transformation, c'est le glissement des entreprises d'exploitation dans l'univers de la finance sous l'empire des sociétés de gestion. Et ceci a déplacé des axes de contrôle. Ici encore, le cas de l'International Paper est caractéristique. Cette compagnie annonce, en 1928, qu'elle regroupe toutes ses entreprises sous une tutelle financière: International Paper & Power Company. « Les intérêts de la compagnie, annonce M. Graustein, sont devenus tellement étendus, tellement diversifiés, qu'ils ont dépassé la structure actuelle du capital. C'est pourquoi il a fallu constituer une nouvelle société qui dirigera et coordonnera ces divers secteurs d'activités et qui doit se porter acquéreur, nous l'espérons, de la New England Power Association... » [18] — « La New England Power Association, dit-il encore, est une association volontaire, enregistrée au Massachusetts et, pour s'en porter acquéreur, il faut être une association régie par les lois du Massachusetts. C'est pourquoi la nouvelle International Paper & Power sera constituée comme association volontaire afin d'acquérir le contrôle de la New England Power Association. De la sorte, elle pourra fonctionner sans être soumise aux restrictions ordinairement imposées aux corporations. »

Et voilà l'International Paper & Power Company associée au grand réseau des intérêts hydro-électriques de l'Amérique du nord. Qu'est-ce en effet que cette New England Power Association ? C'est la société représentante d'une des treize sections constituantes de la National Electric Light Association, le grand trust de l'électricité si vertement dénoncé par le docteur Philippe Hamel, dans les années 1930, mais pas plus vertement qu'il ne le fut devant la Federal Trade Commission. Le docteur Philippe Hamel écrivait en effet:

> L'enquête de la Commission fédérale du Commerce a révélé que la dictature économique s'appuie sur le trust de l'électricité. Certaines entreprises hydro-électriques de notre province figurent comme faisant partie de ce trust gigantesque. De plus, dans notre province, toutes les entreprises hydro-électriques constituent un réseau inextricable d'intérêts communs.
>
> ... Comme aux Etats-Unis, la dictature s'appuie chez nous sur le monopole de l'électricité. Pour se fortifier, elle s'est affiliée à la dictature économique américaine, en s'associant à la National Electric Light Association. Nos administrations municipales, provinciales et même fédérale, subissent l'influence d'une telle puissance. Pour s'en convaincre, point n'est besoin d'une longue étude de notre législation qui concède à ces entreprises, un pouvoir discrétionnaire dont elles usent pour exploiter et exaspérer les masses [19].

---

18. *Pulp and Paper Magazine,* 5 juillet 1928.
19. Philippe Hamel, *Programme de restauration sociale,* Ecole sociale populaire, brochure 239-240, 1934, p. 41.

Il y a même plus que ne dit le docteur Hamel: les entreprises hydro-électriques du Canada sont contrôlées par une société de gestion, la Canadian Electric Light Association, l'une des treize sociétés constituantes de la National Electric Light Association et qui fait pendant à la société du Massachusetts contrôlée par l'International Paper and Power. La National Electric Light Association est dite « nationale » au sens nord-américain du terme. Elle groupe des effectifs représentant 90 pour cent de la production totale de l'électricité (kwh.) en Amérique du nord et un actif tangible de $12,250,000,000 en 1930 [20].

A l'époque des grandes disputes sur la question de l'électricité au Québec, la National Electric Light Association poursuivait une campagne agressive contre « la gauche » symbolisée par la Public Ownership League. Un porte-parole de cette Association avait dit, en 1925, que le monde des affaires avait pris d'assaut le gouvernement et que pas un gouvernement au monde n'était aussi dévoué au monde des affaires que le gouvernement américain [21]. Et en 1931, Paul S. Clapp, le directeur-gérant, proposait d'intensifier la politique de l'Association dans le sens d'une *constructive aggression* et de lancer une offensive. Il disait:

> Nous n'avons aucune raison de nous tenir sur la défensive; nous avons toutes les raisons de prendre l'offensive. Personne ne respecte un homme qui prend l'attitude du chien battu *(a man who takes a licking lying down)*. Tous respectent l'attitude de l'homme qui entreprend de défendre ses droits avec clairvoyance, force et courage. Aux attaques, on devrait répondre avec clarté, sans ambiguïté, sans réticence, et avec autorité... [22]

S'agissait-il de distiller l'idéologie de la libre entreprise et d'inspirer la peur ou l'horreur de toute forme de socialisation, au nom de la civilisation ou comme moyen de combattre le communisme ? Nous avons ainsi la preuve documentaire que la campagne d'agression était déjà amorcée et qu'elle durait même depuis le lancement de la Public Ownership League, en 1925. Il suffit de lire cette documentation de la Federal Trade Commission et du Temporary National Economic Committee d'une part, et les journaux canadiens, défenseurs avoués de la libre entreprise et pourfendeurs du péril rouge, d'autre part, pour nous rendre compte qu'il s'agit d'une propagande orchestrée en haut lieu.

Dans l'enquête de la Commission américaine, on a révélé que les entreprises de services publics s'occupent de préparer des mémoires pour les journaux et de colliger des matériaux pour la préparation de *Textbooks on Public Utilities* et sur les dangers de la socialisation. Les mêmes entre-

---

20. *Summary Report of the Federal Trade Commission to the Senate of the United States pursuant to Senate Resolution n. 83, 70th Congress, 1st Session,* Washington 1934; Document 92, Part 71 A, p. 23.
21. *Ibid.,* p. 18.
22. *Ibid.,* pp. 18-19.

prises offrent leur collaboration à diverses universités pour organiser des cours sur les services d'utilité publique; elles s'occupent de faire des analyses de contenu des livres d'après leur propre point de vue. En général, elles supportent mal que la socialisation y soit signalée comme désirable. Qu'on en discute, oui, mais qu'on ne se prononce pas [23]. Elles s'occupent même de préparer des discours-modèles. Exemple:

M. Millancy demande à M. McGregor:

— Si vous aviez à vous faire nommer comme candidat-sénateur contre un adversaire dont les discours auraient révélé qu'il est favorable à l'entreprise publique, que diriez-vous ?

— Je l'attaquerais en développant le thème suivant:

Tous les socialistes ne sont pas membres du Parti socialiste. Ils savent que l'Américain authentique abhorre le nom... Tous les Bolsheviks russes ne sont pas en Russie... Pour être socialiste, pour être Bolshevik, tout ce que vous avez à faire, c'est de penser et d'agir comme si vous en étiez...

En fait, c'est un des principes de ces ennemis de notre Gouvernement que de le miner de l'intérieur *(to bore from within)*... *L'entreprise publique*, c'est la cause des Bolsheviks... et ceux-ci s'attaquent aux entreprises d'utilité publique d'abord, et aux autres ensuite, une à une. C'est une maladie; et le meilleur moyen d'empêcher une infection générale, c'est de l'enrayer à son début. *Kill the first germs before they multiply, and kill... Government ownership, what's wrong with it ?... It don't work* [24].

Les journaux, et pas seulement les journaux financiers des années 1920 et 1930, véhiculent cette propagande presque *verbatim*. Des articles éditoriaux de la rue Saint-Jacques à Montréal établissent la preuve d'une orchestration à l'échelle nord-américaine d'une propagande qui distille la peur de la socialisation au nom de l'anti-communisme. Même il y a dix ans, un congrès de la Chambre de commerce du Canada imprimait et distribuait les « recommandations » suivantes:

En vue de rendre possible une action positive contre la menace communiste, la Chambre de commerce recommande aux Chambres de commerce locales de combattre le communisme par l'une ou l'autre des méthodes suivantes:

1° En priant les gouvernements provinciaux de prendre l'initiative de faire donner un enseignement sur l'entreprise privée, dans les écoles;

2° En sollicitant le concours de la radio, de la télévision, des journaux et du cinéma pour faire connaître notre mode de vie;

23. *Ibid.*, Part 2, Exhibits 389-392, 395, 358-360.
24. *Ibid.*, Ex. 164.

3° En sollicitant l'aide des églises pour vulgariser la notion de l'entreprise privée;

4° En invitant les orateurs locaux à souligner la nécessité de l'entreprise privée [25].

* * *

L'agiotage a marqué l'histoire des entreprises d'utilité publique dans la province de Québec et c'est ce qui rend intéressante cette histoire comme source d'information sur les mœurs des dirigeants politiques et capitalistes. En ce qui regarde l'entreprise hydro-électrique, les années 1901, 1912, 1913, 1916, 1918, 1926 et 1930 sont particulièrement mémorables.

Prenons seulement le cas de 1930. Cette année-là, la Montreal Light, Heat & Power Consolidated voyant ses profits se gonfler de façon disproportionnée à son capital (malgré la crise), multiplie par deux le nombre de ses actions [26] — occasion de se créer de nouveaux amis à un moment où l'on parle en certains milieux de municipaliser les services publics. Cette compagnie offre une tranche considérable d'actions à ses employés et aux clients. « Par un phénomène extraordinaire, écrit le docteur Philippe Hamel, le détenteur de 5, 10 ou 20 actions de la Montreal Light, Heat & Power Consolidated ne regardera pas de payer $75 de trop, annuellement, pour le service de l'électricité, pourvu qu'il touche un dividende de $10, $20 ou $50. Les compagnies connaissent cette psychologie de la foule et en usent à leur profit. » [27] Or, on le sait, il y eut panique à la Bourse et course aux guichets de la compagnie. Celle-ci demanda alors au gouvernement l'autorisation de transformer ses dernières émissions d'actions en obligations afin de pouvoir s'en porter légalement acquéreur; c'est ce qu'elle réalisa à moins de $40 l'unité, prélevant ainsi un bénéfice de 20 à 30 pour cent sur les actions qu'elle avait vendues aux clients et aux employés. C'était, dit-on, une pratique courante dans les entreprises hydro-électriques.

Contre ces abus, le gouvernement ne peut rien parce qu'il n'y voit rien. Sa rengaine, c'est la protection des épargnants, héritiers, veuves ou mineurs, qui ont investi leurs épargnes directement ou par l'intermédiaire de leurs compagnies d'assurance. Un premier ministre lui-même dira au cours d'une discussion entre la Quebec Power et la ville de Québec, le 16 mars 1934, devant le « Comité des bills privés », qu'on ne va pas exproprier les épargnants qui ont investi leur argent dans cette entreprise par l'intermédiaire de leurs compagnies d'assurance [28]. Le premier minis-

---

25. *Le Temps,* 24 octobre 1956.
26. Philippe Hamel, *Le monopole de l'électricité,* Montréal 1933.
27. *Ibid.,* p. 8.
28. Philippe Hamel, *The Electricity Trust,* p. 66.

tre était lui-même directeur de la Sun Life Assurance Co. Et le président de cette compagnie n'avait-il pas déclaré qu'en imposant un mauvais traitement aux entreprises d'énergie électrique, c'est le peuple qu'on maltraite ? Ce même monsieur reprenait le mot célèbre attribué à Harding: « *There should be less government in business and more business in government.* » [29]

Quel moyen d'action nous reste-t-il en dehors de la politique, demandait alors le Docteur Philippe Hamel ? La presse indépendante. Et pourtant, est-ce qu'il ne disait pas lui-même que cette espèce de presse était encore à créer ? Aux doléances populaires, la grande presse n'avait pas d'espace à offrir, surtout pas dans les années 1930, elle qui pourtant se montrait si généreuse envers la grande entreprise. On était déjà loin des jours où *Le Soleil* ouvrait de vastes colonnes à monsieur D'Hallencourt pour dénoncer le « scandale Forget ». C'était en 1912, après la formation de la fameuse fusion du Quebec Power amalgamant la Quebec Jacques Cartier, la Frontenac Gas, le Quebec Gas, et la Quebec Railway, Light and Power. De cette opération, on aurait retiré un profit de 7.6 millions d'un capital de 20 millions: 7.6 millions d'arrosage. « Le secret de l'opération, écrit H. D'Hallencourt, c'est l'arrosage; l'arrosoir, c'est le capital-actions, et ce sont les promoteurs qui arrosent. » [30] Le seizième article de la série porte le titre: « Est-ce assez canaille ! et se termine ainsi: Si cela ne s'appelle pas une canaillerie, il faudra demander à l'Académie française de changer la définition du mot ! »

Est-ce là le langage de la presse indépendante ? Non, pas nécessairement. *Le Soleil* est un journal « rouge » et Rodolphe Forget est un « bleu ». Il reste toutefois, et ceci peut être remarquable, que pareil usage de la grande presse s'avérait impossible dans les années 1930. La grande presse n'obéit plus au même pouvoir. Voilà.

La transformation de la grande presse depuis l'affaire Forget jusqu'aux années 1930 ressemble à celle qu'a subie l'industrie du papier journal au cours de la même période: l'une et l'autre entreprises ont glissé dans l'univers de la finance et, de part et d'autre, les axes de contrôle ou d'influence se sont déplacés. Il en est résulté pour le journalisme une certaine indépendance à l'égard des partis politiques et une dépendance croissante à l'égard des commanditaires de la réclame. Sous la pression des coûts de production et de circulation, des journaux se sont fusionnés; ils ont sombré dans la tranquillité et la docilité.

Au terme de cet exposé, il peut être opportun d'en retracer les grandes lignes. Premièrement, nous avons choisi de situer le pouvoir économique devant le pouvoir politique dans un schème de conflit. Les éléments de ce schème ont fixé l'effort de la recherche sur des cas par-

29. *Ibid.,* p. 63.
30. *Le Soleil,* 13 novembre 1912.

ticuliers. Deuxièmement, ces cas qui ont servi d'exemples pour l'étude du mécanisme des décisions se situent à l'intérieur de la période 1920-1940 seulement. Troisièmement, les résultats d'une pareille recherche sur l'influence de l'économique dans la vie politique du Québec ne signifient pas que, dans la situation actuelle, les événements se déroulent de la même façon. Aujourd'hui, peut-être serait-il plus approprié de parler d'influence du politique dans la vie économique de la province ? Quoi qu'il en soit, on se rend bien compte que le cas de l'électricité, par exemple, ne se pose plus en 1966 comme il se posait en 1936. Et il y a plus. Les développements récents ont engendré des sources nouvelles de pouvoir, caractéristiques d'une économie d'abondance. Ces sources nouvelles de pouvoir proviennent d'entreprises qui, pour la plupart, se situent au niveau tertiaire de l'activité économique: les syndicats, les hôpitaux, les universités ou des entreprises semblables qui mobilisent tant de ressources. Ces entreprises font maintenant partie de l'engrenage étatique, et pourtant, elles obéissent à des normes de leur propre ressort. Elles ont leur bureaucratie et voilà que cette bureaucratie collabore avec les technocrates du gouvernement. Phénomène d'économie mixte. Non, la situation n'est plus en 1966 ce qu'elle était en 1936. Et cependant, les contrôles économiques n'en existent pas moins.

4

Investissement, épargne et position économique des Canadiens français *

On dit parfois que les Canadiens français n'ont pas la part qui leur revient dans la vie économique du pays. Cette assertion, qu'une certaine propagande nous présente comme indéniable et indiscutable, prête quand même à l'équivoque. Est-ce que les Canadiens français ne joueraient pas, à l'échelle nationale, un rôle proportionnel à leur importance numérique ? Est-ce qu'ils n'auraient pas fourni leur part d'investissement dans l'équipement de la nation; n'auraient-ils pas constitué leur propre capital social, disons, leurs églises, leurs écoles, leurs universités, leurs hôpitaux, leurs routes... Est-ce que, depuis une vingtaine d'années, ils se seraient tellement désintéressés du commerce et de l'industrie ? Décidément, il faudrait compiler la liste des millionnaires canadiens-français, ou encore, prendre en considération la multitude des nouveaux riches qui peuplent les banlieues des villes de la Province. Outre qu'elle prête à l'équivoque, cette assertion soulève un problème. D'infériorité on ne parle que par rapport à un autre terme, et dans le cas du Canada français, quel est ce terme ? Va-t-on le comparer au reste du Canada, ou à ce qu'on appelle, par convention, l'univers anglo-américain ? Malheureusement, les statistiques canadiennes ne distinguent pas ce qui, dans le secteur économique, relèverait d'un univers ou de l'autre. De plus, il n'existe pas de « budget national » propre aux Canadiens français. Si pareil budget existait, c'est-à-dire, si les Canadiens français pouvaient ne pas se prévaloir des avanta-

---

* Article publié dans *L'Enseignement primaire*, avril 1956.

ges de la confédération canadienne, ou se soustraire aux inconvénients qui en résultent pour eux, la tâche serait plus facile d'évaluer leur position économique et de définir cette position par rapport au contexte anglo-américain. On ne peut donc aborder le sujet en isolant directement le Canada français de l'univers plus vaste dont il est partie, du point de vue économique. C'est pourquoi il faudra procéder d'autre façon, tout en n'abandonnant pas l'idée de comparaison, ou de position relative, indiquée par le titre de cette étude.

Simplification du problème

Mais les Canadiens français n'ont pas l'habitude de compliquer le problème. En termes beaucoup plus simples, ils disent qu'ils n'ont pas, comme groupe, le contrôle des industries clefs de la province de Québec, ou encore, que l'envahissement des capitaux étrangers, auxquels ils ne peuvent substituer les leurs propres, est en voie d'accaparer un capital productif essentiel au maintien et au progrès de leur culture. C'est avouer qu'ils constituent à l'intérieur de l'univers capitaliste nord-américain un groupe minoritaire. Telle est donc leur infériorité économique; leur participation à la richesse du pays, si considérable soit-elle, n'est pas de cette espèce qui leur permette d'exploiter à leur façon les ressources *(dont la constitution leur assure le contrôle)* ou encore, d'organiser eux-mêmes, et à l'échelle capitaliste, les industries que possède, chez eux, la finance anglo-américaine.

Envisagée, sous cet aspect, la question suggère que la situation des Canadiens français ressemble à celle de leurs concitoyens de langue anglaise, avec cette différence toutefois que les uns se demandent qui possède la richesse de la province de Québec, cependant que les autres se demandent qui possède la richesse du Canada. Les uns et les autres se mesurent d'après des termes capitalistes de comparaison; les uns et les autres ont leurs raisons respectives de s'inquiéter. Ainsi, l'on peut dire du Canada entier qu'il n'a pas la pleine possession de son capital productif, car les Etats-Unis y ont part. Essayons donc d'évaluer, en termes d'investissement, la participation américaine à l'économie canadienne tout entière.

Canadiens et Américains

A la fin de 1953, les investissements étrangers au Canada s'élevaient à 11.4 milliards, soit 15% des investissements totaux du pays. De ce montant, 80% environ était constitué de capital américain investi dans les mines, les pâtes et papier, le pétrole, l'aluminium, les industries de l'automobile et des produits chimiques. La propriété américaine au Canada augmente chaque année. Elle est aujourd'hui de l'ordre de dix milliards, et elle représente près de 10% des investissements du pays. Or, l'une des caractéristiques des investissements américains au Canada, c'est leur concentration dans les industries minières et manufacturières, c'est-à-dire, dans les industries dominantes, celles dont dépend toute une constellation d'entreprises. Le taux d'accroissement des investissements américains dans ces secteurs a été particulièrement marqué au cours des derniers quinze ou vingt ans. Alors qu'en 1939, les investissements américains représentaient 31% du capital minier, ils représentent aujourd'hui environ 55%. Les investissements américains dans les manufactures du pays de l'ordre de 35% au début de la dernière guerre sont passés à l'ordre de 40%.

Au delà de 4000 compagnies étrangères opèrent au Canada et, de ce nombre, seulement 80 comprennent des Canadiens dans leur conseil d'administration.

Le Canada français et le Canada

Avec les Canadiens français, le reste du Canada partage le sentiment de posséder au moins un capital social, d'avoir défrayé les coûts de ce capital essentiel à la vie d'un peuple, disons le capital qu'il faut pour assurer le minimum biologique, pour aller à l'école, à l'église, et pour circuler sur terre. Au-delà de ce capital, la propriété est conjointe; elle est propriété capitaliste et partie intégrante de l'univers nord-américain et, en maints secteurs, ceux du capital productif, celui des industries d'avant-garde en particulier, la possession échappe aux Canadiens. Or, l'univers nord-américain est dominé par l' « expansionnisme capitaliste ». Une brève incursion dans l'histoire économique des Etats-Unis aidera à préciser le sens de cette expression.

L'économie des Etats-Unis, depuis environ 1865 jusqu'à 1929, représente, du point de vue capitaliste, un type de développement normal: elle s'est développée régulièrement, sans chômage massif, sans dépression prolongée, sans ingérence dans l'entreprise. La richesse nationale des Etats-Unis a augmenté de façon constante, doublant en moyenne, à tous les douze ans, ($24 milliards en 1870; $460 milliards en 1929). Dans les manufactures, même taux de progression: la valeur des produits manufacturés a augmenté de façon constante aussi, doublant en moyenne, à tous les douze ans, ($3.4 milliards en 1870; 70 milliards en 1929). L'épargne annuelle qui était de $2 milliards en 1909, s'élevait à $13 milliards en 1939, doublant, en moyenne, à tous les six ans.

Cette accumulation de capital était exigée principalement par l'expansion agricole, et par l'exploitation extensive des ressources forestières et minières.

La hausse continue des niveaux de vie, la demande constante d'emploi, ont exercé sur le Canada une attraction qui explique, en partie du moins, l'émigration canadienne aux Etats-Unis. Par ailleurs, le territoire

canadien devait exercer sur le capital américain une attraction effective, d'autant plus que certaines industries étaient à la recherche des matières premières, l'industrie du papier, par exemple. Avec Théodore Roo-
sevelt s'élaborait une politique économique de conservation qui incitait
les industriels à se tourner vers le Canada. Les diverses politiques provinciales d'embargo sur le bois canadien d'une part, la politique tarifaire des
Etats-Unis, d'autre part, ont favorisé la migration des techniques et des
capitaux vers le nord. On peut difficilement exagérer l'importance de
l'industrie du papier dans la transformation industrielle du Québec.

Telle semble être, du point de vue capitaliste, la position des Canadiens français. C'est une position comparable à celle de tous les Canadiens, par rapport à l'économie américaine qui domine l'univers capitaliste nord-américain. Les Canadiens, en général, reconnaissent qu'ils n'ont
pas l'entière possession du capital productif du pays; et ceux qui tiennent compte des circonstances historiques de l'accumulation de ce capital trouvent cette position normale. Mais que penser de la position des
Canadiens français par rapport à celle de leurs concitoyens anglophones ?

C'est, du point de vue nationaliste, une position d'infériorité. Il faut,
pour l'interpréter, décrire les circonstances historiques de la formation
du capital dans la société canadienne-française.

L'accumulation du capital

Les Canadiens français ont vécu en marge des grands courants économiques jusqu'au début du XXe siècle, c'est-à-dire, jusqu'à l'époque où
l'industrialisme américain commença à pénétrer dans la Province de Québec. Dès son origine, la société canadienne-française n'avait pas favorisé
le développement de la mentalité capitaliste, qui se manifeste communément par l'esprit d'entreprise et le goût du risque. L'influence des classes
et des institutions dominantes y avait orienté les épargnes vers des usages
non capitalistes. De ce point de vue, on peut dire que le régime de la
Nouvelle-France a engendré un type d'économie languissante qui s'est
maintenu jusqu'au XXe siècle. Sa mentalité a survécu à la conquête; elle
inspire tout le comportement économique des Canadiens français au XIXe
siècle. Elle est là, non pas à cause de la conquête, mais malgré la conquête.

Dans une économie languissante, l'accumulation du « capital productif » n'existe pas, non plus que le désir d'une telle accumulation chez
les épargnants. Dans le cas du Canada français, cette mentalité a dominé
jusqu'à l'époque où l'industrialisme américain, supporté par les grandes
corporations financières, est venu modifier les structures sociales. Sous
le choc de l'envahissement, les Canadiens français de la Province de Québec ont pris conscience de leur richesse virtuelle. Mais cette richesse, seule
la technologie nouvelle, associée au capital étranger, pouvait la révéler à

leurs yeux. Les Canadiens français n'étaient pas préparés, ni financièrement, ni techniquement, à pénétrer dans le secteur de la grande industrie.

Alphonse Desjardins, le fondateur des caisses populaires, a révélé à ses concitoyens quelques aspects de la société canadienne-française de son époque. Dans une telle société où n'existe aucune demande d'investissement normalement rentable, l'épargne s'assimile à la « thésaurisation »; elle s'oriente vers la possession de l'argent liquide. Seul un taux d'intérêt élevé peut inciter l'épargnant à se désister de cette liquidité; et ce taux d'intérêt est souvent fixé arbitrairement par le prêteur qui se porte au secours d'individus en mauvaise posture. L'usure que Desjardins a considérée comme la plaie économique du Canada français au XIXe siècle, en l'interprétant surtout comme une manifestation d'immoralité, était en réalité la manifestation d'un désordre ou d'un manque d'organisation économique. Il peut être important de déceler les usuriers et de les mettre au ban de l'opinion publique, mais plus important encore de comprendre les conditions à la faveur desquelles ils exercent leur métier. Comme condition fondamentale, on peut concevoir l'organisation sociale même du Canada français, qui provoquait une forte tendance à thésauriser et une faible tendance à investir. Cette double tendance, on la trouve chez les épargnants de la Nouvelle-France.

Qu'est-ce que cette « muraille de Chine » dont se plaignait Errol Bouchette encore au XXe siècle: un Canada français qui « s'étiole », écrivait-il, comme dans une « muraille de Chine » ? L'économiste anglais, J. S. Mill, aurait-il inspiré à Bouchette cette analogie ? Dans la Chine du XIXe siècle, selon Mill, le gouvernement avait fixé un taux légal d'intérêt à 12%, mais en pratique le taux variait entre 20 et 30%.

Le type d'investissement caractéristique

Dans sa muraille, le Canada français s'est conservé, il s'est même développé, durant tout le XIXe siècle; ce qui exigeait un investissement continu sous forme de capital fixe. Mais il s'agissait avant tout d'un capital constitué par l'épargne communautaire, prélevé ou canalisé par les institutions dominantes. On a construit des temples religieux, des collèges, des monastères, féminins et masculins, des hôpitaux; on a ouvert des routes, colonisé des terres, fondé des paroisses; bref, on a fortifié le terroir et l'église. C'était là une espèce d'investissement nécessaire sans doute, mais aussi bien caractéristique d'un type social. La conception qu'un groupe social se fait de la sécurité économique d'un investissement étant liée à sa mentalité, cette espèce d'investissement gagnait la confiance populaire. Les épargnants ont, graduellement, abandonné leur pratique de thésaurisation dans le bas de laine; ils ont prêté aux fabriques et aux communautés religieuses, ils ont acheté des « valeurs » de tout repos. Ainsi s'est développée une mentalité de conservation ou, pour employer le mot de Balzac, la mentalité du cinq pour cent consolidé.

Une économie de survivance

L'économie du Canada français s'est édifiée à l'intérieur de la « muraille de Chine »... Elle a postulé à son principe une vocation agricole et une mission religieuse; elle a, jusqu'à la fin du siècle dernier du moins, orienté les épargnes de la communauté en fonction de ces deux piliers que furent le terroir et l'Eglise. Avec un taux de natalité relativement élevé, elle a dû réaliser un fort montant d'épargne pour suffire aux seuls investissements démographiques. La communauté pouvait facilement consentir à de tels investissements, elle n'avait qu'à obéir à son instinct de survivance. Mais il lui aurait fallu une autre mentalité pour s'aventurer dans le champ des investissements économiques.

Investissements démographiques, investissements économiques, telle est la distinction qui pourrait servir de fondement à une théorie économique de la survivance.

La distinction appelle une explication. Par investissements démographiques, il faut entendre cette proportion du revenu de la nation qu'il faut soustraire au revenu courant pour acheter l'outillage devenu nécessaire à la nation par suite d'un accroissement de la population, si l'on veut conserver à cette nation le même niveau de vie. En d'autres termes, les investissements démographiques connotent un objectif de survivance. Les investissements économiques représentent un objectif supplémentaire; ils s'ajoutent aux investissements démographiques pour assurer à la nation un relèvement du niveau de vie. Si un groupe national ne pourvoit qu'aux investissements démographiques, cependant qu'un groupe voisin s'engage dans la voie de l'expansion capitaliste, les deux groupes peuvent apparaître comme inférieur (et supérieur,) l'un par rapport à l'autre; et dans pareille conjoncture, il peut arriver que le groupe le plus économiquement évolué agisse comme un siphon, en provoquant chez l'autre une migration. Dans une économie de survivance établie sur les prémisses de la langue et de la religion, il y aurait place pour un chapitre sur l'émigration, en supposant l'une ou l'autre des deux situations suivantes: ou les investissements du groupe communautaire ne suffisent pas à répondre au taux d'accroissement de population; ou certains individus et familles renoncent à la vocation de paysan ou de missionnaire, préférant les avantages d'un niveau supérieur de vie que leur offre une communauté voisine. Cette dernière situation entraînerait une émigration, non seulement de personnes, mais aussi de capitaux. L'histoire du Canada français au XIXe siècle porte à croire que les investissements appelés démographiques, à certaines périodes, furent même inférieurs à l'objectif de survivance. Cette infériorité a pu être voilée par l'existence ignorée ou non, d'un surpeuplement rural (chômage dissimulé). Le sous-emploi serait à l'origine de cette émigration que la plupart des curés, à l'occasion d'enquêtes menées sur le sujet, ont interprétée comme une simple manifestation de perversion, ou comme un refus de la vocation rurale.

De façon générale, les investissements du Canada français, au XIXe siècle, ont contribué à diminuer le surpeuplement économique par agrandissement des cadres du terroir, mais jusqu'à la limite seulement où s'offraient, encore, de bonnes terres. Les investissements du type Labelle-Mercier sont, d'intention, purement démographiques. Ont-ils suffi ? Reste à savoir si c'était, pour l'époque, la bonne sorte d'investissement. Ils ont agrandi l'espace national, à travers les buttes de sable et les cailloux.

On peut croire que le volume d'épargne réalisé à cette période aurait pu suffire; c'est-à-dire qu'il aurait empêché ou enrayé l'émigration s'il avait été dirigé vers des investissements moins idéologiques; car, il est possible que certains investissements soient à la fois idéologiquement très bons et économiquement très mal avisés. Du point de vue nationaliste, il faut bien admettre que cette coûteuse politique du terroir a porté des résultats efficaces. Est-ce qu'elle n'aurait pas, en tant qu'inspirée par des motifs idéologiques, renforcé la « muraille de Chine » ?

La seigneurie canadienne-française n'a jamais été une pépinière d'entrepreneurs; elle n'a jamais inspiré le goût du risque. Elle a pu jouer la fonction de muraille protectrice; mais on ne saurait la considérer comme une condition de vigueur économique.

Tout compte fait, l'épargne du Canada français, disons celle du XIXe siècle, a été utilisée à des fins de survivance, aux fins idéologiques de la survivance même; elle a pris la forme d'un investissement démographique, au sens strict du terme. Elle n'a jamais atteint au niveau de l'investissement capitaliste.

L'épargne, remède au malaise ?

On a l'habitude de stimuler l'épargne à cause de sa valeur éducative, étant donné qu'elle exige certaines vertus morales. C'est parler de l'esprit, non de la chose. Or, il ne faudrait pas confondre l'« esprit d'épargne », tel qu'on l'entend communément, avec l'« épargne » entendue comme fonction économique. Dans ce dernier sens, l'épargne n'est ni bonne ni mauvaise, ou plutôt, elle peut être tantôt bonne, tantôt mauvaise, selon les circonstances. L'épargne affectée à la formation ou à l'accumulation du capital représente une contribution au revenu national; mais les dépenses de consommation, à un moment donné, peuvent affecter de façon aussi utile le revenu national. C'est selon la conjoncture. Il faut donc placer l'épargne dans le mécanisme du revenu national, hypothétique, car il n'existe pas, encore une fois, de revenu national spécifique aux Canadiens français. Envisagée de ce point de vue, l'épargne pose un problème: en supposant qu'elle s'accroît considérablement dans le Québec, et c'est ce qui s'est produit au cours du XXe siècle comme conséquence des « investissements étrangers », est-il sûr que l'influence économique des Canadiens français y serait améliorée ? Non, s'il manquait encore au Canada français l'esprit d'entreprise pour ouvrir des champs d'investissement et l'organisation financière pour y canaliser l'épargne effective. Il apparaît donc que c'est l'esprit d'investissement, et non l'esprit d'épargne qui manque le plus.

L'épargne n'est donc pas une fin; elle n'est qu'un moyen grâce auquel on peut réaliser des investissements; et ceux-ci ne sont que des moyens grâce auxquels on peut maintenir ou accroître le revenu de la nation. Tant valent les investissements, tant vaut l'épargne.

On peut supposer chez les Canadiens français d'aujourd'hui un niveau élevé d'épargne, car les étrangers, grâce aux investissements massifs qu'ils y ont faits depuis une cinquantaine d'années, ont rendu possible une hausse de revenu et y ont accru par conséquent les possibilités d'épargne. Mais ce qui est plus important, sans doute, en regard de la présente question, c'est que les mêmes étrangers, en outre de constituer des « valeurs » nouvelles à vendre aux institutions d'épargne, en d'autres termes, de créer des débouchés à l'épargne, y ont organisé cet ensemble complexe de procédés grâce auxquels les épargnes individuelles ou collectives sont converties en créances, i.e. « investies ». Ils y ont organisé la mise en marché, ils ont pris la direction du circuit des épargnes et des investissements.

L'aliénation de l'épargne

Du point de vue nationaliste, on peut dire qu'il y a aliénation de l'épargne canadienne-française chaque fois que la partie du revenu soustraite à la consommation courante, personnelle ou communautaire (épargne de la nation) est engagée dans des voies qui la soustraient au contrôle de l'épargnant ou la destinent à des usages étrangers, c'est-à-dire non conformes aux intérêts de l'épargnant. Examinons brièvement ce processus d'aliénation.

La majeure partie de l'épargne prend, de nos jours, la forme « institutionnelle »: on épargne sous forme de primes d'assurances, de versements à des fonds de pension, de dépôts à des banques populaires ou commerciales, d'annuités de divers types, etc... Une partie de l'épargne est confiée à des compagnies de placement ou à des entreprises de fiducie, une autre est investie directement par les individus, sous forme d'actions ou d'obligations, en immeubles et en propriétés foncières.

En général, l'épargne est transférée de l'épargnant à l'investisseur par l'intermédiaire de grandes corporations financières; ce qui entraîne le « sacrifice du principe de gestion » de l'épargne par l'épargnant même et une accumulation croissante de capitaux aux mains d'un groupe de dirigeants sur le marché financier. Les réserves légales de ces corporations financières sont fixées conformément aux règles d'une saine comptabilité; ce qui y reste de disponible est investi conformément à la norme de gestion capitaliste, c'est-à-dire de façon à réaliser un maximum de profit compatible avec un minimum de sécurité. Ainsi, une bonne partie de l'épargne accumulée dans ces corporations est investie par l'intermédiaire du marché public: on achète des dettes à long terme; valeurs de chemins de fer ou d'utilité publique, hypothèques sur immeubles, sites urbains; ou encore, on achète des actions ordinaires de divers types. Telle est donc la gestion capitaliste. Efficace, mais impersonnelle, anonyme, attentive aux règles du jeu et, naturellement, tendue vers le profit, elle oublie, même si elle est dirigée par des catholiques et des Canadiens français, que certaines épargnes ont des origines nobles et qu'elles doivent servir d'abord à ceux qui les ont réalisées. Les épargnants non canadiens-français, consentiraient, eux, à confier leurs épargnes au jeu anonyme, mais efficace, du capitalisme, car, en tant que protestants ils n'auraient rien à risquer. Voilà qui est introduire une distinction tout à fait étrangère à la bonne gestion capitaliste. Or, la thèse nationaliste de reconquête économique par les Canadiens français repose fondamentalement sur cette distinction. Aux Canadiens français, l'épargne canadienne-française; et à l'épargne canadienne-française, une gestion nationaliste.

Est-il vraiment applicable ce principe de gestion nationaliste ? Applicable à une portion restreinte de l'épargne du Canada français, et à l'intérieur même des mécanismes capitalistes ? Oui, sans doute. Applicable à la totalité de l'épargne du Canada français, non; car, de façon générale, l'épargne dépend de ses débouchés. La gestion de l'épargne se trouve ainsi conditionnée par tout le réseau capitaliste. C'est pourquoi on ne voudrait pas d'une gestion qui constituerait prisonnière des cadres nationalistes l'épargne du Canada français. La gestion nationaliste pourrait-elle assurer à l'épargne des débouchés à la fois nationalistes et rentables; ou devrait-elle, comme les autres types de gestion, compter avec l' « entrepreneur » ?

Que faire ?

Le Canada français se situe dans un contexte capitaliste auquel il ne pourrait se soustraire économiquement sans préjudice à son bien-être. Ou bien, il acceptera de compter avec le capitalisme anglo-américain et il abandonnera certains postulats nationalistes, ou bien, il maintiendra ses postulats nationalistes et il refusera de compter avec le capitalisme anglo-américain. Il se peut que la thèse nationaliste de reconquête économique repose sur une connaissance insuffisante des mécanismes capitalistes, ou sur une confusion de l'économie du XXe siècle, avec celle du XIXe. Dans le contexte capitaliste du XXe siècle, l'aliénation de l'épargne canadienne-française apparaît comme un événement normal. Elle est acceptable, dans la mesure où l'épargne ne trouve pas au Canada français des débouchés suffisants, pour des fins canadiennes-françaises. Elle peut être déplorable, dans la mesure où certaines entreprises, en tant que canadiennes-françaises, ne trouvent pas de capital. Et s'il y a place pour une action nationaliste à l'intérieur des mécanismes capitalistes, c'est ici qu'elle se situe. S'agit-il d'un organisme d'investissement, ou d'une banque de prêts, au service du Canada français ? Rien de plus légitime. Le projet mérite la sympathie du Canada français, nationaliste ou non. Mais peut-être serait-il hasardeux d'en confier la réalisation aux économistes de la chaire nationaliste ? Il faudrait, en tous cas, leur adjoindre des hommes d'affaires qui connaissent d'expérience et les mécanismes capitalistes et les mécanismes mentaux du Canada français nationaliste. Peut-être pourrait-on associer à ces hommes d'affaires, « canadiens-français d'origine », certains autres, que l'on peut considérer aujourd'hui comme « canadiens-français d'affiliation » ? Les uns et les autres n'ont-ils pas accepté le défi du milieu nord-américain (anglo-américain et canadien-français), n'ont-ils pas compris l'enjeu ? Dans une grande mesure, cette mentalité d'hommes d'affaires, qui exprime une aptitude à l'adaptation dynamique et à la collaboration avec le prochain, a pu valoir au Canada français l'accession à un niveau de vie, matérielle et intellectuelle, comparable à celui du milieu anglo-américain. Or, en supposant qu'un organisme d'investissement au service des Canadiens français soit constitué, on peut se demander quelle mentalité en animera la direction. Et si cette mentalité devait être d'espèce nationaliste, la direction pourrait trouver rares les « entrepreneurs » de son choix, capables de concilier les exigences du nationalisme avec les règles du jeu capitaliste. N'y aurait-il pas danger, surtout au niveau de la grande entreprise, qu'on substitue aux postulats nationalistes les critères du choix capitaliste ?

5

La coopération agricole
dans la province de Québec *

Le mouvement coopératif agricole dans la province de Québec, tel que nous le connaissons aujourd'hui, n'est pas né du hasard et il n'a pas été non plus l'effet d'une génération spontanée; il est plutôt la résultante de l'évolution des différentes formes d'associations qu'ont connues nos cultivateurs, formes d'associations influencées par une foule de facteurs au nombre desquels il convient de mentionner le milieu, le besoin, l'héritage social et les réalisations coopératives à l'étranger.

Premières manifestations associationnistes

Les premières manifestations de l'association professionnelle agricole remontent à 1789, à une époque où l'élément rural comprenait près de 80% de toute la population du Bas-Canada. Elle apparut sous le patronage de Lord Dorchester. Il s'agissait de la Société d'Agriculture du Canada groupant certains « lettrés » de l'époque qu'intéressait l'apostolat agricole par la culture modèle et scientifique. Il semble qu'il faille en rattacher l'origine lointaine au plan d'éducation populaire réalisé dans les premières écoles d'agriculture: l'école de Saint-Joachim et l'école de Charlesbourg, par exemple. De fait, l'association professionnelle devait

* Extrait de *Histoire de la Coopération,* dans *Cours par correspondance: Coopératives agricoles,* Livret n. 1, Publication du Service Extérieur d'Education Sociale de l'Université Laval, 1947.

naître sous l'influence immédiate d'un élément écossais progressif qui aurait fondé, la même année, une société agricole sous la direction de John Young [1].

À cette même époque s'organisaient les premières mutuelles d'assurances (1835). La Beauharnois Mutual Fire Insurance s'établit en 1852 et fut suivie d'une floraison d'organismes semblables, dans les régions de Bagot et de Chambly en particulier.

Influences proprement québécoises

A) *Le Gouvernement*

En 1847, le parlement adoptait la première loi autorisant la formation de sociétés d'agriculture. Le gouvernement leur donnait son appui financier en s'engageant à tripler les sommes souscrites par leurs membres, en leur accordant des prix d'exposition et quelques autres encouragements de nature à favoriser l'amélioration technique de la culture. On retrouve, en substance, la même loi dans les Statuts Refondus de la Province de Québec, 1941, c. 117; Loi des Sociétés d'Agriculture.

L'idée d'association faisait son chemin et, en 1870, s'organisaient les cercles agricoles qui firent l'objet d'une législation spéciale en 1893. Cette législation plaçait les cercles sous la tutelle du gouvernement et détruisait le caractère professionnel de l'Union Agricole Nationale qui les groupait. La Loi des Cercles agricoles existe encore, substantiellement même: S.R.Q., 1941, c. 118.

Le gouvernement vote dans la suite quelques mesures d'importance dans l'histoire agricole du Québec: la Loi de la Société d'Industrie laitière de Québec, la Loi des Sociétés de beurre et de fromage [2].

On peut dire que ces innovations marquent le début d'une ère dont le présent n'est que le développement naturel. Pouvait-on tellement compter sur l'association volontaire comme facteur de rénovation agricole ? Pouvait-on laisser à elle-même une classe qui n'avait alors pour ressource de *self-help* que de la routine, de la pauvreté et de l'ignorance ? C'eût été une politique en cercle vicieux.

Notons que, dans cette dernière partie du XIXe siècle, s'accusa une certaine tendance à l'organisation coopérative, bien qu'on fût encore dans l'ignorance théorique de la coopération rochdalienne. Quelques localités — en raison de certaines habitudes d'entraide sociale, dans les cadres paroissiaux — réalisaient quand même des organisations analo-

---

1. J. C. Chapais, *Les Ecoles d'Agriculture dans Québec,* dans *La Revue Canadienne,* 1916.
2. J. A. Ruddick, *The Development of the Dairy Industry in Canada* in *The Dairy Industry in Canada,* H. A. Innis ed., Toronto 1937, Part II.

gues au type rochdalien, sinon de structure, du moins d'inspiration. On peut citer l'exemple des mutuelles-incendie et de certains types de beurrerie [3].

B) *La famille et la paroisse*

Il convient de souligner ici que deux organisations fondamentales du Canada français, la famille et la paroisse, ont favorisé le développement de cette discipline économique de type coopératif. La famille a toujours été à la base de notre exploitation agricole et il faut la présenter comme la cellule primaire de la paroisse. Comme l'a noté Léon Gérin, on a taillé le domaine rural à la mesure des besoins des familles, puis on a groupé les familles dans la paroisse qui devait, par sa constitution et son esprit, développer un foyer de coopération. En maints endroits, la paroisse sert encore de cadre économique aux institutions coopératives.

L'on sait quelle collaboration la tenure seigneuriale imposait aux familles. Ces dernières, après l'abolition de ce système dans le Québec, en 1854, groupées autour d'une même église, se donnèrent une municipalité qui tâchait de maintenir au minimum les exigences du fisc en n'incorporant pas les chemins. Chacun prenait à charge sa « part de route » contiguë à sa terre, qu'il négligeait de réparer ou qu'il réparait et entretenait avec l'aide des « intéressés », en corvée.

C) *La corvée*

Le fait social et économique de la corvée constitue plutôt un phénomène du XIXe siècle, bien qu'il se présente encore dans le rang, entre voisins, pour fins de « levée » de grange, de creusage d'aqueduc, de battage, de sciage, et infailliblement lorsqu'un sinistre détruit les immeubles d'un habitant.

D) *Les mutuelles et les caisses populaires*

La fréquence des sinistres fit songer toutefois à la nécessité de répartir sur le grand nombre le risque du petit nombre, au moyen de « billets de dépôt », une méthode pratiquée en France depuis longtemps. La mutuelle-incendie de municipalité et de comté (et de paroisse au début) devait naître, comme bien d'autres groupements coopératifs, fille du besoin d'un milieu. Quant à son mode d'organisation, il porte la marque d'une habitude transmise avec l'héritage social, l'habitude de coopérer.

Déjà, dans la dernière décennie du XIXe siècle, sous l'influence du milieu, de l'héritage social et du besoin, un mode de coopération se dessinait au sein des activités paroissiales. C'était l'origine des sociétés coo-

---

3. *L'agriculture, Etudes de notre Milieu,* E. Minville, éd., Montréal 1943, ch. XI, XII, XIII, XIV.

pératives. La paroisse, la municipalité, le comité se donnaient une mutuelle-incendie, le « canton » continuait de transporter en coopération son lait à la fromagerie ou son grain au moulin, et parfois la paroisse organisait son syndicat coopératif de beurrerie ou de fromagerie.

A la fin du siècle, la solidarité familiale du rang et de la paroisse facilite le diagnostic d'un malaise courant: l'exode des familles aux Etats-Unis pour y chercher de l'emploi dans les manufactures, la plupart du temps sous l'aiguillon des dettes. La politique abusive des prêteurs d'argent aggravait réellement cette situation. Un homme apparut, décidé de résoudre le problème par la coopération libre et volontaire dans les cadres de la paroisse, entre familles de même paroisse, au moyen d'une organisation scientifique et juridique, la Caisse populaire [4].

Le XXe siècle s'ouvre sous le signe de la coopération et, avec lui, c'est presque toute l'histoire de la coopération canadienne qui commence.

Les influences étrangères

Les observations précédentes nous aident à comprendre l'atmosphère semi-coopérative dans laquelle le mouvement sociétaire agricole du Québec allait s'édifier.

Il existait au début du siècle une trentaine de mutuelles et quelques beurreries coopératives. Une Caisse populaire existait à Lévis, fondée en 1900. Et surtout, existait un gouvernement.

L'abbé Allaire apparaît le premier dans les annales de la coopération agricole dans la province. Il était curé d'Adamsville, Shefford, où il mit sur pied la première société coopérative en 1903. Comment, de simple curé, s'était-il mué en ouvrier de la coopération ? Avait-il subi l'influence de Sainte-Anne-de-la-Pocatière, et indirectement l'influence de l'Europe ? Avait-il vécu dans la zone d'influence de l'abbé Pilote, le fondateur de l'Ecole d'Agriculture de Sainte-Anne-de-la-Pocatière, qui avait étudié les organisations agraires et professionnelles de la France [5] ?

Quoi qu'il en fût, il est permis de réduire à deux courants d'influence la pensée coopérative dans l'agriculture de la province de Québec: l'influence de la France et l'influence de la Belgique. En effet, en France et en Belgique la coopération a été précédée d'une représentation professionnelle de l'agriculture dans des sociétés analogues à celles qu'on a retrouvées dans le Québec: sociétés d'agriculture, cercles agricoles, etc. En outre, l'intervention administrative, les efforts personnels, les ambitions,

---

4. Alphonse Desjardins, *La Caisse Populaire*, I-II, Brochures de l'Ecole Sociale Populaire, Montréal 1912.
5. J.-A.-B. Allaire, *Nos Premiers pas en Coopération*, Saint-Hyacinthe 1916.

la résistance passive, l'attrait d'un idéal social et surtout la nécessité économique, furent là comme ailleurs des facteurs sous-jacents à la levée coopérative [6].

A) *Influences françaises*

Les coopérateurs français ont mis en exergue leur idéal d'éducation sociale en organisant un enseignement ménager, en s'occupant d'habitation rurale et d'hygiène. Les courants du socialisme agraire, d'inspiration marxiste, ne minèrent point la structure coopérative des associations agricoles, au contraire. Comme le notait un auteur français: « Quand on considère l'action du parti socialiste, en tant que parti politique, le socialisme agraire apparaît comme l'exploitation d'une situation économique confuse ». Aussi bien l'action du parti socialiste dut-elle donner de l'« atout politique » aux propagandistes du syndicalisme, qui présentaient leurs syndicats comme la meilleure ligne de défense contre les « méchants ».

Il faut voir en outre comment certaines tendances du mouvement socialiste français à embrigader des coopératives dans ses cadres a pu susciter chez ces coopératives des réactions de type confessionnel.

B) *Influences belges*

La première vague coopérative du Québec a reflété cet arrière-plan européen et il faut voir là une explication au problème de la confessionnalité des coopératives tel qu'il est posé chez nous. Plus atténuée, et parfois imperceptible, dans le mouvement de l'abbé Allaire, l'idée de confessionnalité s'accentua dans l'organisation du Comptoir coopératif, à Montréal, en 1913. Mais il faut voir comme le Comptoir coopératif constituait une imitation assez primitive de la Ligue des Paysans de Belgique. Ce qui était justifiable en Belgique ne l'était guère dans la province de Québec. On avait raison, en Belgique, d'organiser la Ligue des Paysans sur une base confessionnelle, dans la mesure où on voulait l'opposer au courant marxiste. En Belgique, en effet, la démocratie socialiste avait devancé la coopération et avait préparé les cadres à tout un mouvement coopératif de consommation d'esprit marxiste, neutre, et d'une neutralité que les catholiques refusèrent d'admettre. Contre quoi, ils fondèrent une organisation coopérative de confessionnalité religieuse et catholique: la Ligue des Paysans — ou *Bœrenbond,* selon la dénomination flamande.

On a dit que le Comptoir coopératif était un essai de fédération. Mais on n'a peut-être pas considéré suffisamment que la Ligue belge qui l'inspirait ne fut pas la résultante d'une fédération d'œuvres éparses,

---

6. P. H. Vallerous, *La Coopération,* Paris 1904; Louis Bertrand, *Histoire de la Coopération en Belgique,* Louvain 1902; C. R. Fay, *Co-operation at Home and Abroad,* II, London 1939.

comme on aurait pu le croire de prime abord: elle fut essentiellement une initiative, un centre d'organisation, se donnant pour champ d'action principal le pays flamand entier, le Brabant, le Wallon, les Cantons d'Eupen, de Malmédy, de St-Vith, bien que certaines de ses associations — assurance, crédit — s'étendirent à toute la Belgique, grâce au concours des autres fédérations agricoles.

Lorsque l'abbé Allaire fit son séjour en Belgique, la Ligue des Paysans groupait environ 50,000 membres recrutés pour la plupart parmi les petits et moyens paysans. Elle publiait l'hebdomadaire *Le Paysan*. L'organisation de sa centrale comprenait un « secrétariat » dont l'activité s'exerçait surtout en matière intellectuelle et sociale (une espèce d'autorité morale), des « sections centrales » chargées respectivement des divers aspects du problème matériel, ayant chacune leur conseil d'administration et leur comptabilité. Au sommet siégeait un conseil supérieur des délégués de syndicats locaux.

Les éléments coopératifs du Québec au début du siècle

Au début du siècle, disons plus précisément de 1900 à 1915, quatre facteurs influençaient le Québec agricole et l'acheminaient vers la solution coopérative de ses problèmes:

a) Les associations professionnelles (agricoles);
b) Le groupe de l'abbé Allaire;
c) Le groupe du Père Bellemare (Comptoir Coopératif);
d) L'action administrative du Gouvernement qui les imprégnait tous, mais qui travaillait surtout de concert avec les groupements de nature professionnelle, tels les cercles agricoles, les sociétés d'agriculture à qui l'on doit le statut coopératif de 1908 (la Loi des sociétés coopératives agricoles).

Les activités coopératives de ces groupements reflètent une diversité de besoins et de milieux. En ce qui concerne les centrales, on peut difficilement exagérer la part d'un gouvernement qui collabora avec elles jusqu'à s'y identifier et qui les embrassa jusqu'à les étrangler.

Les centrales en question furent:

La Coopérative Agricole des Fromagers de Québec;
Le Comptoir coopératif de Montréal;
La Coopérative centrale des Producteurs de Semences;
La Confédération des Coopératives agricoles.

Pour comprendre la naissance de la première des centrales, La Coopérative agricole des Fromagers de Québec, en 1910, il est nécessaire de référer aux caractéristiques générales de l'agriculture du Québec et à l'influence de J.-C. Chapais, E.-A. Barnard, dans la Chambre d'agriculture, sous le régime de Chapleau, touchant l'orientation de l'agriculture vers l'industrie laitière comme principe de rénovation agricole. De même, pour comprendre la fondation de la deuxième centrale, Le Comptoir agricole de Montréal, faut-il referer aux caractéristiques de l'agriculture française et belge dont il fut question, à savoir, le prolongement de l'activité professionnelle en organisation de comptoir d'achat en France d'une part, et l'action de la Centrale en matière d'action sociale catholique d'autre part, comme en Belgique avec la Ligue des Paysans. Il en fut un peu de même de la Société centrale des Producteurs de semences, quoique celle-ci émanât plus directement des sollicitudes du gouvernement et qu'elle vécût sous sa tutelle, comme un « prématuré » sous l'incubateur [7].

Quant au travail de l'abbé Allaire, il semble qu'il ait engendré un type orthodoxe et viable de coopération et qu'on puisse situer ce type de coopération au principe de la tradition coopérative actuelle, à savoir, la locale édifiée le plus souvent dans les limites de la paroisse et consolidée dans une confédération, et en dehors de toute obsession confessionnelle. La Confédération des Coopératives agricoles, fondée en 1914, fut l'œuvre de l'abbé Allaire. D'où l'on peut croire qu'il fut l'inventeur d'un type coopératif dont les générations subséquentes devaient éprouver l'efficacité.

Les Centrales agricoles [8]

A) *La Coopérative agricole des Fromagers de Québec*

La formation de la Coopérative agricole des Fromagers de Québec marque, pour ainsi dire, la deuxième étape dans l'organisation de l'industrie laitière de Québec, la formation de la Société d'Industrie laitière, en 1882, ayant marqué la première étape. Mais la Société d'Industrie laitière n'a pas surgi de génération spontanée. Outre qu'elle ait été l'œuvre immédiate de la Chambre d'agriculture, elle fut préparée par une tradition de fromagers dont le nombre présentait une certaine importance à l'époque de la fondation de ladite société.

Chez les Canadiens français, la première fromagerie aurait été organisées à Rougemont, comté de Rouville, par les frères Frégeau. L'organisation d'une fromagerie-crémerie à Saint-Denis-de-Kamouraska par J.-C. Chapais et D. Rossignol, remontait à 1881. Il aurait existé une cinquantaine de fabriques dans Huntingdon durant les deux dernières décennies du XIXe siècle; et cette région, ainsi que Châteauguay et Beauharnois, serait devenue un centre de production de fromage. Durant le dernier quart de siècle, des fromageries s'organisèrent dans la région de Chicoutimi, Lac-Saint-Jean, Saint-Alexis, Laterrière, Hébertville, Saint-Jérôme.

---

7. Anatole Vanier, *Le Comptoir Coopératif*, Brochure de l'Ecole Sociale Populaire, Montréal 1916; L. C. Farley. *Le Comptoir Coopératif*, Brochure de l'Ecole Sociale Populaire, Montréal 1920.

8. *Rapport du Premier Congrès des Coopérations*, Oka 1916; J.-A.-B. Allaire, *Nos premiers pas en Coopération*, Saint-Hyacinthe 1916.

Le début du XXe siècle vit surgir une floraison de petites fabriques dans les comtés du sud de Québec. Mais toute leur production, comme celle des autres, restait sans organisation et sans classification, sans faveur sur le marché. Ce malaise suscita un congrès de la Société d'Industrie laitière, qu'on tint à Rigaud en 1910. On y discuta les problèmes d'amélioration des produits laitiers, la classification en particulier. Et pour fin de vente en commun, par la méthode d'enchères publiques, on jeta les bases de ladite Coopérative des Fromagers, dont la date de fondation fut le 21 avril 1911, et qu'on incorpora sous la Loi des sociétés agricoles. Auguste Trudel, le principal promoteur, fut nommé gérant et prit charge de la direction des enchères.

La classification des produits eut pour résultat d'améliorer la technique de la production et la qualité des produits. Le marché extérieur s'ouvrit aux produits québécois et l'infériorité des produits du Québec vis-à-vis ceux de l'Ontario, et avec elle ces différences de prix d'un quart, d'un demi et parfois d'un cent par livre, disparurent graduellement.

Un tel succès suscita une organisation analogue pour la vente des autres produits; en 1914, on organisa le commerce des œufs, en 1918, la vente du bétail, et de là presque tous les autres produits. La société fit acquisition d'abattoirs à Saint-Vallier-de-Bellechasse et à Princeville. Mais ses transactions dans le domaine du lait n'en demeurèrent pas moins importantes. En 1917, la société comptait 4,000 membres dont 400 ou 500 étaient des fromagers ou beurriers. L'état financier de la société au 31 décembre 1921 nous révèle:

Un capital versé	$ 146,859.88
Une réserve	139,835.43
Un chiffre d'affaires	7,274,311.69

En 1920, la société changea sa raison sociale et devint La Coopérative centrale des Agriculteurs de Québec, un titre plus conforme à la diversité de ses transactions. Elle fit la demande d'autorisation de capital à un million, affecta 10% de ses surplus nets à la réserve, et 10% aux « dividendes ».

En 1922, elle fut amalgamée sous la tutelle du gouvernement avec ses deux sœurs, et sous la raison sociale de Coopérative Fédérée de Québec.

Il est assez difficile d'évaluer le caractère coopératif de la Coopérative centrale des Agriculteurs de Québec. Mais si l'on tient compte du caractère semi-coopératif des unités qui la composaient, semi-coopératif parce que de contrôle démocratique, et si l'on tient compte aussi que la société publiait un bulletin mensuel destiné à ses membres: *Le Bulletin de la Société coopérative agricole des Fromagers de Québec,* plus tard dénommé *Le Bulletin de la Ferme,* il est permis de croire que le lien coopératif ne restait pas étranger à l'idéal et à l'objectif de la société. Mais à mesure que celle-ci s'engageait dans les transactions multiples et que le nombre des membres individuels allait croissant et que l'ingérance politique s'accusait davantage, il devenait pour elle difficile de garder son caractère démocratique.

A tout prendre, on peut considérer La Coopérative centrale des Agriculteurs de Québec comme une réalisation du gouvernement, à base syndicale et comme une extension commerciale des syndicats de beurrerie, des cercles agricoles et des sociétés d'agriculture, avec toutes les ingérences politiques auxquelles s'exposent ces types sociétaires. Et l'on ne peut pas réellement conclure qu'elle se fût inspirée des méthodes de ses sociétés membres. Lorsqu'elle fut incorporée à la Fédérée en 1922, elle comptait au-delà de 80 affiliées et environ 8,000 membres.

B) *La Société coopérative des Producteurs de semences de Sainte-Rosalie*

La Coopérative centrale des Agriculteurs dont nous venons de parler fut une coopérative de vente. Elle débuta dans la vente des produits laitiers et étendit graduellement ses transactions aux autres produits. Mais il restait un produit d'importance fondamentale que les services de la Coopérative centrale n'avaient pas touché: les grains de semences, qui étaient le sujet d'abus de la part des commerçants. Or, il existait en cela un malaise analogue à celui qu'on avait noté en matière de produits laitiers, à savoir, l'absence de classification, l'absence de qualité le plus souvent, et aucune garantie de germination. Ce fut dans le dessein d'obvier à ce malaise et de combler une lacune qu'on fonda le 3 décembre 1914 La Société coopérative des Producteurs de semences de Sainte-Rosalie.

De même que la Coopérative des Fromagers fut conçue au cours d'un congrès de la Société d'Industrie laitière, ainsi la Coopérative de Sainte-Rosalie fut conçue au cours d'un congrès de la Société canadienne des Producteurs de semences tenu en 1914. Il y fut question d'acheter des semences en coopération dans le but de protéger les cultivateurs contre l'inconsidération de certains marchands peu scrupuleux qui vendaient soit du grain alimentaire pour du grain de semences, soit du grain de semences hors qualité. Le malaise fut porté à la connaissance des autorités. Un inspecteur de semences pour le gouvernement fédéral, L. Lavallée, fut prié de soumettre un exposé de son projet d'une organisation provinciale qui assumât le service de la sélection et de la vente pour le compte des cultivateurs. Lavallée convoqua une assemblée le 14 novembre 1914 et 28 intéressés se présentèrent, à qui l'on confia la tâche de promouvoir l'entreprise. On décida d'abord de la souscription: dix actions de $10 par membre, et ensuite de la localisation de l'entreprise: Sainte-Rosalie, centre de production de grains et aussi centre ferroviaire, point de jonction de trois voies ferrées.

La première assemblée annuelle, tenue en janvier 1915, réunit 70 membres. On acheta la machinerie nécessaire pour le nettoyage des grains.

Un an après (1916), entrepôt et semences passèrent au feu. Il ne resta plus que des cendres, des dettes ($5,000) et des membres découragés, d'un découragement que le Ministère de l'Agriculture se chargea de soulager libéralement. On recommença l'année suivante dans un plus grand entrepôt, dont il fallut doubler la capacité en 1918, en construisant une annexe de 50 x 50 pieds, de cinq étages, qu'on équipa de nouveaux cribleurs avec souffleurs plus puissants. C'est cette dernière organisation qui fut résorbée avec les autres dans la Coopérative Fédérée en 1922.

C) *Le Comptoir coopératif de Montréal*

Le Comptoir coopératif de Montréal est né du besoin d'obvier à l'isolement du petit fermier, de l'idée bien définie d'édifier dans le Québec une centrale sur le modèle de la Ligue des Paysans de Belgique, sous la direction du Père Bellemare, s.j. La Ligue de Belgique groupait des associations paroissiales dans un but moral et matériel, liées entre elles par des exercices spirituels en commun, une revue, un système d'achat en commun et un bureau central.

Il semble toutefois que les promoteurs du Comptoir de Montréal aient attribué à ces facteurs une importance indue dans l'économie de la Ligue de Belgique et aient voulu pousser trop loin l'imitation de cette Ligue. A la manière des Paysans de Belgique, en effet, les promoteurs du Comptoir proclamèrent leur organisation comme un essai de fédération et comme une école d'une part, et comme une affirmation d'esprit catholique et français d'autre part. Elle devait être une fédération en ceci qu'elle grouperait les produits, les classifierait, en vue d'atteindre une clientèle choisie et de créer une offre imposante; mais pouvait-on réaliser ainsi l'essence de la fédération ? Elle devait aussi être une école en transmettant à ses membres enseignement et renseignements sur les bienfaits de l'union elle-même, la science agricole, la comptabilité et autres sujets d'ordre technique: idéals vagues dans le temps, mais qui devaient se préciser au cours des ans et prendre forme concrète dans la Coopérative Fédérée après sa réorganisation, en 1930.

Comme les deux autres centrales, le Comptoir coopératif de Montréal devait tomber sous peu dans les tentacules du gouvernement. Il faut noter aussi que cette entreprise connut certaines difficultés financières avant d'entrer avec les autres centrales dans la Coopérative Fédérée.

D) *La Confédération des sociétés coopératives*

La Confédération des sociétés coopératives parut comme une sœur très modeste à côté des trois autres centrales. Elle débuta dans les affaires en 1915, ne transigeant pour ses affiliées que lorsque celles-ci recouraient à elle ou ne pouvaient transiger par elles-mêmes. Son trésorier nous a laissé le bilan de sa première année d'exercice, qui se solde ainsi:

Frais d'administration .... $ 2.30

En caisse, le 31 décembre 1915 .... $84.86

Son rapport de 1919 nous montre un chiffre d'achat de $73,196.86 en bestiaux, ficelle, semences, insecticides, etc.; un bénéfice net de $238.93; un capital souscrit et payé de $236. Ses surplus annuels accumulés s'élevaient à $903.22 [9].

A force de maintenir un capital liquide trop mince pour son chiffre d'affaires, elle finit par y trouver son malheur final. Par ailleurs, sa politique démocratique, sa politique d'éducation (par l'enseignement collégial, les cercles d'études, les congrès), politique assez différente des autres centrales, ne disposait pas le gouvernement à pratiquer sur elle la respiration artificielle. Elle mourut, à l'automne de 1920, à la suite d'une négociation maladroite dans le grain, sur un marché en baisse. Il faut dire d'ailleurs que quelques-unes des locales affiliées avaient déjà pris la voie de la dégringolade et que toutes disparurent l'une après l'autre après la mort de la Confédération.

L'œuvre de l'abbé Allaire

Ce qui fit la grandeur du mouvement de l'abbé Allaire, ce fut son caractère à la fois démocratique et éducatif. Il avait conçu et réalisé l'idée d'une centrale comme une confédération de coopératives locales, au service des locales: que celles-ci ne dussent recourir à la centrale que dans le cas de besoin, voilà qui illustre l'importance de ces petites unités dans son plan. Après un plongeon dans un obscurantisme coopératif qui dura huit ans, 1922 à 1930, soit de la fondation de la Coopérative Fédérée à sa réorganisation, les unités coopératives se réveillèrent au principe démocratique, s'émancipèrent de la tutelle politique, sous des influences qu'on peut difficilement dissocier de l'héritage légué par le mouvement de l'abbé Allaire.

A) Le Collège Saint-Thomas d'Aquin

Les coopérateurs doivent à l'abbé Allaire la première institution d'éducation coopérative dans la province de Québec: le Collège Saint-Thomas d'Aquin, fondé en 1912, puis agrandi aux dimensions d'un collège agricole et coopératif en 1914. Durant l'hiver de 1916, il y organisa des cours de coopération, avec l'aide du gouvernement; il y fut le premier

---

9. *Rapport du Premier Congrès de la Coopération*, Oka 1916.

professeur de coopération, en présence de 75 étudiants. Ce fut à vrai dire le premier centre de coopération agricole, d'où sortirent pour la plupart les fondateurs de ces coopératives appelées par la tradition « Coopératives de l'abbé Allaire ». L'enseignement y prit une valeur positive et pratique en raison de l'insistance sur la technique agricole et la technique de la coopération agricole en particulier. Pour ses mots d'ordre, avis et nouvelles, le collège coopératif disposait de la deuxième page de *La Tribune*, journal de Saint-Hyacinthe.

B) *Les congrès de coopération*

Entre la date de la fondation du Collège Saint-Thomas d'Aquin et celle du début de l'enseignement coopératif dans ce Collège, était née la Confédération des Coopératives agricoles. Ce fut sous les auspices de la dite Confédération, et sous l'initiative de l'abbé Allaire, qu'on organisa cet enseignement. Une autre initiative, certainement digne d'attention, ce fut l'organisation des congrès: le premier à Oka en 1916, le deuxième à Saint-Hyacinthe en 1919, le troisième à Québec en 1923.

Le premier congrès nous révèle l'esprit de ses promoteurs et le dessein de la Confédération entière. La Confédération comptait alors 24 locales affiliées — recrutées dans Bagot, Châteauguay, Iberville, Joliette, Rouville, Saint-Hyacinthe, Shefford, Verchères. Elle avait pour président C.-E. Dallaire, directeur de l'Ecole de Laiterie de Saint-Hyacinthe. Citons ces paroles du président du congrès dans son discours d'ouverture:

> Ne me parlez pas de coopération sérieuse si, préalablement, il n'y a pas eu d'incrustée dans l'esprit des membres une instruction ou au moins une éducation spéciale en vue de l'exercice de leurs nouveaux droits et devoirs. Il faut à l'entreprise une *atmosphère particulière*, une *mentalité propre à ses adhérents*. Autrement nous aurions des alliances d'occasion, peut-être des marchands ordinaires ou des trustards, la pire des plaies, celle à laquelle nous voulons nous arracher, en particulier les hommes des champs.

> Voilà pourquoi nous sommes partis lentement, pourquoi nous n'avons que 24 coopératives affiliées après deux ans de travail, que nous n'avons guère fait de commerce. *Nous avons fait de l'instruction.* Presque tous les mois, les sociétés formées sont visitées. Chaque fois, c'est une assemblée générale et c'est de la classe qui se fait. L'abbé Allaire y est le plus souvent.

La Confédération déclara en ce congrès sa fonction d' « aviseuse » et d'éducatrice et conseilla de transiger avec les centrales ou, en certains cas, avec des compagnies privées ou des commerçants. Et à propos de telles fonctions assignées à la Confédération, l'abbé Allaire suggère de ne jamais perdre de vue:

que les coopératives ne sont pas tant des associations de capitaux que des groupements d'hommes de bonne volonté, s'entraidant pour exécuter ensemble ce qu'ils ne pourraient faire isolément avec succès.

A l'auditoire qui s'étonnait de son menu budget, le trésorier fit cette réflexion: « C'est de l'éducation que l'on veut faire avant tout, et quand est-ce qu'une école a été payante ? »

Un agronome provincial pour Bagot et Drummond y parla de l'efficacité de l'éducation en matière de technique agricole, de l'importance des petites veillées coopératives en hiver; il y mentionna même certains projets en voie de réalisation, tel un établissement de bibliothèque technique: « Nous revenons à ces projets, nous revenons à ces idéals, dit-il. L'abbé Allaire et nous sommes de la même tradition; les politiciens qui, durant une dizaine d'années, ont fait la pluie et le beau temps en coopération agricole les ont négligés. » Autre fait à noter lors du premier congrès de coopération: le Père Léopold de l'Institut agricole d'Oka appuya sur l'importance de la classification et de l'emballage en marketing et donna une démonstration d'emballage de pommes.

En somme, les discours et les délibérations du congrès d'Oka en 1916 gravitèrent autour d'un thème unique, l' « éducation coopérative ». Mais le fait demeure que les coopératives affiliées à la Confédération firent tout de même faillite. A cela on peut trouver une explication, partielle du moins, dans le fait que le même congrès (étrange paradoxe) vota l'abandon du Collège Saint-Thomas d'Aquin, centre d'enseignement coopératif, sous le prétexte que ce Collège mobilisait trop les énergies de l'abbé Allaire.

Voici quelques-uns des vœux adoptés lors de ce premier congrès des coopérateurs:

1. Demander l'incorporation de la Confédération des Sociétés coopératives agricoles.

2. Fonder un organe hebdomadaire qui s'appellerait *Le Coopérateur agricole*.

3. Demander aux curés et aux vicaires d'aider et de favoriser la coopération.

4. Poursuivre au sein de la Confédération la campagne d'enseignement et d'entraînement coopératifs.

5. Abandonner le Collège agricole Saint-Thomas d'Aquin, vu que l'abbé Allaire y serait trop immobilisé.

6. Surveiller la tenue des livres dans les affiliées à la Confédération, vérifier et exiger des rapports périodiques.

7. Rejeter l'idée d'ouvrir des entrepôts un peu partout.

8. S'en tenir aux coopératives qu'on peut visiter et diriger. Question de possibilité éducative.

Le deuxième congrès des coopérateurs, tenu à Saint-Hyacinthe en 1919, fut moins brillant et sembla révéler des signes de faiblesse. On y appuya entre autre sur la « nécessité » des prêtres dans les coopératives. Subséquemment, et en raison de l'absence du Collège coopératif, le besoin d'éducation dans les paroisses s'émoussa; l'éducation elle-même devint de plus en plus fonction cléricale. L'abbé Allaire déjà vieux et qu'on avait dépouillé de sa fonction de professeur pour lui en donner une d'organisateur, se sentait fatigué. Il manifesta le désir de se retirer du mouvement. Sentait-il déjà que toute son œuvre allait s'effondrer? Son grand désir eût été de réaliser l'Union des Coopératives centrales, mais la Confédération dut liquider à l'automne, et l'abbé Allaire disparaître de la scène.

Quant aux centrales qui survécurent, le gouvernement (plus précisément le Ministère de l'Agriculture) se chargea de réaliser leur fusion, ce qu'elles ne pouvaient réaliser entre elles, faute de vigueur, faute de leaders et faute de coopérateurs. Elles furent amalgamées en vertu d'un statut spécial en 1922; et de cet amalgame naquit la Coopérative Fédérée.

La Coopérative Fédérée: l'ancienne et la nouvelle

La loi qui régissait la Coopérative Fédérée, formée en 1922, en faisait une société capitaliste par actions; mais cette loi a été refaite en 1930 dans le but de faire de la Coopérative Fédérée une « coopérative » de coopératives. C'est pourquoi à compter de 1930, la Fédérée n'a plus accepté d'individus comme membres mais seulement des syndicats ou sociétés, par contrat d'affiliation. Mais le nouveau statut ne pouvait pas disposer brusquement des anciens actionnaires-individus. La tâche de les éliminer graduellement incombait à l'assemblée générale et au conseil d'administration. L'une et l'autre décidèrent de ne plus payer d'intérêt au capital ordinaire, celui-ci devant être converti en capital « privilégié », portant intérêt de 5 à 7%, cumulatif. Ce transfert impliquait abdication du droit de voter et du droit d'assister aux assemblées de la part des individus auparavant détenteurs d'actions ordinaires. Ce transfert graduel impliquait donc une évolution de la Fédérée vers une forme de plus en plus coopérative. Bien d'autres transformations furent opérées en ce sens, qui en font une entreprise de service, une centrale, au *service* des coopératives locales.

Il ne faut donc pas confondre la première Coopérative Fédérée avec la seconde et nouvelle: la première fut régie par la loi de 1922, de nature capitaliste et d'inspiration politique (électorale); la nouvelle dont la structure d'ailleurs diffère de la première, est régie par un nouveau statut (1930) d'inspiration coopérative et de nature démocratique. La distinction est imposante, parce qu'on entend parfois parler de la Fédérée sans discernement historique.

La Coopérative Fédérée fut organisée à l'occasion d'une renaissance coopérative dans le Québec, en 1929-1930, à laquelle plusieurs facteurs ont concouru. On aurait tort d'attribuer à la politique exclusivement le mérite de cette renaissance. Les dix ans qui ont précédé cette renaissance furent une période de dégringolade et d'avilissement coopératif; et il serait assez facile de soutenir que la politique, au sens électoral du terme, fut largement responsable d'un tel avilissement. Toutefois, ceci ne doit pas nous faire oublier l'importance de cette période dans la préparation de la nouvelle ère coopérative, car c'est un axiome reconnu en histoire, que toute période de décadence porte en soi les éléments d'une rénovation [10].

Les éléments de rénovation

La rénovation coopérative devait être fonction d'une réhabilitation de la classe agricole. Or plusieurs facteurs contribuèrent à la réhabilitation, mais on peut les grouper sous deux chefs: l'Union catholique des Cultivateurs et le Ministère de l'Agriculture (nous avons déjà mentionné la Coopérative Fédérée).

A) *L'Union catholique des Cultivateurs*

L'Union catholique des Cultivateurs naquit en 1924, dans des circonstances particulièrement pénibles à l'agriculture québécoise. La chute des prix conséquente aux abus de la période inflationnaire engendrait une situation lamentable. La valeur moyenne des terres du Québec, qui était de $70 l'acre en 1920, tomba à $58 en 1922 et à $53 en 1924. Cette dépréciation ne pouvait être interprétée en termes déflationnaires seulement: la crise subséquente du « boom » de 1919-1920 en agriculture ne fit que révéler les malaises traditionnels d'une agriculture « trop lente à s'adapter aux conditions nouvelles créées par le développement de l'industrie... trop lente à se plier aux exigences des consommateurs, trop lente à prendre résolument la voie du progrès ».

Tel semblait être le malaise fondamental de l'agriculture québécoise. Une autre cause de déchéance fut signalée: l'absence ou le manque de « coopération ».

L'U.C.C. naquit durant cette période de marasme, pour assumer la tâche de l' « éducation de la classe agricole ». Education, organisation, défense, tel fut son triple objectif. Les propagandistes de la nouvelle association professionnelle allèrent partout dans les campagnes prêcher l'idée d'union pour l'étude et pour l'action. Durant plusieurs années et avec un zèle infatigable, l'U.C.C. dissémina l'idée d'union et de coopération dans le désert d'individualisme créé par la prospérité factice de la

---

10. H. C. Bois, *Les Coopératives Agricoles* dans *L'Agriculture, Etudes de notre Milieu*, E. Minville, éd., Montréal 1943, ch. XI.

première guerre. Il serait trop long de discuter l'apport de l'U.C.C. dans la genèse du renouveau coopératif; qu'il suffise de suggérer que cet apport fut fondamental, d'ordre éducatif avant tout. Grâce à l'U.C.C., aux organismes similaires, au zèle sympathique de quelques agronomes, l'idée allait éclore dans les circonstances d'une crise qui donna le coup à l'individualisme de la classe agricole. Dirigé par un homme nouveau, moins imbu d'électoralisme que son prédécesseur, le Ministère de l'Agriculture allait épauler de généreux efforts. Son manifeste agricole a tracé les lignes d'un développement que le mouvement coopératif actuel n'a pas cessé de suivre.

B) *Le Ministère provincial de l'Agriculture*

Le nouveau ministre, J.-L. Perron, a commencé par définir le sens de l'assistance du gouvernement qu'une administration précédente avait sans doute exagérée. Il posa alors en principe que le cultivateur sur sa terre est et doit rester le principal artisan du relèvement agricole; que le gouvernement doit l'assister dans la mesure de ses ressources mais sans jamais s'y substituer grossièrement. Il fit appel au clergé, comme devant aider les ruraux et seconder l'effort du pouvoir public: « Un clergé rural dans le sens profond du mot soutenant l'effort d'une classe agricole qui veut améliorer sa situation et prendre les moyens nécessaires pour y parvenir faciliterait au-delà de toute expression le travail du pouvoir public. »

On posa le problème agricole comme un problème de « production » et d' « organisation de la vente ». Le ministre écrivait en 1929: « insuffisante en quantité, notre production agricole prise dans son ensemble manque de qualité et est trop éparpillée ». Il divisa la province en circonscriptions agricoles, pour fins de production, de vente, de directives, et aussi pour fins d'enquête sur les besoins. Il fit appel à l'association, intermédiaire entre le pouvoir public et la classe agricole: « Il vaut mieux traiter avec des groupes et ne pas perdre notre temps et notre argent à traiter avec des individus. »

Il se fit l'animateur des coopératives locales, dont la tâche eût été de faciliter ou de perfectionner les méthodes de vente et d'achat: produire, bien produire, savoir vendre. Le cultivateur doit pourvoir à son propre médium d'achat et de vente; il lui faut un organisme sur lequel il peut compter: lui-même occupé à ses travaux, le cultivateur ne peut sans inconvénient ou sans risque se muer en homme d'affaires. Il ne peut non plus, sans manquer de prudence, confier ses achats et ventes à n'importe qui... C'est pourquoi, écrivait le ministre: « là où les conditions de la production et du transport conviendront, nous demanderons aux cultivateurs de former une coopérative. »

Nous citons ici le texte de la déclaration du ministre (*Journal d'Agriculture*, juillet 1929). Il explique la nécessité d'une centrale fédérative et l'opportunité de réorganiser la Coopérative Fédérée.

D'après les opinions et les renseignements qui ont été recueillis, il apparaît nécessaire, pour faire œuvre durable, de relier les organismes locaux à un organisme central. Pour nous, deux choses existent:

1. La nécessité de la Coopération. Tout le monde est d'accord là-dessus.

2. La nécessité d'avoir une bonne coopérative centrale capable d'attirer et de retenir à elle les coopératives locales.

A cet effet, nous nous proposons de *réorganiser la centrale* qui existe actuellement, la Coopérative Fédérée. Cette organisation n'a pas toujours donné son plein rendement. Son action a été limitée par bien des facteurs d'un contrôle difficile et coûteux. Elle a manqué de facilités matérielles. Elle a été en butte à des attaques de toutes sortes. Il faut, cependant, lui rendre ce témoignage qu'elle a rendu de grands services à la classe agricole. *La Coopérative Fédérée doit se maintenir et elle se maintiendra. Son action se limitera à la Coopération pure et simple.* Pas de commerce. Un comité représentant la classe agricole, les associations agricoles, appuyé par le Ministère de l'Agriculture, sera formé et étudiera les questions suivantes:

(a) le développement possible de notre commerce d'exportation;

(b) l'érection d'entrepôts indispensables à Montréal pour éviter à certains moments l'encombrement du marché et pour assurer la conservation des produits agricoles;

(c) l'organisation de la vente coopérative des animaux vivants.

... Nous voulons faire de Québec une province de coopérateurs. Nous n'épargnerons rien pour mettre sur pied une coopérative centrale capable de satisfaire les plus exigeants. De leur côté, les cultivateurs devront faire leur part *en s'organisant des coopératives locales* vivantes, fermement soutenues et alimentées par de bons produits. Une coopération intelligente nous inspire confiance, mais nous savons aussi que pour bien vendre, il faut d'abord bien produire.

La situation en 1947

Le Ministère de l'Agriculture de la Province, Service de l'Economie rurale, a publié un rapport des coopératives agricoles au 31 mars 1947 [11]. Il existait dans la Province à cette époque 623 coopératives locales, 6 coopératives régionales et 9 provinciales, soit, au grand total, 638 sociétés coopératives auxquelles il faut ajouter la Coopérative Fédérée. Or parmi ces 638 coopératives inscrites, une dizaine seulement ont une origine antérieure à 1930. Elles sont localisées dans les comtés de Bonaventure, Gaspé, Compton, Lotbinière, Joliette, Papineau, Yamaska. Toutes les autres sont des réalisations récentes, dont la plupart n'ont pas dix ans d'existence. Elles sont des fruits de la réhabilitation agricole et du re-

---

11. Ministère de l'Agriculture, Division de l'Economie, Section de la Coopération, *Rapport des Sociétés coopératives agricoles*, Québec 1947.

nouveau coopératif que nous venons de décrire; et comme telles, elles s'inspirent d'un *self-help* professionnel, se nourrissent d' « éducation » et s'appuient sur un « fédéralisme » sain. Il convient de les situer dans la ligne d'une tradition léguée par l'abbé Allaire, ravivée par les organisations du type de l'Union catholique des Cultivateurs, de la Corporation des Agronomes, en collaboration avec un nouveau Ministère d'Agriculture.

Il apartient à l'analyse sociologique et économique de définir ces coopératives dans leurs fonctions actuelles. Il manque au regard historique une perspective pour juger de leur mérite et de leur efficacité. Dans cette étude, nous nous sommes limités à montrer brièvement la montée de l'idée coopérative parmi les agriculteurs du Québec et le cheminement laborieux des réalisations qui se sont consommées dans la liquidation ou la faillite, tout en laissant une tradition fertile en exemples et en enseignements théoriques.

6

*La construction navale à Québec au XIXe siècle: apogée et déclin**

La construction des navires en bois fut une réalisation marquante du Québec au XIXe siècle. Etablie le long des deux rives, mais surtout sur la rive nord, des anses de Sillery jusqu'à l'Ile d'Orléans, c'était l'industrie principale de la ville de Québec, car « *half the men were engaged in shipbuilding and nearly all the rest in doing business with them* » [1]. A un moment donné, une vingtaine de chantiers navals employaient environ 5,000 ouvriers, dont un grand nombre vivaient dans ce qu'il est maintenant convenu d'appeler une circonscription d'un mille et demi de long sur trente pieds de large. Dans les années qui marquèrent l'apogée de la production, la construction navale était étroitement liée au commerce d'exportation du bois. Elle subvenait aux besoins caractéristiques d'une ville maritime qui avait espéré à un moment donné devenir un grand port de mer en Amérique du Nord.

En effet, au début des années 1850, les navires construits à Québec se vendaient à haut prix sur le marché britannique; l'activité était fébrile le long des rives, les cabaretiers faisaient de bonnes affaires, et certains d'entre eux furent réputés comme étant d'efficaces racoleurs de mate-

* Article publié en anglais dans le *Canadian Journal of Economics and Political Science*, vol. XXIII, n. 2, May 1957. Traduction de Cameron Nish revue par l'auteur.
1. William Wood *et al.*, *The Storied Province of Quebec*, Toronto 1931, I, p. 429.

lots. On a dit de cette période de prospérité que « *the profiteers tried giving least and getting most,* » [2] et le dicton voulait que « *ordinary lumberjack and sailorman earnt like a horse and spent like an ass* ». Une caractéristique de la ville de Québec et des environs, en ce temps-là, était l'association des francophones et des anglophones, étant donné que la proportion de ces derniers atteignit environ 40% de la population totale [3]. Mais cette étude n'est pas censée fouiller le folklore ethnique. Elle tend plutôt à considérer brièvement le déclin de l'industrie principale de la ville de Québec.

I

En guise d'avant-propos, il est peut-être opportun de dire quelques mots de l'importance de cette industrie, du calcul de durée de ses cycles en général et, en particulier, de la baisse qui aboutit à sa liquidation à la fin du siècle dernier. De 1797 à 1896, 2,542 navires d'une capacité totale de 1,377,099 tonnes furent lancés aux chantiers de la ville de Québec et de la banlieue. Evalué à $40 la tonne, ce volume de production représentait un coût de $55,119,600, divisé à peu près également entre la main-d'œuvre et les matériaux [4]. Un diagramme (Graphique I) du cycle de l'existence de l'industrie est présenté pour toute la période de 1797 à 1896, afin de faire ressortir les tendances à long terme.

A la fin du XVIIIe siècle, le marché britannique avait été fermé aux producteurs de la Nouvelle-Angleterre et, pendant les guerres napoléonniennes, la demande britannique délaissa les chantiers domestiques pour se tourner vers les producteurs coloniaux. La construction navale à Québec eut son premier « boom » dans les années du blocus, mais déclina pendant la dépression d'après-guerre [5]. Par la suite, le graphique indique une pente ascendante de 30 années, brisée par des cycles qui reproduisaient approximativement les fluctuations dans le commerce du transport nord-américain en général, et celles du commerce d'exportation du bois à Québec en particulier. Sensibilisée aux crises commerciales, la réaction de l'industrie à l'expansion du commerce engendrait souvent une grave surproduction dans les chantiers maritimes de Québec [6].

2. *Ibid.,* p. 179. Pour plus de détails sur le racolage, voir *Journal of the Legislative Assembly of Canada, Session 1852-53,* XI (8), app. CCCC; aussi *The Shipping Office and the Crimping System* dans Quebec Board of Trade, *Annual Report,* 1867, p. 9.
3. W. F. Butcher, *The « English » of Quebec City* dans *Hermès,* hiver 1954, vol. 3, n. 2, p. 24.
4. Sir James Lemoine, *The Port of Quebec: Its Annals, 1535-1900,* Québec 1901; aussi J. M. Lemoine, *Quebec Past and Present, 1608-1871,* Québec 1876; N. Rosa, *La Construction des navires à Québec,* Québec 1897; F. W. Wallace, *Wooden Ships and Iron Men,* New York, s.d., p. 321.
5. J. G. B. Hutchins, *The American Maritime Industries and Public Policy, 1780-1914,* Cambridge, Mass. 1941, ch. VII.
6. Quebec Board of Trade, *Annual Report,* 1864.

GRAPHIQUE I

*Tonnage total des navires construits dans la ville de Québec,
1796-1896*

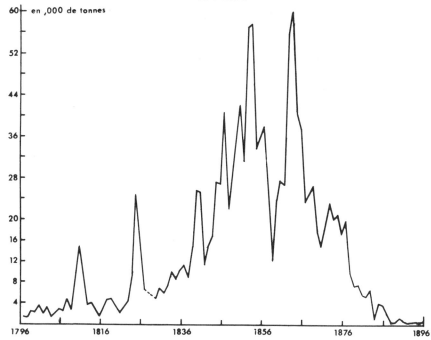

Une question fondamentale se poserait quant au problème en cause: Quand le déclin structural a-t-il commencé ? L'accord est loin d'être fait sur cette question. Mais le calcul de durée de variation des tendances devrait être important pour quiconque cherche à savoir pourquoi la construction navale périclita, à Québec, au siècle dernier. Dans la brève observation faite par le *Cambridge History of the British Empire* [7] sur la construction navale, les années 1870 sont considérées comme décisives et l'on évoque l'année 1874 comme point tournant. Mais ces conclusions ne sont pas basées sur des preuves statistiques. Un observateur de Québec, qui écrivait en 1873, à propos de la construction navale des dernières années 1860, disait: « Cette époque marque le commencement d'une ère de décadence pour la construction dans nos chantiers. En même temps que l'abrogation du traité de réciprocité fermait les ports des Etats-Unis à nos vaisseaux, la construction des voiliers en fer rendait la vente des navires en bois presque impossible. » [8] D'autre part, le Quebec Board of Trade

---

7. Voir vol. VI, p. 569 *sq.*
8. *Annuaire du commerce et de l'industrie pour 1873*, Québec 1873, pp. 5-6.

semble avoir considéré la hausse des années 1860 comme une tentative de renouveau, basée sur la prévision qu'un débouché sur le marché français contrebalancerait la perte sur le marché britannique, une option qui suppose une nette régression de la demande britannique pour les navires construits dans la colonie. Le président du Quebec Board of Trade disait du marasme des années 1860 qu'après la convention tarifaire avec la France

> *our shipbuilders commenced at once to send vessels there, where an increasing market for our ships was to be found. Unfortunately for us just as we were commencing to establish regular business relations with that country, and... (as) the number of vessels built for the French market was yearly increasing, through some oversight on our part, this special tariff convention was abandoned and when Great Britain renewed its commercial relations with that country, having no one to look after our interest, the tariff under which our vessels had been admitted was not renewed...*

Le même auteur ajoutait que les constructeurs ne devraient pas trop espérer des négociations tarifaires et que, à moins que l'industrie ne puisse se suffire à elle-même, il ne serait pas économique de ressusciter la construction navale à Québec par des mesures artificielles. Les capitaux recherchaient d'autres marchés [9].

La phraséologie de ces observations porte à penser que la hausse de 1863-1865 a été soutenue par des mesures artificielles, et que la baisse de la fin des années 1860 ne fut pas qu'un repli mais plutôt la continuation d'une dépression prolongée qui avait débuté avec la crise économique de 1857. La supposition qui veut que les capitaux investis dans la construction navale aient été à la recherche de marchés nouveaux donne à penser qu'il s'agit d'un changement structurel. De plus, si l'on accentue le côté artificiel de la hausse de 1863-1865, comme la déclaration du Board of Trade nous y autorise, le véritable début de la baisse pourrait alors remonter à la dégringolade de 1857.

La crise qui suivit cette dégringolade fut courte en Angleterre, mais il n'en fut pas de même au Canada, pour une raison: c'est qu'elle coïncidait avec la réorientation de la demande britannique pour le bois. Il en sera question plus loin.

Il y a une grande différence entre le fait que la baisse aurait commencé à la fin des années 1860, et le fait qu'elle aurait débuté à la fin des années 1850. Si elle remonte à la fin des années 1850, peut-on l'attribuer aux changements techniques ou, comme on le disait, à la substitution du fer au bois ? Si oui, comment peut-on réconcilier ce point de vue

---

9. *Address of Joseph Shehyn at the Meeting of the Board of Trade, February, 1880*, Québec 1880, pp. 25-27.

et l'historiographie britannique qui s'intéresse peu à la concurrence entre le fer et le bois avant le milieu des années 1860 [10] ? Il faudrait alors que l'effet eût précédé la cause. Il est vrai que les transformations techniques furent de grande importance dans le déclin de la fin des années 1860, d'une telle importance que l'image en fut brouillée et qu'on perdit de vue les autres éléments. Mais la technologie peut n'avoir pas été de grande importance au premier stade du déclin. Le complexe même qui facilita l'éclosion de nouvelles techniques de construction avait ébranlé les fondements de l'industrie locale. Les éléments de base qui avaient produit le déclin impliquaient des conditions nouvelles qui, à leur tour, activaient le besoin de nouvelles transformations technologiques, en un temps où les constructeurs de Québec devenaient conscients de leur véritable situation. D'autres facteurs s'ajoutèrent qui aggravèrent la situation, tels les problèmes de vente sur le marché international et le problème ouvrier à Québec auquel quelques constructeurs québécois attribuèrent le déclin. Les interprétations avancées pour expliquer le déclin à partir du fer, de la vapeur et de l'acier, ou à partir des méthodes de travail ou de vente sur le marché britannique, paraissent tout à fait admissibles, mais elles reposent sur l'hypothèse que la construction navale à Québec fut structurellement affectée tard dans les années 1860 seulement, plutôt que dans les dix années précédentes. Cette interprétation repose alors sur des demi-vérités et requiert une révision historique. Naturellement, la base de cette révision repose sur un nouveau calcul de durée du long cycle. Nous en donnerons brièvement et dès maintenant les raisons, que nous développerons plus tard, au cours de l'exposé historique. Nous n'avons pas l'intention de nier que la technologie fut un élément du déclin mais nous entendons plutôt déterminer le rôle qu'elle a joué dans un complexe qui fut à l'origine du déclin. Une brève incursion dans l'économie de la construction navale nous aidera à reconstituer les éléments de ce complexe.

II

La construction navale est une industrie de biens de production [11]. Des chantiers navals produisent des bateaux, dont la demande, comme pour tout autre bien de production, est une demande dérivée. En réalité, la demande pour les navires est doublement dérivée. Elle est tributaire de la demande du transport, qui est elle-même une demande dérivée: celle-ci dépend en dernier ressort du volume du transport maritime ou de l'é-

---

10. Sir John Clapham, *An Economic History of Modern Britain: Free Trade and Steel, 1850-1886,* Cambridge, 1952; pour détails à ce propos, voir G. S. Graham, *The Ascendancy of the Sailing Ship, 1850-85* dans *Economic History Review,* vol. IX, n. 1, pp. 75-76.

11. F. G. Fassett, ed., *The Shipbuilding Business of the United States of America,* New York, 1948, I, ch. 1; aussi F. C. James, *Cyclical Fluctuations in the Shipping and Shipbuilding Industries,* Philadelphia, 1927, ch. III.

quipement de transport que requiert, au cours d'une période, une certaine structure géographique d'échanges. Mais là encore, cette demande est mixte. Elle est formée de demandes diverses, issues de sources différentes et pour des buts différents qui dépendent soit du transport de marchandises volumineuses et impérissables, soit du transport de marchandises légères et périssables, et aussi de la présence ou de l'absence des facteurs temps et sécurité. De cet éventail de besoins et de buts est venue une demande diversifiée pour des navires de genres divers: *droghers* pour le bois, bricks, barques et fins voiliers; mais comme nous ne tenons pas compte du comportement cyclique dans cette étude, cet aspect ne sera pas considéré. A tout prendre, les chantiers navals de Québec dépendaient du marché britannique. Pendant longtemps, la construction des navires en bois tablait sur la demande conjointe de bois et de navires de la part de la Grande-Bretagne. Navires de commerce et barques, jusqu'à un certain point, se prêtaient à ce genre de demande conjointe. Ces lentes et lourdes embarcations pour le bois qu'on appelait *droghers* répondaient, comme leur nom l'indique, à rien d'autre qu'une demande de bois. Quelques-uns n'étaient que des trains de bois dissimulés et destinés à être démembrés dès leur arrivée, le matériau de bois étant ainsi introduit en franchise sur le marché britannique. Pour ce qui est de Québec, la production du bois et la construction navale représentent un type d'offre complémentaire et conjointe. Grâce au commerce du bois, les constructeurs de bateaux étaient assurés d'un approvisionnement constant en matériaux de construction et même une compagnie pouvait s'occuper à la fois de construction navale et d'exportation de bois.

Passons maintenant aux origines du déclin. Doit-on considérer 1854 ou 1864 comme la fin de la hausse ? La réponse à cette question nécessite quelques commentaires sur les deux années où la production atteignit son apogée. Elles ont chacune leur importance propre et chacune reflète un arrière-plan qui diffère de l'autre. On pourrait considérer le sommet de 1854 comme point culminant d'une croissance soutenue du transport des marchandises, marquée par des cycles reflétant les conditions commerciales. Ces années étaient des années de concurrence croissante dans le commerce nord-atlantique où Québec apparaissait comme centre pouvant construire des navires à plus bas coût, tout comme les ports de mer des rives du Maine. Dans les premières années 1830, les cargos canadiens étaient vendus à Liverpool « *at less than half the price of British built ones* » [12]. Au début, Québec bâtissait des navires de basse qualité et grossiers, mais plus tard, pour satisfaire à la demande d'autres types de commerce, on améliora les modèles et l'on construisit de fins voiliers. Le commerce de la Californie et de l'Australie donnèrent un élan considérable à la construction navale canadienne et américaine. Le rôle direct joué par les Canadiens lors de la ruée vers l'or de la Californie a peut-être été

---

12. Hutchins, *The American Maritime Industries and Public Policy*, p. 265.

négligeable, mais la demande de navires de construction canadienne sur le marché de Liverpool s'accrut à mesure qu'on retirait des navires américains des autres lignes de commerce pour les affecter aux courses rémunératrices en Californie: « *If the California stampede of 1849*, dit Wallace, *brought fame and fortune to the builders and owners of American clipper ships, the discovery of gold in Australia in 1851 gave a tremendous impetus to ship-building in New Brunswick and Quebec.* » [13] « *Ships, ships and more ships* », telle était la demande des ports britanniques. Les livraisons ne pouvaient suffire à la demande britannique.

> Then the Liverpool ship-owners began to look over the big Bluenose timber-droghers which were coming in with their deal cargoes consigned to brokers with orders to sell vessel and freight for the benefit of the builders and shareholders in New Brunswick and Quebec [14].

Quelques-uns furent renforcés et pourvus d'un nouveau revêtement pour la navigation dans les mers tropicales, et aménagés de couchettes pour les émigrants.

L'année 1852 marque une amélioration dans la construction navale alors que l'agence Lloyd, dépêchant un inspecteur pour surveiller la construction, ces navires « *built under special survey* » et mieux cotés par les courtiers d'assurance, trouvèrent meilleur prix sur le marché. Québec et Saint-Jean (Nouveau-Brunswick), bâtirent de grands et rapides navires pour le transport des troupes et le ravitaillement durant la guerre de Crimée. Wallace dit de cette période: « *Everyone that could raise or borrow money rushed into shipbuilding* »; et comme les courtiers de Liverpool et de Londres exhortaient les constructeurs de navires à bâtir, « *the building of ships for the Liverpool market was overdone* » [15]. Les quais anglais étaient encombrés de vaisseaux consignés aux courtiers pour la vente; une récession commença, même avant la crise économique de 1857, et les propriétaires tentèrent de vendre pour ce qu'ils pouvaient en retirer, soit aussi peu que £ 17 la tonne [16]. En 1855, plusieurs propriétaires de navires à Québec éprouvèrent de lourdes pertes. Avec l'effondrement du commerce en 1857, la construction baissa de 12,000 tonnes en 1859 et les salaires des charpentiers de navires, qui avaient monté jusqu'à quatre dollars par jour durant le « boom » du début des années 1850, baissèrent à cinquante cents par jour. Les constructeurs qui tentèrent de tirer avantage de ces bas salaires pour bâtir des navires et les vendre sur le marché britannique durent, dans certains cas, vendre à un prix inférieur au coût [17]. Telles nous apparaissent les conditions de la prospérité des années 1850. Interrogeons-nous maintenant sur les conditions des années 1860. Si l'on

---

13. Wallace, *Wooden Ships and Iron Men*, p. 15.
14. *Ibid.*, pp. 43-44.
15. *Ibid.*, pp. 71-74.
16. *Ibid.*, p. 74.
17. *Ibid.*, p. 85.

admet que la brève hausse qui atteint son sommet en 1864 et la prospérité de la décennie précédente eurent des causes différentes, alors il est permis de supposer que des changements structurels s'étaient produits dans l'intervalle.

La prétendue expansion des années 1860 n'a été, en fait, qu'une soudaine et très brève hausse occasionnée par des événements inattendus. La Guerre Civile américaine en était un. Cette guerre élimina du transport des marchandises une grande flotte de navires marchands et l'exécution des commandes s'échelonna en grande partie sur une période de deux ans. Encore une fois les constructeurs de navires avaient dépassé la mesure. Le commerce en bois équarri déclinait au fur et à mesure que la demande de la Grande-Bretagne était dirigée vers les sources étrangères d'approvisionnement [18]. Pour aggraver la situation, le commerce de bois employa une flotte de navires désuets, c'est-à-dire, des navires retirés du commerce avec la Californie, l'Australie et la Chine [19]. Comme nous l'avons vu, un autre élément fut l'ouverture du marché français en 1863 [20]. D'après la convention tarifaire, la France acceptait de n'imposer qu'un droit nominal sur les navires construits au Canada, en retour de l'acceptation du Canada de laisser entrer en franchise les vins français. Mais, sans avis préalable, le Canada réimposa le droit sur les vins en 1865 et la France rendit la pareille en réimposant un droit prohibitif sur les navires canadiens [21]. Des navires construits en prévision du marché français durent être envoyés en Angleterre, où ils firent face à un marché encombré de navires en bois. Les courtiers, empressés de s'en défaire, les dépréciaient.

Dès 1865, le Quebec Board of Trade rapportait que l'industrie avait souffert « *a severe shock from which it is not likely soon to recover,* » et qu'il y avait « *something wrong in the system upon which the shipbuilding trade of this port is carried on* » [22]. Ces déclarations, émises un an seulement après que la production des chantiers de Québec eut atteint le point culminant de toute son histoire, laissent supposer que certains hommes d'affaires reconnaissaient que la soudaine poussée des années '60 ne s'appuyait pas sur des assises solides, et que les avantages de localisation de Québec comme centre de construction navale avaient subi un profond changement, comme conséquence de la transformation des grands réseaux de commerce. Une demande croissante de services de transport à la fin des années 1840 et au début des années 1850 avait entraîné une pression sur la construction navale, créant ainsi un marché favorable aux vendeurs de navires. Les prix des navires étaient alors déterminés d'après

---

18. William Quinn, *Rapport sur le commerce des bois,* Québec 1861, p. 15.
19. Wallace, *Wooden Ships and Iron Men,* p. 100.
20. Comte de Premio-Real, *Divers Mémoires,* II, Québec 1879, pp. 25-26.
21. Quebec Board of Trade, *Annual Report,* 1866.
22. *Ibid.,* 1865, p. 15.

les conditions de l'industrie plutôt que d'après les conditions du commerce maritime. Dans ces circonstances [23] où les navires en bois demeuraient encore beaucoup plus importants que les navires en fer dans la navigation maritime, et alors que le fer n'entrait pas en concurrence avec le bois, et la vapeur avec le vent, Québec pouvait se vanter d'être situé à un point où les coûts de construction étaient les moins élevés, non seulement parce qu'on y trouvait une abondante source de bois à un prix relativement bas, mais principalement grâce au type de navigation que favorisait le Saint-Laurent comme entrée pour les immigrants et comme sortie pour le bois [24]. Le transport des immigrants aidait le transport maritime du bois en procurant, d'une part, des cargos pour le voyage de retour tandis que, d'autre part, le commerce du bois se présentait comme complémentaire à la construction navale; et tandis que les chantiers maritimes de la côte atlantique américaine étaient accaparés par le triangle du coton [25], Québec pouvait profiter d'une grande partie de la demande britannique pour des voiliers en bois, du moins ceux qui étaient destinés au transport du bois. Cet état de choses avait été complètement inversé quand vinrent les années '60. Cette fois les tensions sont du côté des constructeurs navals et non du côté des armateurs. Les chantiers maritimes sont à la recherche d'acheteurs; cette fois le succès de la construction navale dépend de la situation du commerce maritime. Le marché joue en faveur des acheteurs, et les chantiers maritimes doivent vendre leurs produits à des prix absolument déterminés par la conjoncture du commerce maritime.

III

A ce point de notre étude, il peut être opportun de revoir un ensemble de phénomènes historiques afin de remettre en question la conventionnelle interprétation du long cycle, en essayant d'y voir quelle part de vérité on peut admettre et quelle part d'erreur il faut rejeter, cette fois pour des raisons plus profondes. La situation de Québec sera examinée en premier dans ses rapports avec la mère patrie. Deuxièmement, au fur et à mesure de l'argumentation, nous nous référerons à la situation des Etats-Unis aussi bien qu'à celle du Royaume-Uni. Nous indiquerons au fur et à mesure les étapes de notre enquête. Quelles étaient les conditions de la

23. Pour un examen de ces cas, voir *Report of the Select Committee on Merchant Shipping* dans *British Parliamentary Papers, 1844*, VII, pp. 61-68; Arthur H. Clark, *The Clipper Ship Era*, New York 1910; Henry Fry, *The History of North Atlantic Steam Navigation*, London 1896, ch. II; Graham, *The Ascendancy of the Sailing Ship*.

24. *Journal of the Legislative Assembly of Canada*, session 1852-3, XI (8), app. CCCC; I. Firenzi and W. F. Wilcox, *International Migrations*, New York 1929.

25. R. G. Albion, *Square Riggers on Schedule: The New York Sailing Packets to New England, France and the Cotton Ports*, Princeton 1938; J. A. B. Scherer, *Cotton Trade as a World Power*, New York 1916.

navigation ? En premier lieu, la Guerre Civile américaine avait eu pour effet de détruire le triangle du coton. Ceci est un des éléments; mais il est possible que cet élément, et qu'un autre, comme la transition du bois au fer, aient été amplifiés au point de minimiser l'importance de la rationalisation des financiers. Comme nous le verrons plus bas, le changement dépendait de la main invisible qui oriente les investissements.

En 1861, les possibilités d'exportation du bois n'étaient pas très encourageantes. D'après William Quinn, l'importation du bois étranger à Londres s'était accrue entre 1855 et 1860 [26]. Bien que la Grande-Bretagne eût persisté à conserver un régime mercantiliste d'échange favorable au bois colonial, elle avait opté pour le libre-échange et allait de plus en plus compter sur les approvisionnements de la Baltique. Dans l'optique du libre-échange, le coût différentiel du transport prenait une signification nouvelle. Pour la même cargaison de bois importé des ports baltes à 19 shillings *per load*, la Grande-Bretagne paierait 30 shillings si elle importait de Québec, où elle n'avait maintenant plus d'intérêts, dans le sens mercantiliste du mot [27]. Le Board of Trade of Quebec laissait supposer dans son rapport annuel pour 1865 que, le marché anglais étant encombré par la production des provinces de l'est, le marché de l'épinette ne s'était pas rétabli de la dépression des années précédentes. Quand on parle du commerce du bois, il faut prendre soin de distinguer entre production et organisation. Or ici, c'est sur l'organisation que nous voulons insister, et non sur le volume de la production canadienne. Une réorganisation dans le transport du bois a pu, autant qu'un déclin dans la demande, affecter la construction navale en ce qui concerne le port de Québec [28]. Dans ce sens, la situation du bois à Québec dans les années '60 était très différente de celle des années '50. Une proportion de la production était dirigée vers les marchands d'Albany et de New York, dont la demande pour le pin blanc s'éleva jusqu'à 3 millions de pieds cubes en 1867. Au début des années '60, le port de Québec était encombré de bois — seize millions de pieds cubes pendant l'hiver de 1862 et dix-huit millions de pieds cubes pendant l'hiver de 1863 — et le Bureau de direction du Board of Trade écrivait à propos du commerce du pin blanc: « ... *we recommend our lumbering friends to cease its manufacture altogether.* » En 1865 le même Bureau écrivait: « ... *there is something wrong in the system upon which the ship building trade of this port is carried on.* » [29] Les chances avaient

---

26. Voir *Rapport sur le commerce des bois*, p. 15. Pour la Grande-Bretagne dans son entier, Quinn ne fournit pas de preuves quantitatives. Le pourcentage des importations en dehors de l'Empire augmenta beaucoup plus lentement durant cette même période. Voir *Statistical Abstracts for the Period 1855 to 1867* dans *British Parliamentary Papers*, 1867-68, LXX.

27. *Ibid.*, p. 16.

28. Les exportations canadiennes étaient plutôt sous forme de bois de sciage et de bois fendu. Voir *Wood, Petry, Poitras & Co., Annual Circular, Nov. 30, 1866* dans Quebec Board of Trade, *Annual Report*, 1867, p. 31.

29. Quebec Board of Trade, *Annual Report*, 1865, pp. 13-15.

été contre Québec avant même que les Québécois pussent attribuer le déclin de leur industrie navale à des changements technologiques.

Dans les années 1850, la production du bois et la construction navale se complétaient et trouvaient en Grande-Bretagne un marché d'écoulement rapide. Dans les années 1860, elle connut la concurrence de sources étrangères d'approvisionnement, au fur et à mesure que la Grande-Bretagne ouvrait de nouveaux débouchés de commerce. Avec le rétablissement du commerce du coton avec les Indes, s'ouvraient de nouvelles voies de commerce où les intérêts de la navigation devenaient assujettis aux intérêts financiers [30]. Un profil du commerce tendait à refléter celui de l'investissement. La politique navale accordait beaucoup d'importance aux ports américains [31], en particulier à New York, et cela faisait tort aux intérêts canadiens [32]. Des immigrants vinrent dans le sillage du commerce du transport vers les centres de placement importants, et New York et Boston supplantèrent rapidement Québec comme ports de débarquement des immigrants [33]. Montréal était plus avantagé que Québec dans le commerce du bois de sciage et du grain. Québec ne pouvait pas non plus entrer en concurrence avec Montréal quant aux avantages industriels, exception faite des industries où la main-d'œuvre constituait un facteur prépondérant. Comme l'a noté Hubert de la Rue, « *Montréal has a back country, Quebec has none* » [34]. Québec n'était pas en mesure d'assurer une cargaison de retour et les lignes de navigation n'avaient aucun intérêt à retourner un navire sur lest. La ville de Québec devenait marginale par rapport au continent nord-américain; elle se trouvait comme négligée par rapport à l'univers du commerce océanique.

Si vraiment avait existé une relation étroite entre le commerce océanique du port de Québec et la prospérité de ses chantiers de construction navale, il faudrait voir alors, comme nous l'avons suggéré ci-haut, si la construction des navires en bois n'avait pas déjà franchi le tournant décisif de son histoire avec la dépression de la fin des années 1850. Même en 1864, un rapport du Quebec Board of Trade disait: « *... we do not feel directly the immediate effects of a commercial crisis abroad, but they reach us ultimately, while we are slow in recovering from them. We have*

---

30. Basé sur L. H. Jenks, *The Migration of British Capital to 1875*, New York 1927; A. K. Cairncross, *Home and Foreign Investment, 1870-1913*, Cambridge 1953, en particulier pp. 182-186.
31. R. G. Albion, *The Rise of New York Port, 1815-1860*, New York 1939, fournit une étude assez détaillée à ce propos; en particulier, voir pp. 382-383.
32. Un grief exposé maintes fois à partir de 1850, et par la suite; en particulier, voir *British Parliamentary Papers, 1859*, XXII, pp. 13, 42.
33. D'aussi loin que 1849, le *British Packet Service* considérait New York comme terminus le mieux approprié à l'Amérique du Nord; voir *Report of the Select Committee on the Contract Packet Service 1849*, XII dans *British Parliamentary Papers*.
34. Cité dans Premio-Real, *Divers Mémoires*, p. 75.

repeatedly urged upon manufacturers of lumber the necessity of establis-
hing a sounder system in their mode of doing business; of curtailing their
supply when the demand abroad did not warrant it, but to no purpo-
se. » [35]

Or, le commerce océanique du port dépendait principalement du
marché du bois. Les seules matières brutes qui jouissaient d'un traitement de faveur depuis le budget britannique de 1853 avaient été le bois,
le cuivre, le plomb et l'étain, et la priorité pour le bois britannique avait
été conservée [36]. En 1860, les droits sur le bois furent régularisés à un
bas tarif de 1 shilling *per load* de bois équarri et 2 shillings *per load* de
bois de sciage; et, alors, la priorité disparut. En 1866, les droits furent
abolis. Vingt ans plus tard, 80% des importations britanniques venaient
de l'étranger [37]. On peut donc considérer l'année 1860 comme seuil du
libre-échange dans le commerce du bois; et de la sorte, la situation d'infériorité concurrentielle des chantiers navals de Québec peut être envisagée comme résultant successivement de la concurrence du bois de la Baltique, des techniques de construction composite, et de construction métallique. L'effet accumulé de tous ces facteurs aurait entraîné la ruine des
chantiers de Québec.

Dans les années 1870, au libre-échange s'ajouta la technologie du fer
comme facteur de ralentissement dans la construction navale à Québec [38],
mais, en s'en tenant à la chronologie, il serait difficile pour l'historien d'attribuer le déclin de la construction navale à Québec à des changements
technologiques comme premier ou seul élément d'importance. Des autorités comme Clapham, avec Lubbock et Kennedy, mentionnent que la Aber-
deen White Star Line a construit en 1869 son premier voilier fin en fer et
que la Orient Line construisit le sien en 1873. Un voilier en fer de quinze
tonneaux était lancé sur la Clyde en 1875 [39]. « *For about another ten
years, such vessels were built of iron, then began the hybrid age of steel
and sails.* » [40] Mais à ce stade de la concurrence de la propulsion à la voile et de la propulsion à la vapeur, Québec était hors de course. La phase critique pour les constructeurs de Québec concernait la construction
composite, « *a by-product of the transition from wood to iron* » [41] — le

---

35. Quebec Board of Trade, *Annual Report,* 1865, p. 13.
36. Clapham, *An Economic History,* p. 242.
37. *Ibid.,* p. 220.
38. Basé sur Fassett, *The Shipbuilding Business,* et confirmé par Clapham,
An Economic History, p. 62.
39. Clapham, *An Economic History,* p. 69.
40. *Ibid.,* pp. 72, 74.
41. *Ibid.,* p. 68. A ce moment-là, les exportations de charbon alimentaient
les navires à vapeur qui chargeaient en vrac pour le commerce de la Baltique et de
la Méditerranée (p. 71) alors que les navires en bois restaient en service dans
d'autres zones pour le transport de marchandises dont la livraison pouvait être
lente et irrégulière. Voir les déclarations intéressantes de John Glover, *Tonnage*

revêtement de bois sur une coque de fer. Des achats importants de voiliers fins américains auprès de compagnies américaines en banqueroute, après l'effondrement économique de 1857, une construction active de navires en bois à Sunderland [42] et de quelques-uns de type supérieur sur la Tamise [43], un chantier de construction navale sur la Clyde, tout cela, de même qu'un déplacement de la demande de bois vers des pays étrangers, placèrent Québec dans une situation marginale quant à la construction navale. La ville de Québec avait déjà connu de mauvaises années, mais A. T. Galt disait en 1860 que quelque chose d'unique était survenu dans l'histoire de la province du Canada, car les exportations avaient excédé les importations cette année-là. Le volume du transport par eau avait été vraiment bas, en fait, bas comme il ne l'avait jamais été au cours de la dernière décennie [44].

Comme on l'a noté plus haut, le Quebec Board of Trade avait observé, en 1865, qu'il y avait « *something wrong in the system upon which the ship building trade of this port is carried on* ». Deux ans plus tard, Narcisse Rosa, un constructeur de navires, informa une Commission gouvernementale d'enquête que les armateurs n'étaient pas intéressés à acheter des navires construits à Québec, bien qu'il y eût encore une certaine

---

Statistics of the Decade 1860-1870 dans *Journal of the Statistical Society*, XXXV, Part II, et les comparer à son observation dans le *Journal of the Statistical Society, March, 1863*. Les chantiers maritimes avaient produit des navires en bois mou sur une base de coût décroissant et la production avait excédé la demande à la fin des années '50 (Graham, *The Ascendancy of the Sailing Ship*, p. 80); la production demeura élevée pendant les dix années suivantes tandis que le fer n'arrivait pas à détrôner le bois. Le *Board of Admiralty* s'est montré plutôt conservateur par rapport à l'innovation (*British Parliamentary Papers*, XXI, p. 185) considérant les coques de fer inférieures à celles en bois pour la résistance au point d'impact. Cependant, ce conservatisme, tel que noté par Henry Fry (*The History of North Atlantic Steam Navigation*, ch. VI) et interprété de nouveau par Graham, qui se référait à un contexte technologique plus vaste, rencontrait les vues de la Cunard décrites comme un cas de « *State-created Ascendancy* » préjudiciable au « *natural development of British shipping* ». Voir Royal Meeker, *History of Shipping Subsidies,* New York 1905, pp. 11-12. Pour ce qui est de la possibilité technique du composite, voir Adam W. Kirkaldy, *British Shipping: Its History, Organization and Importance* (London 1914), ch. III. Le composite s'adaptait à la demande pour le commerce avec la Chine et les Indes orientales, qui comportait de rapides voyages autour du Cap Horn. Voir David Pollock, *The Shipbuilding Industry: Its History Practice, Science and Finance* (London 1905), p. 42. La demande pour le composite dura cependant peu de temps. Voir Graham, *The Ascendancy of the Sailing Ship,* p. 81.

42. Clapham, *An Economic History*, p. 67.

43. L'année 1857 fut cependant un point tournant de l'*entrepreneurship* sur la Tamise. La construction navale passa à la Clyde et à la côte orientale. Dès 1866, elle devait compter sur des commandes étrangères et sur d'autres purement spéculatives, et s'acheminait vers la stagnation. Voir S. Pollard, *The Decline of Shipbuilding on the Thames* dans *Economic History Review*, vol. III, n. 1, 1950.

44. Canada, *Sessional Papers*, 1861, XIX (2), n. 3.

demande du côté du marché anglais pour les vaisseaux en bois [45]. L'interprétation que donne Rosa de cette attitude de la part des armateurs faisait ressortir le fait de l'absence en Angleterre d'une agence qui eût représenté les intérêts de Québec. Faute d'agence, les navires de Québec étaient consignés à des mandataires insouciants qui les dépréciaient systématiquement (« *run them down* », comme on disait) afin de s'en débarrasser et de toucher la commission qu'ils pouvaient en tirer. Les navires en fer et les navires composites étaient cotés pour vingt ans à Liverpool et pour quatorze ou quinze ans au bureau d'enregistrement de Lloyd, à Londres [46]. Les navires construits dans les colonies de l'Amérique du Nord ne pouvaient entrer en concurrence avec ceux des Etats-Unis, même sur le marché anglais des navires en bois. Une déclaration faite devant une commission du Congrès américain, en 1882, corrobore celle de Narcisse Rosa, à savoir, que les provinces britanniques pouvaient produire des navires à meilleur compte que les Etats-Unis « *but as an offset, they are considered to be built of inferior materials and construction, and have less commercial value in shipping circles as a rule* » [47]. Même si les constructeurs canadiens et américains ont pu voir leurs navires en bois subir un sort identique aux mains des mandataires anglais, la chose était plus affligeante pour les constructeurs de Québec, car ceux-ci se sentaient particulièrement offensés [48]. Cependant, une opinion avait cours à l'effet qu'ils reprendraient le dessus à deux conditions. L'une, déjà mentionnée, reliée à l'amélioration des méthodes de vente sur le marché anglais, et l'autre ayant trait à la possibilité de construire des navires composites.

En vérité, la chronologie du changement technologique, selon Clapham, indiquée ci-haut, laisse supposer l'importance des navires composites pour les chantiers navals de Québec. La plupart des constructeurs de Québec croyaient que l'adoption de modèles composites serait leur salut. Mais comment en arriver à construire économiquement des navires composites dans les chantiers de Québec, voilà le problème. De l'avis de quelques constructeurs, le temps était venu pour le gouvernement de subventionner la construction navale. L'un d'eux suggéra, comme épreuve de coût de construction une subvention de $6 la tonne pour les quatre premiers na-

---

45. Voir réponse de Rosa à la Question 12 devant le *Select Committee on Merchant Vessels* dans *Journal of the House of Commons*, 1867-8, I, app. 11.

46. Quebec Board of Trade, *Annual Report, 1865*, p. 15.

47. Voir déclarations et points de vue de certains constructeurs et armateurs du pays à propos des causes du déclin du commerce extérieur américain, soumis devant le *Joint Select Congressional Committee* nommé pour faire enquête sur les besoins et les conditions de la construction navale américaine et des intérêts de la navigation américaine, *Report n. 1827, Dec. 1882* dans *House of Representatives, 47th Congress, 2nd Session*, app. 257 (ci-après: *Dingley Report*).

48. Tel que démontré par les déclarations devant le *Select Committee of the House, 1867-8*, Canada, *Journal of the House of Commons, 1867-8*, I, app. 11; voir aussi Quebec Board of Trade, *Annual Report*, 1869, p. 4.

vires composites construits dans les chantiers de Québec; d'autres suggé-
rèrent un retour à la politique de drawback qu'on avait pratiquée sous le
régime de l'Union [49]. On croyait que les subventions ravivraient une demande de matériaux favorables aux fonderies capables de fournir des pièces de construction et de gréage mais les armateurs s'y opposèrent, alléguant que Québec ne possédait pas la main-d'œuvre spécialisée pour ce
type de production, mais surtout ils s'opposèrent parce que, disaient-ils.
l'industrialisation locale réduirait le volume des importations et, de ce
fait, priverait l'entreprise de transport d'autant de cargaisons pour le retour [50]. On soutenait que, si les navires en partance réalisaient $4 par
tonne pour le bois ou le grain, ils pourraient, au retour, transporter des
matériaux d'importation à $2.50 ou $3 la tonne. Les armateurs approu-
vèrent néanmoins la construction de navires composites à titre expéri-
mental mais avec l'aide du gouvernement et de façon non préjudiciable
aux intérêts du commerce de transport.

De façon générale, on n'a pas beaucoup insisté sur la relation fondamentale qui existe entre le commerce de transport maritime et la construction navale. Ceux des constructeurs qui ont survécu à la dépression
de la fin de la décennie 1850-1860 semblent toutefois avoir saisi cette
relation, tels Valin, Gingras, Rosa, Mackay et Warner, Oliver, Charland,
Sharples, Dunn et Samson, Baldwin, Dinning et Marquis qui étaient.
d'une façon, propriétaires de navires [51]. Ils affrétaient des navires pour le
commerce transatlantique et étranger « but sold them whenever they had
a chance ». La flotte de commerce de la province de Québec comptait,
en 1874, 1,840 navires (219,000 tonnes) et tenait le troisième rang au
Canada, après les deux provinces maritimes. Les armateurs de Québec
avaient 45 navires et barques de plus de 500 tonneaux chacun inscrits
dans les registres de la province [52]. Les armateurs qui eurent du succès
dans les années 1870 construisirent et exploitèrent pour le compte de la
compagnie Ross de Liverpool. « But Quebeckers, dit Wallace, never
went into the shipping game as did the residents of the old Maritime Provinces. Quebec builders constructed ships principally for sale and did not
go in for operating them. » Ce ne fut qu'au moment où le marché des navires en bois fléchit que « concerns like J. G. Ross and a few of the
wealthiest builders began to operate ships in transatlantic and foreign tra-
des. » [53] Mais les années 1870 furent critiques même pour ces survivants
de la construction navale, car, à compter de cette période, les navires mé-

---

49. Voir déclarations de Charland et Oliver, devant le Committee of the
House, ibid.; aussi Quebec Board of Trade, Annual Report, 1868, p. 9.
50. Point de vue de Henry Fry, remarquable en ce qu'il représente un problème permanent dans l'histoire de la navigation canadienne. Pour l'importance
de ce problème, voir en particulier Journal of the Legislative Assembly, Session
1852-3, XI (8), app. CCCC.
51. Voir Wallace, Wooden Ships and Iron Men, p. 263.
52. Ibid., pp. 267-268.
53. Ibid., pp. 269, 263, 268.

talliques gagnèrent pour de bon la faveur des clients à cause du taux réduit d'assurance qu'on accordait sur ces navires, et le fer s'associa à la
vapeur pour supplanter le voilier en bois. La route de Suez activa cette
tendance car on préférait pour le commerce oriental les navires qui étaient
de construction plus légère, ou qui requéraient moins d'entretien, et, dans
la mesure où la navigation dans le canal exigeait la vapeur, Wallace pouvait noter avec justesse que le Canal de Suez, « *put a crimp in the Eastern
trade for sailing ships* » [54]. Québec qui n'avait aucune expérience dans le

GRAPHIQUE II

*Tonnage des navires construits aux Etats-Unis,
en Angleterre et dans la ville de Québec*

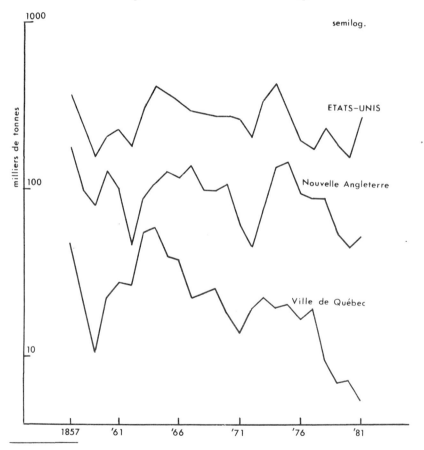

54. *Ibid.*, p. 269. Voir déclaration de J. W. Norcross, *Dingley Report*, app.
255.

domaine des placements maritimes se rendit compte bien tard que l'industrie de la construction navale dépendait étroitement du transport maritime
et n'eut d'autre alternative que de fermer ses chantiers et laisser les charpentiers de navires émigrer vers la région des Grands Lacs ou vers les Etats-
Unis.

IV

A l'intérieur de cette structure du commerce nord-atlantique, la
situation de l'industrie de la construction navale aux Etats-Unis s'avérait
toute différente. Aux Etats-Unis, les intérêts navals avaient été longtemps
liés à la navigation américaine, et le déclin de la construction navale sur
la côte atlantique souleva des problèmes reliés surtout à la navigation.
Etant donné que la période impliquée est à peu près celle où les affaires
de Québec se détérioraient, il serait peut-être à propos d'examiner ces
problèmes brièvement. Sauf pour un retard de quelques années, le déclin
de la construction navale sur les côtes de la Nouvelle-Angleterre, à partir
des années 1860, reflète celui de la construction navale à Québec. L'exposé des faits est complexe. Tout simplement, le déclin s'est produit sur
la côte parce qu'à ce moment-là la construction navale ne représentait
plus une allocation rationnelle de ressources. Et pourquoi ? La réponse
ne manque pas d'évoquer le cas de Québec. En 1882, un porte-parole du
Baltimore Board of Trade insinuait une réponse dans les termes suivants:

> *Without ship-owning there is no use for ship-building. We must show
> to the capitalist who put money in ship owning that there is profit
> in it. I do not see why we should not buy a ship of any kind wherev-
> er we can. I cannot see how it is possible that there will be any less
> iron ships built in this country, if we encourage ship-owning as much
> as possible.*

Quand on lui demanda pourquoi des essais n'étaient pas tentés pour
contrer la tendance, il répondit: « *I am afraid that while we are physicking
the patient he will die.* » [55]

Cette déclaration fait ressortir l'importance d'envisager l'industrie de
la construction navale dans l'optique du processus capitaliste. Le *Philadelphia Maritime Exchange* l'envisageait ainsi. Ses représentants reconnaissaient bien que la Grande-Bretagne pouvait construire à meilleur
marché et que la législation maritime des Etats-Unis constituait pour eux
un handicap, mais les Etats-Unis auraient pu, selon eux, continuer de
construire des navires si seulement le courant des investissements s'était
orienté vers ce type d'entreprise maritime. Mais, quand on reviserait la
législation maritime de façon à permettre aux navires construits à l'étranger de s'enregistrer aux Etats-Unis, ou d'y être importés en franchise, les
capitalistes n'y verraient pas raison de placer leur argent dans une propriété

---

55. E. D. Bigelow, *Dingley Report,* app. 27-28.

aussi peu payante. Là où les Anglais déboursaient un dollar pour l'équipage d'un navire, les Américains devaient payer un dollar et demi. La différence ne provenait pas du nombre d'employés mais du prix à parier pour obtenir la même quantité de main-d'œuvre. Sous la loi américaine, les navires étaient obligés d'embaucher leurs marins dans les ports américains, de sorte que les salaires fixés par la main-d'œuvre américaine sur un navire particulier déterminaient le salaire à payer à la main-d'œuvre étrangère embauchée sur le même navire. Le *Philadelphia Maritime Exchange* disait alors qu'il ne serait pas sage de faire des placements « *in property which it would be cheaper to sink than to operate* » [56]. Un armateur de la ville de New York, William Nelson, faisait remarquer que « *The ship-owning and ship-building community are fast depreciating. Capital is very exacting and timid, and will only place itself where it can feel secure. I have refused entirely to loan money on a ship as security... No bank would think of loaning money on a ship... We are in the same place as Russia and Spain, they give but little encouragement to foreign shipping... You cannot induce capitalists to put money in ships now; there is no profit in it.* » [57]

Cette façon de voir tient compte d'une tendance longue qui remontait à quelque vingt-cinq ans, c'est-à-dire à l'époque des fins voiliers, celle de 1843-1855. La politique de transport maritime des Etats-Unis avait été basée sur le fait que les navires étrangers devaient être admis à participer au commerce extérieur au même titre que les navires américains, « *provided the country whose flag they flew did not discriminate against American ships entering its ports* ». Cet arrangement réciprocitaire s'appliqua « *to every country of any importance* » après 1849 [58], les lois de navigation britanniques ayant été abrogées; et les navires américains durent affronter « *world competition on the basis of efficiency* ». Et alors que les chantiers devaient faire face à des coûts de production croissants, à cause de l'augmentation du prix de la main-d'œuvre, et qu'ils devaient s'avouer incapables de concurrencer la Grande-Bretagne dans la construction des navires en fer, à cause de l'augmentation du prix des matériaux, un vieil article des lois américaines de navigation interdisait aux navires construits à l'étranger de battre pavillon américain. Un déclin persistant de la marine marchande affectée au commerce extérieur (environ la moitié du tonnage total du commerce de transport en 1860) avait commencé même avant la guerre civile, et frappait particulièrement les zones exposées à la concurrence de l'Angleterre, des Etats allemands et de la Scandinavie. Ceci marquait le début de la tendance. Chester W. Wright a écrit: « *Although not always so regarded, these developments make this period mark the real beginning of the decline. However, the brilliant but*

---

56. *Ibid.,*. app. 30-31.
57. *Ibid.,* pp. 61, 63.
58. C. W. Wright, *Economic History of the United States,* New York 1941, pp. 787-788.

temporary outburst of activity during the clipper ship period proved so dazzling that the significant facts were generally lost to sight. » [59]

L'impact des coûts dans la construction navale s'était fait sentir même avant 1860 et avait réellement contribué, quoique de façon imperceptible, à décourager la participation au commerce maritime avec l'étranger [60]. Cette tendance s'accentua pendant la Guerre Civile quand, par capture, destruction et transfert, les Etats-Unis perdirent à peu près 40% de leur tonnage affecté au commerce extérieur. D'autre part, le manque de participation au commerce étranger eut des répercussions sur les chantiers maritimes. La technologie est en vérité un élément important. Mais dire que la technique nouvelle de construction en fer ou de construction composite a causé un ralentissement dans les chantiers maritimes nord-américains n'est pas tout. La technologie ne se suffit pas par elle-même; elle fait partie d'un complexe. Elle n'abolit pas de toute façon le fait que la construction navale soit subordonnée au commerce maritime. Comme un Américain le disait, en commentant le déclin de la construction navale, « *Our merchants have no foreign trade, comparatively speaking, and, consequently, need no ships.* » [61] Pour ce qui a trait à la construction navale américaine au XIXe siècle, la technologie n'était qu'un élément parmi une foule d'autres, dont les lois de la navigation, les règlements onéreux du transport maritime, le prix élevé de la main-d'œuvre et des capitaux, et, en particulier, des ouvertures plus avantageuses sur le marché du capital. Aux Etats-Unis, l'avènement de la technologie coïncidait avec le déclin du commerce extérieur et, à Québec, avec la baisse des exportations de bois vers le Royaume-Uni. De même que la situation des Etats-Unis, en ce qui regarde le commerce extérieur, avait été précaire pour avoir trop compté sur le coton, ainsi celle de Québec l'était pour avoir trop compté sur le bois.

V

Le cas de l'Angleterre devrait maintenant éclairer la question. Il rejoint un aspect fondamental de l'histoire de la zone nord-atlantique et il reflète la complexité de l'influence anglaise sur les chantiers de Québec. Quand on en arriva à préférer les navires en fer aux navires en bois, et la vapeur à la voile, l'Angleterre avait pris les devants dans la construction navale et le fret océanique. Une industrialisation basée sur le fer et le charbon justifiait ce changement. Grâce aux matières premières et au génie maritime, l'Angleterre pouvait faire face à de nouvelles exigences. La hausse du prix du bois qui accompagna la baisse du prix du fer s'avéra favorable au progrès du type industriel basé sur le fer et le charbon [62]. Le

---

59. *Ibid.,* p. 438.
60. Pour un examen général de la tendance, voir *ibid.,* ch. XXVII, XXXII.
61. *Dingley Report,* p. 267.
62. Pour une indication de ce point de vue, voir C. W. Wright, *Convertibility and Triangle Trade* dans *Economic Journal,* sept. 1955.

fer nécessitant l'emploi de la vapeur dans le commerce du transport et, à leur tour, le fer et la vapeur requérant l'acier comme matériau plus approprié, on put, dès 1880, suffire à la demande [63]; dans les propres mots de Knowles, « *as soon as a ship became a box of machinery, England... soon out-distanced all rivals* » [64]. Le bois avait cessé d'être un apport. Cette révolution technique dans la construction navale se produisit quand les Etats-Unis, absorbés dans la Guerre Civile et la reconstruction, eurent besoin de toutes leurs ressources pour la construction des chemins de fer, l'expansion agricole et l'organisation industrielle. Dans l'Angleterre de cette époque, selon Jenks, un cycle ferroviaire était terminé [65]. La régularité et la ponctualité des services ferroviaires eurent leur parallèle dans les lignes de transport transocéanique, et dans les communications télégraphiques qui complétèrent les services nouveaux. A l'avantage de ces entreprises, le capital s'orientait vers des formes d'investissement domestique et, selon Rostow [66], des profits réalisés sur des investissements à l'étranger étaient rapatriés. Les statistiques de Cairncross sur l'investissement illustrent précisément l'importance de l'enjeu britannique dans plusieurs parties du monde et expliquent que la Grande-Bretagne ait eu intérêt à organiser des communications rapides et régulières avec les régions éloignées où elle avait placé des capitaux. A tout considérer, le Canada ne représentait qu'une part mineure dans cette mosaïque de placements, une part tout à fait petite si on la compare à celle des Etats-Unis, de l'Inde et de l'Amérique du Sud. L'importance de Québec comme ville maritime diminuait rapidement à mesure que les steamers trouvaient préférable d'aller à Montréal plutôt qu'à Québec [67].

Au moment où, dès 1862, la responsabilité limitée s'appliquant aux sociétés par actions devint pratique courante, l'Angleterre trouvait facilement les fonds nécessaires à l'organisation des chantiers maritimes sur le modèle des industries lourdes. Dans les années 1860, la courbe descendante du prix des navires en fer de fabrication britannique croisait la courbe ascendante du prix des navires en bois de fabrication américaine [68].

---

63. Pour certains aspects de cette question, voir Glover, *Tonnage Statistics of the Decade 1860-1870;* aussi Pollock, *The Shipbuilding Industry,* p. 68 surtout.

64. L. C. A. Knowles, *The Industrial and Commercial Revolutions in Great Britain during the Nineteenth Century,* London 1930, p. 193.

65. Jenks, *The Migration of British Capital to 1875,* ch. V-VI.

66. Voir W. W. Rostow, *The British Economy in the Nineteenth Century,* Oxford 1948.

67. D'après les données recueillies par l'auteur sur le commerce de l'importation et de l'exportation dans les ports de Québec et Montréal jusqu'à 1867. Pour une liste des navires arrivant dans le port de Québec entre 1764 et 1866, voir Quebec Board of Trade, *Annual Report,* 1867, pp. 83-84; mais « *no reliable mode has ever been adopted of securing correct and regular returns of the imports by Sail, Barge and river Steamer at the Port of Quebec,* » *ibid.,* pp. 9-10. Le commerce du grain alimentait le trafic vers Montréal; voir W. J. Patterson, *Descriptive Statement of the Great River Highways,* Montréal 1874, app. 4.

68. Hutchins, *The American Marine Industry and Public Policy,* p. 401.

Dans le cas des navires à vapeur, la croisée des courbes survint avant la guerre civile. La supériorité économique des chantiers de la Grande-Bretagne sur les autres chantiers, calculée en termes de coût de revient, s'explique fondamentalement par leur organisation sur une grande échelle [69]. Dans cette suprématie croissante qui allait engendrer tout un empire, l'orgueil de la nation autant que les intérêts individuels des financiers entraient en jeu. Orgueil national et intérêt financier se sont liés et ont amené l'Etat à pratiquer une politique de subsides, et cela, en pleine période de laisser-faire doctrinal [70]. L'entreprise privée n'a jamais été complètement abandonnée à ses propres ressources concurrentielles, même si elle ne fut jamais subventionnée ouvertement comme cela se fit en France. Les subsides étaient camouflés dans les contrats postaux, les paiements pour le maintien des croiseurs auxiliaires, les emprunts dans les contrats de l'Amirauté, l'engagement des transports de troupes, les paiements faits par l'administration coloniale, et les lois sur le tonnage. La dépendance du gouvernement vis-à-vis l'entreprise privée attira des capitaux dans les chantiers maritimes; elle eut l'effet d'un investissement. Les capitalistes savaient que le Trésor anglais soutenait le transport océanique et qu'il alimentait ainsi une demande de navires. « *This policy the government was determined to sustain at any cost having learned by experience that it was cheaper than war.* » [71]

Cette politique était en vigueur depuis environ vingt-cinq ans quand la Guerre Civile supprima le triangle du coton et priva les Etats-Unis de leur participation au commerce extérieur. L'Angleterre était à ce moment prête pour la relève, grâce à un nouveau mode de relations avec l'Egypte, l'Inde et l'Amérique du Sud, tandis que les Etats-Unis tentèrent une récupération principalement par l'entremise du commerce du grain. Les communications postales plus étendues amenaient un accroissement des relations, de même qu'une augmentation du commerce dans les zones de placement britanniques, un volume accru du commerce du transport, et, par la suite, une demande plus grande pour de nouveaux navires que la Grande-Bretagne pouvait produire sur une base de coût décroissant. Les Etats-Unis entendaient favoriser la construction navale grâce à leurs lois de la navigation, mais ils ne firent rien pour soutenir le commerce maritime. Il ressort des témoignages présentés devant le comité Dingley que ce dont ils avaient besoin était un moyen qui permît aux propriétaires d'opérer les navires avec profit, une condition indispensable à la quête des capitaux dans l'industrie navale [72]. Quoique protectionniste, le gouvernement américain ne s'était pas engagé dans une politique de primes, surtout

---

69. Meeker, *History of Shipping Subsidies*, pp. 178-181.

70. J. A. B. Brebner, *Journal of Economic History*, VIII, pp. 59, 73, 75; S. Pollard, *Economic History Review, 2nd series*, vol. V, n. 1.

71. Témoignage fourni au *Dingley Committee*, app. 94.

72. *Ibid.*, p. 114.

pas pour supporter un secteur sans attrait pour les financiers, individuels ou associés. Même si une action politique allait écarter les obstacles au rendement du transport maritime, un représentant des milieux du transport maritime disait en 1882: « *it is not likely that any great increase or revival of our shipbuilding and shipping interests will take place until we have reached the maximum of production in other lines of labor and enterprise, especially in agriculture. When that point is reached... the ocean may have its olden attraction.* » [73]

VI

Telle était la situation de l'industrie navale au XIXe siècle. Une appréciation du rang que Québec y occupe pourrait aider à expliquer pourquoi ses chantiers ont tombé. L'incapacité des spécialistes de l'histoire locale d'établir le rapport entre la révolution technique et les autres facteurs pertinents ont barré la voie à quiconque, après eux, aurait tenté de scruter les causes complexes du déclin de la construction navale dans la région métropolitaine de Québec. Les historiens locaux, bien sûr, ont reconnu l'importance des changements techniques dans l'industrie de la construction navale et ils y ont vu des répercussions directes sur les chantiers de Québec. Il se peut toutefois que l'influence n'ait pas été aussi directe qu'ils le pensent, et qu'elle ait joué dans un cadre d'événements que l'entendement historique suppose aussi complexes que les réalités d'aujourd'hui. On ne saurait méconnaître le rôle de la technologie, même dans l'interprétation des problèmes locaux apparemment « *susceptible of treatment with short-period tools* » [74]. Mais la technologie ne va pas de soi: elle est le produit d'une société. Elle peut se présenter dans une société comme un défi, [75] mais là, les énergies mêmes qui l'ont produite peuvent bien s'avérer incapables de promouvoir économiquement tant de savoir, soit qu'on n'y trouve point le génie pour l'appliquer, soit qu'ayant tous les techniciens voulus, on ne croie pas économiquement sage de répondre aux avances de la technologie dans un genre particulier d'entreprise. Pour interpréter le déclin des chantiers navals à Québec, il faut donc replacer dans leur contexte spatio-temporel les facteurs explicatifs d'origine locale.

---

73. *Ibid.,* p. 266.
74. Rostow, *The Process of Economic Growth,* pp. 2-3. Le point de vue de Rostow est que l'historien « *finds that the long-period factors are much with him, however short the historical time period he may choose to consider* ». Un point de vue identique s'exprime à travers certains documents historiques quant aux espaces, d'après H. A. Innis; voir, par exemple, *Liquidity Preference as a Factor in Canadian Economic History* dans *Political Economy in the Modern State,* Toronto 1949, ch. IX; aussi F. Perroux, *L'Europe sans rivages,* Paris 1954, qui donne une vaste introduction au concept d'espace économique.
75. Pour un examen général de cet état de choses, voir Herbert Frankel, *De quelques manières de concevoir l'évolution technique* dans *Bulletin international des sciences sociales,* vol. IV, n. 2, 1952.

L'interprétation traditionnelle du déclin de l'industrie navale à Québec a suivi la ligne tracée par un Comité de la Chambre nommé en 1867 pour faire enquête sur le sujet mais elle n'a retenu qu'un facteur parmi plusieurs qu'énumérait le Comité: la substitution du fer au bois. C'était retenir un facteur de grande portée, mais ce facteur ne peut, à lui seul, résoudre ce difficile problème historique.

Si, maintenant, l'on suppose un niveau stable de commerce du transport dans le port de Québec et si l'on suppose, d'autre part, une demande ferme et croissante de navires en fer aux chantiers de Québec, ceux-ci auraient-ils pu accepter le défi d'un changement technologique ? Jusque là, les chantiers de Québec avaient produit des navires en bois exclusivement; leur localisation avait été déterminée par la facilité de s'y procurer du bois à bon marché et par la disponibilité de bûcherons expérimentés. Au cours de la seconde moitié du XIXe siècle, les chantiers de Québec auraient dû s'adapter aux exigences nouvelles, c'est-à-dire, aux nouvelles méthodes de construction navale qui eussent exigé une manutention et un traitement de nouveaux matériaux, un emploi de main-d'œuvre experte dans les techniques jusque-là inconnues dans la région. Tout cela, nous l'avons déjà dit, évoque la nécessité d'un investissement massif et d'une main-d'œuvre adaptée aux conditions des industries lourdes du fer et de l'acier. Ceux qui ont connu ces industries à leur phase de plein développement n'ont pas de peine à comprendre que cette nécessité introduisait un type d'organisation grevé de frais incompressibles; ceux qui ont vécu au premier stade de leur développement n'arrivaient peut-être pas à saisir cette caractéristique. Ainsi, dépourvu de matières premières et de main-d'œuvre spécialisée en ce domaine, Québec dut affronter soudainement une situation exigeant à la fois capitaux abondants et main-d'œuvre spécialisée, situation qui se présentait pour la première fois. En matière de capital et de main-d'œuvre, Québec ne s'était pas écarté de la traditionnelle économie artisanale.

Wallace a remarqué que « *very few of the ship builders had any capital, and they were dependent upon capitalistes to advance funds...* » [76] Et Wood: « *The usual procedure was for the builder to set up the frame; thereupon he would get financed for the whole adventure. The best local financiers encouraged the shippers and even mates to become shareholders.* » [77] Les charpentiers de navires fournissaient même leurs outils. Les constructeurs de navires de Québec pouvaient donc opérer avec un minimum de frais généraux. Mais ils avaient besoin d'argent dès le moment où ils montaient la charpente du navire et jusqu'au moment où le navire était vendu sur le marché de Liverpool, et ce, pour payer les matériaux et les salaires, les agrès et les apparaux. Il arrivait parfois que le bateau

---

76. Wallace, *Wooden Ships and Iron Men*, p. 92.
77. Wood, *The Storied Province of Quebec*, I, p. 177.

passait des mois dans les bassins de Liverpool avant d'être vendu [78]. La plupart des constructeurs dans les années 1850, et quelques-uns dans les années 1860, devaient, ou compter sur les avances faites par les particuliers, ou troquer les salaires contre des actions dans l'entreprise. Mais ces avances de fonds étaient contraignantes et les intérêts, commissions et le reste, contribuaient à réduire les profits. La portée des exactions, dont le total équivalait à de l'usure, a été divulguée comme suit, devant le Comité [79]: Un entrepreneur payait le soi-disant « pourvoyeur » 7 pour cent d'intérêt sur l'avance fournie, 5 pour cent de commission, 2½ pour cent du fret des marchandises transportées sur le navire, 5 pour cent de commission sur le produit des ventes, si elles étaient conclues en Angleterre, et une commission sur les matériaux importés et utilisés dans la construction du navire. Dans un cas soulevé devant le Comité, les frais des avances s'étaient élevés à plus de 24½ pour cent. Ceci explique pourquoi la plupart des constructeurs de navires à Québec étaient appauvris. Certains de ceux qui survécurent à la dépression commerciale de la fin des années 1850 étaient financés par des compagnies de Liverpool; d'autres ne restèrent en affaires que peu de temps. La Compagnie Ross avança même de l'argent aux constructeurs et gréa les navires pour le commerce jusqu'à ce que surgît l'occasion d'une vente profitable. Grâce à ces taux élevés, les bailleurs de fonds consentaient à avancer $30,000, ce qui était approximativement le coût moyen d'un navire de 500 à 1,000 tonnes [80]. Comme on leur assignait la coque en garantie, une partie très importante du navire, en vérité, les bailleurs de fonds n'encouraient aucun risque. Les bénéfices n'étaient pas investis mais thésaurisés jusqu'à ce qu'on pût les utiliser de nouveau par les mêmes méthodes d'usure. La construction navale était alors financée par la cession temporaire de monnaie thésaurisée. On en a cédé beaucoup au début des années 1850 et encouragé ainsi dans les chantiers maritimes un travail peu soigné. Mais cette époque était l'époque du « marché des vendeurs »: « *A good ship with a good load of lumber would make 50% clear profit when both were sold in England during a good season. The ship cost only from thirty to forty dollars a ton at Quebec, while she would fetch fifty to sixty in London. Some made the trip both ways; out with timber and perhaps other raw materials; back with manufactured articles and metal fittings for new ships.* » [81]

La situation n'était pas la même dans les années 1860, car les entrepreneurs se montrèrent plus prudents dans leurs emprunts, préférant faire appel aux banques pour le crédit plutôt qu'aux prêteurs particu-

---

78. *Canada and its Provinces*, vol. 10, p. 579.
79. Voir témoignage produit par Rosa, Labbée, Forsyth et Charland devant le *Select Committee*, Canada, dans *Journal of the House of Commons*, 1867-68, L, app. 11.
80. *Ibid.*, témoignage de Rosa et Labbée.
81. *The Storied Province of Quebec*, I, p. 179.

liers. Mais le système bancaire était-il prêt à offrir un service dans un domaine où le manque d'institutions financières était responsable des pratiques usurières ? Il semble, au contraire, que le crédit devenait monopolistique. Les bailleurs de fonds se sont sans doute groupés, car Narcisse Rosa disait, en 1868, qu'il n'y avait à ce moment-là qu'une personne prête à avancer des sommes pour la construction navale dans cette ville [82]. Les constructeurs qui avaient de l'argent s'en servaient pour maintenir leurs navires en opération, ce qui revient à dire qu'ils étaient soutenus par les armateurs.

Dans la perspective définie plus haut, la nouvelle demande s'orientait vers les navires en fer et les navires composites, et les chantiers de Québec devaient se tenir au courant des changements technologiques et mettre en place un outillage qui nécessitait du capital liquide. Même dans un chantier équipé pour construire des navires composites, on peut mal s'imaginer des ouvriers propriétaires de leurs outils. La transformation technique obligeait les entrepreneurs à mettre sur pied un outillage important, en privant le vieil artisan de ses outils. Mais qui pouvait financer l'entreprise ? Et qui le ferait ? Québec faisait face à un nouvel ensemble de conditions auxquelles elle n'était pas préparée. En somme, sa construction navale n'avait pas été profitable et jamais dans son histoire il n'avait été question de capital versé sous forme d'autofinancement. Et parce qu'on s'en était tenu à un modèle artisanal, l'industrie avait surtout été non-capitaliste. Narcisse Rosa a souligné l'incapacité et la répugnance des constructeurs à s'unir.

D'autres facteurs contribuèrent à rendre l'ajustement encore plus difficile: par exemple, les problèmes ouvriers de la fin des années 1850, et tout particulièrement les grèves de 1866 et 1867. Les constructeurs eux-mêmes ont maintes fois souligné la portée des problèmes ouvriers dans l'industrie de la construction navale. A voir avec quelle liberté, et non sans quelque injustice peut-être, on a imputé les grèves à la malice des hommes, [83], c'est à se demander si jamais on a étudié cette question avec sérénité. Au moins un constructeur a proposé de l'étudier sous l'angle du salaire réel de l'ouvrier.

Enfin — autre facteur, de nombreux incendies firent des ravages dans la région et contribuèrent à accélérer la migration des ouvriers, surtout durant les périodes de récession économique. Dans cet essai nous avons négligé cet aspect, mais le facteur cyclique pourrait avoir son importance, attendu qu'il a sans doute précipité le déclin de l'industrie.

---

82. D'après Rosa, déclaration devant le Select Committee, Canada, *Journal of the House of Commons, 1887-8*, I, app. 11.

83. La presse était en général mal disposée envers la question ouvrière. Pour une déclaration antérieure sur le problème ouvrier dans les chantiers de Québec, voir J. N. Duquet, *Le Véritable Petit-Albert*, Québec 1861, pp. 74-75.

Les citadins de Québec ont éprouvé de l'amertume à voir s'affaisser leur industrie. Avec leurs hardis marins manœuvrant les voiliers de bois (« *iron men to man wooden ships* », selon le mot de Wallace), ils demeurèrent longtemps sans enthousiasme pour les navires en fer qui mouillaient dans le port et quand, en 1889, le premier cargo-vapeur en fer vint s'ancrer à Québec pour un chargement, ils l'appelèrent « *a dirty damned little tin tramp* » [84].

En somme, pour bien comprendre l'industrie de la construction navale à Québec au XIXe siècle, il faut la situer dans la trame de l'organisation du commerce nord-atlantique. Mais l'hypothèse d'un pareil horizon soulève quantité de problèmes et il peut être difficile d'en choisir un comme point de départ de la discussion à moins de recourir à un certain procédé théorique de sélection. Aussi osons-nous recourir à ce qu'on peut appeler un modèle économique de la construction navale. Disons que la construction navale est étroitement liée à l'industrie du transport; l'industrie du transport est liée au volume, à l'orientation ou au cheminement des marchandises transportées; et il faut tenir compte de toutes ces liaisons ou autres qui s'y rapportent, si l'on veut saisir et apprécier l'impact de la technologie dans le cas particulier de la construction navale à Québec. A Québec, la construction navale dépendait presque exclusivement du marché britannique; elle était liée au commerce d'exportation du bois qui, à son tour, dépendait de la demande britannique. Encore une fois, cette demande conjointe de la Grande-Bretagne devrait être considérée comme faisant partie de l'organisation du commerce où les entreprises du transport des Etats-Unis s'imposèrent jusqu'à la dépression des dernières années 1850. La liaison du complexe des Etats du Sud et du Lancashire avec la côte américaine, pour former le triangle du coton, était à la base du système. Des événements inattendus tels que la ruée vers l'or ajoutèrent force et dynamisme à cette organisation nord-atlantique et soutinrent l'émigration des gens d'outre-mer. Québec eut une part résiduelle de ce trafic. Cette ville était particulièrement favorisée durant cette période par une politique de tarif préférentiel sur le bois importé de Québec ou d'autres ports des provinces britanniques. Nous n'avons pas, dans cet essai, donné les séries chronologiques de l'exportation du bois, du prix du bois à Québec, et du taux de fret de Québec à Liverpool et à Londres. C'est là une limitation.

La crise de 1857 fut de courte durée en Angleterre mais eut un effet prolongé sur certaines parties de l'Empire Britannique. La Province du Canada ne s'en était pas encore remise, quand la Guerre Civile américaine, mettant fin au triangle du coton, détruisit le complexe du transport auquel appartenait le Canada. La débâcle du commerce du coton amena la disette du coton dans le Lancashire, et la demande de coton, à un moment donné, entraîna une rapide orientation du commerce vers les zones

---

84. *The Storied Province of Quebec*, I, p. 177.

orientales où l'on pouvait acheter du coton, précipitant ainsi le déclin des zones délaissées. Tout ceci s'était produit avant que le fer n'entrât en concurrence sérieuse avec le bois, et le charbon avec le vent. Entre-temps. le prix du bois dans les colonies ne suivit pas la baisse du prix du fer en Angleterre; la différence de coût entre les deux produits fut alors élargie et la concurrence accentuée entre deux types de localisation d'entreprise. Cependant, quand arriva le krach du coton dans les années 1860, entraînant la disette dans le Lancashire, l'Angleterre était, du point de vue technique, prête pour la restauration.

Elle était également prête du point de vue financier car, son cycle ferroviaire tirant à sa fin, ses investissements étaient maintenant dirigés vers ce qui semblait être d'une importance vitale pour la nation. Nous avons mentionné l'importance du Canal de Suez comme facteur d'accélération de la demande de navires à vapeur construits en fer. Il est regrettable toutefois qu'on n'ait mentionné à peine les rapports possibles entre les cycles (courte période) et les changements dans la technique de construction et la demande de nouveaux navires (longue période). C'est là une autre limitation. Quand même, les déclarations recueillies ici et là, dans les communiqués commerciaux, dans les rapports du Quebec Board of Trade, au sujet de la construction navale à Québec, surtout si nous reconsidérons la question dans un vaste schème de référence, nous donnent raison de dire que, même il y a cent ans, Québec ne pouvait se payer le luxe de vivre indépendamment du reste du monde, et que, même en ce temps-là, il fallait s'y entendre un peu dans les problèmes internationaux pour discuter des problèmes locaux.

En conclusion, la construction navale à Québec au XIXe siècle ne peut être dissociée du destin du port où elle avait débuté, où elle s'était développée ou où elle déclina. L'histoire de la construction navale a reflété celle de l'industrie du transport dans cette région particulière; mais l'industrie du transport a reflété une histoire plus longue qui devrait être racontée du point de vue de l'investissement. Longtemps avant les années 1860, les Etats-Unis avaient dominé l'industrie du transport et Québec avait participé au « boom ». Cependant, l'Angleterre n'était pas restée inactive. Elle avait jeté son dévolu sur plusieurs parties du monde. Elle avait établi ses prétentions sur des rives éloignées et sur de vastes hinterlands continentaux qui devaient plus tard être reliés au « *little corner of the world* ». De la même façon que pour les chemins de fer qui avaient fait l'objet de sa politique avant 1860, l'Angleterre porta plus tard toute son attention sur le trafic océanique. Quand l'industrie du transport océanique dut être réorganisée après 1860, l'Angleterre ne fut pas prise au dépourvu. Elle était prête financièrement et la réorientation de son commerce suivit les voies ouvertes par les capitalistes.

Fondamentalement, les tendances de l'investissement ont déterminé le rôle que tout port était appelé à jouer à l'intérieur de ce nouvel arran-

gement. Et quelle était la position relative du port de Québec ? Le port
de Québec était placé en marge du continent, en d'autres mots, en bordure
d'un pays qui portait toute son attention sur des investissements de type
continental, soit dans les canaux maritimes, soit dans les chemins de fer.
A cause d'une nouvelle répartition des investissements de type continen-
nental, Québec fut détrôné par Montréal comme port de partance pour
le continent. On a fait mention du rôle des navires à vapeur en ce qui regarde le déplacement du commerce vers Montréal. Québec se trouva
ainsi privé de hinterland. Le Canada porta alors toute son attention sur le
développement rural, contrepartie de l'urbanisation pratiquée à ce moment-là dans les vieux pays. Comme terminus, le port de Québec était
abandonné sur la rive de ce qui avait été longtemps la route maritime des
fourrures, du bois et du coton.

Les ports sont les rejetons plutôt que la souche des investissements,
encore qu'ils aient besoin de placements une fois qu'ils commencent à
desservir une zone de commerce. Leur destin s'accomplit en période longue parce que la rotation et le cycle des investissements de caractère
structurel sont lents, parce que ces investissements bougent en fonction de
la technologie, facteur déterminant de l'utilité du charbon et du fer, de
l'électricité et des métaux de base. En un temps où l'électricité et les métaux de base dominent, les aires continentales comme le Bouclier précambrien sont appelées à jouer un rôle éminemment important. En vérité,
les investissements se sont déplacés vers le nord depuis quelques années,
pour redonner une fois de plus au Plateau laurentien l'importance relative
qu'il avait eue à diverses périodes de l'histoire canadienne. Quelle devrait
être la fonction du port de Québec dans le réseau des relations en voie
de se constituer, et combien faudrait-il y investir pour qu'il puisse répondre adéquatement aux demandes de la région qu'il aurait mission de servir, voilà deux questions qui nous ramènent à considérer la tendance des
investissements dans un cadre technologique. Il n'est pas impossible que
le port de Québec devienne un jour un grand port de la région nord-atlantique; il le deviendra s'il réussit à se donner un hinterland.

7

L'émigration des Canadiens français au XIXe siècle: position du problème et perspectives *

Les dirigeants ecclésiastiques et civils de la province de Québec se sont étonnés du mouvement de la population canadienne-française au XIXe siècle et, au cours de la seconde moitié de ce siècle, lorsque le mouvement prit l'ampleur d'un véritable exode vers les centres manufacturiers de la Nouvelle-Angleterre, ils s'en sont alarmés et ils en ont fait leur principale préoccupation. Pourquoi émigrer, se demandait-on, et pourquoi les émigrants ne reviennent-ils pas à la terre ? Y aurait-il effritement ou corrosion du terroir, ou insuffisance de la politique de colonisation ? Ou encore, inefficacité des efforts de rapatriement ? Car le gouvernement même a versé des subsides au rapatriement.

La désertion de la campagne, de la province même, devenait pour la société canadienne-française un sujet d'inquiétude qui lui faisait douter de sa propre survivance.

Et lorsqu'on voulut, à la fin du siècle, donner à la colonisation une impulsion nouvelle, c'était comme remède à l'exode qu'on la proposait: les paroisses nouvelles de colonisation devaient être le moyen d'élargir et de fortifier le terroir.

Il ressort des documents officiels, des romans patriotiques et des exhortations pastorales, en somme, de la littérature du XIXe siècle, qu'on

_____

* Article publié dans *Recherches sociographiques*, vol. V, n. 3, sept.-déc. 1964.

a apprécié les mouvements migratoires de la population du Québec par référence à un système de valeurs centré sur la paroisse et, plus particulièrement, sur la paroisse rurale. Edmond de Nevers ne faisait-il pas écho à ce système lorsqu'il écrivait: « Les campagnes sont en quelque sorte le laboratoire où se créent les forces du bien. »[1]

On a trouvé spectaculaires et désastreux ces mouvements migratoires. L'étaient-ils tellement ? Désastreux peut-être, d'un certain point de vue; spectaculaires, non pas, si on les compare aux autres mouvements semblables soit en Amérique, soit en Europe. L'on peut, par exemple, sous le rapport de la « désertion des campagnes », comparer la province de Québec à certains départements ruraux de la France[2], ou à certains Etats américains. Sous le même rapport, l'on peut aussi comparer le Québec à l'Ontario. Car, à la fin du siècle dernier, la province d'Ontario faisait elle-même l'expérience de la « désertion des campagnes »; et un comité spécial du Sénat canadien en établit la preuve, en 1911, en publiant une liste de comtés ruraux en perte de population depuis 1890[3]. La liste est incomplète, mais elle suffit à établir la preuve d'un dépeuplement rural.

Trente-six comtés d'Ontario auraient enregistré des pertes absolues de population. Huron et Bruce, entre autres, ont perdu respectivement 9,593 et 9,985 habitants de 1890 à 1911.

Pour expliquer cette dépopulation rurale, rappelait un témoin à l'enquête du comité, que de choses futiles n'a-t-on pas dites. On a invoqué, par exemple, la théorie du « flamboiement du gaz » (*gas light theory*), voulant que « les jeunes gens soient attirés vers les villes comme les phalènes par la lumière d'une bougie ». Selon ce témoin, les causes de la dérualisation sont économiques: surpeuplement, mécanisation des fermes, et conjoncture défavorable à l'économie agricole. Et il ne voit pas pourquoi les législatures s'appliqueraient à arrêter le mouvement, puisque ce mouvement manifeste de la santé.

Les vieux comtés ruraux sont démographiquement saturés; par exemple: Middlesex depuis 1860, Huron depuis 1870 et Frontenac depuis au moins 1880. Ils ne peuvent plus absorber l'offre de main-d'œuvre, et les jeunes gens s'en vont chercher du travail ailleurs. La machine remplace les hommes. Un témoin du comté de Frontenac dit que son père achetait, en 1881, la première moissonneuse-lieuse et la charrue polysoc, siège à ressort, et qu'il pouvait faire en une heure ce qu'il faisait autrefois en trois heures. Les coûts de production sont élevés et les marchés sont dif-

---

1. *L'avenir du peuple canadien-français*, Paris, Jouve, 1896, p. 301.
2. Voir J.-A. Chicoyne, *Mémoire du Comité spécial pour examiner les causes du mouvement d'émigration dans certaines parties de nos campagnes,* Québec 1893, p. 3.
3. *Documents du Sénat*, vol. XLVII, n. 1, Canada 1911-12.

ficiles. En 1880, on payait environ $300 une moissonneuse-lieuse (le double du prix de 1910), et on l'achetait sur un marché protégé, alors qu'on vendait les produits agricoles en marché libre. D'où l'écart des prix.

Richard Cartwright estimait que la politique tarifaire du Canada imposait au fermier un fardeau de $130 à $200 par année; les marchés américains lui sont fermés. L'Ontario produit trop de blé à coût trop élevé. On ne fait pas assez d'élevage. Les fermiers les plus prospères trouvent difficile de trouver de la main-d'œuvre à $35 par mois, logée, nourrie, plus cheval et voiture, dimanches et fêtes. Le dimanche, le valet se promène dans la voiture du propriétaire et refuse de traire les vaches. Waldron, propriétaire du *Weekly Sun* et promoteur de l'éducation agricole, ajoute que même les agronomes se détournent de la terre. On ne veut plus investir dans l'agriculture. La terre repousse d'autant plus que les milieux ruraux ont depuis longtemps dépassé l'optimum de population. L'industrie, avec ses promesses de la vie urbaine, attire; les prairies de l'Ouest aussi, à cause de la politique de concession facile de terres et de la possibilité d'emploi immédiat aux travaux publics. De 1881 à 1886, il est entré dans le Manitoba et le Nord-Ouest 27,000 personnes en moyenne chaque année. De ce nombre, l'Ontario aurait fourni un fort contingent. C'était la période de la construction du chemin de fer du Pacifique qui a utilisé un effectif d'une quarantaine de mille manœuvres. Parmi ceux-ci combien sont devenus fermiers ? Il est impossible de le dire, mais l'on sait désormais que l'exode du milieu rural ne conduit pas nécessairement de tel milieu rural à l'usine la plus proche. Il peut conduire aussi aux travaux publics et de là, à l'usine, ou de l'usine à la ferme ou de la ferme à la ferme. Le mouvement devient triangulaire ou même giratoire, et il est universel. Il engage tous les pays associés à l'économie nord-atlantique; toutes les provinces, tous les États américains y participent. Ce qui étonne aujourd'hui, c'est que le caractère œcuménique du mouvement ait échappé à ceux qui enquêtaient sur l'exode des campagnes.

Il faut dire toutefois qu'à cet âge protostatistique des institutions politiques et ecclésiales, il n'était pas facile d'évaluer l'ampleur des courants migratoires et encore moins de les interpréter par rapport aux grandes transformations du monde occidental. On ne mesure la portée de pareils événements qu'à la condition de les replacer dans leur contexte global. Ainsi, l'émigration canadienne-française nous apparaît comme l'expression régionale d'un rajustement à l'échelle de l'économie nord-atlantique. L'industrialisation des pays du nord-ouest de l'Europe et de certains États américains, la modification du régime agraire et de la technique agricole en Angleterre, l'ouverture de nouvelles terres et la mécanisation agricole en Amérique, en Australie et en Afrique, la substitution du cheval-vapeur au cheval de trait, en somme, les principaux facteurs de la révolution économique du XIXe siècle ont provoqué le plus prodigieux des mouvements de capitaux et d'êtres humains dans l'histoire. On a estimé que de 1821 à 1830, 34,000 personnes, en moyenne, ont quitté l'Europe chaque année; de 1840 à 1850, 250,000. Les nouvelles techniques de transport et de communication ont favorisé ces mouvements de population; la navigation à vapeur a favorisé aussi le transport des matières brutes et des denrées agricoles, elle a établi des liaisons régulières entre les marchés européens et les régions nouvelles de haute rentabilité. Le télégraphe, en diffusant l'information instantanée, rendait possible un mécanisme mondial des prix et la diffusion des investissements sur de vastes espaces. La mobilité des travailleurs a doublé la mobilité des capitaux. De 1881 à 1891, c'est environ sept millions d'hommes qui passent outre-mer; de 1891 à 1900, environ cinq millions. On établit à 60 millions le nombre d'émigrants qui ont quitté l'Europe de 1846 à 1914 [4].

De cette émigration européenne, les Etats-Unis devaient recueillir environ 60 pour cent, l'Argentine 11 pour cent, le Canada 8.7 pour cent, le Brésil 11 pour cent, l'Australie 5 pour cent, la Nouvelle-Zélande et l'Afrique du Sud 1 et 1.3 pour cent [5].

Exposé, et de très près, à l'influence de la civilisation industrielle, le Québec pouvait-il échapper au tourbillon ? L'émigration québécoise devenait un cas de migration parmi d'autres.

Or, considérer ce cas en le situant dans l'univers auquel il appartient, c'est reprendre un vieux thème: l'« exode » des Canadiens français au XIXe siècle; c'est le reprendre dans une vaste perspective qui nous permettra d'évaluer l'importance des mouvements de population par rapport aux avantages économiques et montrer ainsi que les Canadiens français n'ont pas échappé à l'attraction de tels avantages. « L'émigration a commencé (c'est une façon de parler: déjà en 1838, Lord Durham considérait le flux migratoire canado-américain comme une constante de l'histoire canadienne), dit un Comité d'enquête de 1849, principalement à la suite des insurrections de 1837 et 1838, et s'est bornée alors strictement au district de Montréal... » [6]

Les grands travaux publics sous le nouveau régime constitutionnel de 1840 n'ont pas enrayé le mal: la province ne garde qu'une faible portion des immigrants et « les natifs eux-mêmes se dirigent en grand nombre vers des pays étrangers ». Et les commissaires se demandent « si c'est la nature elle-même qui n'offre pas à l'homme de son pays des avantages suffisants pour l'y retenir, ou si ce n'est pas plutôt la société qui a négligé d'exploiter le champ que la nature lui offrait ». Trois ans plus tard, Lord Elgin se posait la même question relativement aux canaux du Saint-Laurent; car à l'émigration venait s'ajouter la diversion du trafic du Canada-

4. Francis Delaisi, *Les deux Europes*, Paris 1929.
5. Julius Isaac, *Economics of Migration*, London 1947, ch. III, p. 4.
6. *Journaux de l'Assemblée législative*, Canada 1849, app. AAAA.

Ouest et des Etats des Grands Lacs vers New York par le canal Erié [7]; et le courant du trafic vers les foyers de grande activité économique entraînait de nouvelles migrations. Les zones économiquement fortes exerçaient une attraction sur les zones économiquement faibles.

On se demande donc si l'émigration des Canadiens est imputable à la situation géographique ou si elle est une conséquence de l'activité économique. Il se peut que les deux facteurs aient leur place dans l'explication historique des mouvements de population. Et d'ailleurs, il serait difficile de les séparer, sachant que les influences géographiques s'inscrivent dans l'histoire économique, sachant aussi que l'activité économique modifie d'autant plus ces influences, que le développement technique est plus avancé. Aussi convient-il de poser le problème de l'émigration canadienne-française au XIXe siècle dans un schème qui tienne compte de la géographie et de l'histoire, surtout si l'on veut reconstituer les courants migratoires sur le plan nord-américain.

Dans le présent contexte, qui tient compte à la fois de la géographie et de l'histoire, la province de Québec est considérée comme partie d'un espace nord-américain. Par rapport à l'immigration, elle nous apparaît comme une terre de transit: les immigrants y passent sans la voir. Par rapport au développement économique, elle nous apparaît comme région marginale d'un espace économique où existent des inégalités. L'espace économique dont elle fait partie est un espace différencié. Nous y voyons quatre régions différentes: *a*) la province de Québec et les Maritimes, *b*) la Nouvelle-Angleterre et les Etats de l'Atlantique moyen, *c*) l'Ontario, le Mid-West et les Etats voisinant les Grands Lacs, *d*) le Nord-Ouest américain et l'Ouest canadien.

Les liaisons qui s'établissent entre ces régions inégalement développées, et même entre zones de mêmes régions différenciées, ouvrent les voies aux mouvements migratoires; et ces mouvements, comme les voies qu'ils suivent, ne sont pas tous linéaires. Plutôt, les migrations nous apparaissent souvent comme triangulaires, ou même circulaires. Et la politique de libre circulation des personnes et des capitaux aux frontières canado-américaines, du moins jusqu'en 1890, nous suggère d'envisager l'émigration canadienne aux Etats-Unis, ou vice versa, comme s'il s'agissait d'une migration interne.

Présenté dans ce vaste contexte, le cas du Québec n'en paraît pas moins complexe, bien au contraire. Mais ce n'est point dans le dessein d'en faciliter l'analyse que nous le situons ainsi. Nous voulons plutôt ouvrir une voie d'approche à l'étude de ce cas historique, une voie qui mène à des perspectives globales.

---

7. Lord Elgin to John Paddington, Québec, Dec. 1852. « *Whether there be anything in the nature of the route itself or in the nature of the trade, which place the route of the St. Lawrence at a disadvantage in competing with others for the trade of the Great West.* »

De cette introduction découle une notion essentielle à l'intelligence de l'aperçu que nous proposons des mouvements migratoires en Amérique du Nord, dans la deuxième partie de notre travail. Cette notion, c'est la perméabilité de la frontière canado-américaine jusqu'à la fin du XIXe siècle, et sa très grande perméabilité en ce qui regarde le mouvement des personnes [8]. Dans la troisième partie, nous utiliserons cette notion à trois niveaux d'analyse: la géographie, le commerce et la politique commerciale, et la fonction métropolitaine. Mais avant d'en arriver à ces niveaux d'analyse, il convient d'insister davantage sur le caractère universel de cet événement du XIXe siècle.

I. *Aperçu des mouvements migratoires en Amérique du Nord*

Le Canada

En 1888, Sir Richard Cartwright estimait que 1 million de Canadiens avaient quitté le Canada au cours du siècle et que 750,000 immigrants d'Europe avaient passé du Canada aux Etats-Unis. Un rapport du Sénat américain estimait à 200,000 l'émigration canadienne aux Etats-Unis en 1889. De ce nombre 125,000 seraient venus de la province de Québec. Toutefois, le gouvernement de cette province répudiait ce chiffre et soumettait, sans pouvoir l'établir mathématiquement, que l'émigration québécoise se chiffrait entre 60,000 et 80,000. Même en retenant le chiffre conservateur de 60,000, c'était admettre une émigration de 5% de la population [9].

Cartwright tenait du statisticien de la province d'Ontario qu'au cours de la période 1883-1889, trois comtés seulement de cette province avaient réalisé un gain de population supérieur au taux de croissance naturelle. en dépit d'une immigration imposante, que vingt-deux comtés étaient restés stationnaires ou s'étaient développés à un taux inférieur à l'accroissement naturel. Dix-neuf comtés auraient enregistré une diminution réelle de population.

Il peut être opportun d'insister sur l'universalité des dépeuplements ruraux en citant l'expérience de l'Angleterre et de certains Etats américains.

William Ogle [10] a étudié quinze des principaux comtés ruraux de l'Angleterre et, omettant les districts urbains comptant 10,000 habitants

---

8. United States *Executive Documents*, 53rd Congress. 2nd Session. 1893-1894, vol. 4, Doc. n. 166.

9. *Débats de la Chambre des Communes*, Canada, 14 mars 1888; United States *Senate Report*, 51st Congress, 1st Session, 1889-90, vol. 10, pp. 1121-22.

10. Dans la présente terminologie, les migrations de comté à comté et de province à province appartiennent à la catégorie générale de notre plan qui suppose migration indifférenciée (internationale, intra-nationale ou inter-provinciale). Toutefois, les textes cités peuvent bien se référer à des cas appelés conventionnellement

et plus, il a montré qu'il y avait eu une diminution de 11% de la population dans ces comtés, de 1851 à 1881. Par ailleurs, en examinant le demi-siècle antérieur (1801-1851), il a noté un accroissement de 73% dans les mêmes comtés, le rapport natalité-mortalité demeurant le même. Donc, le déclin exprime ici une migration de comté à comté. Huntingdonshire, intensément rural, enregistre, de 1801 à 1851, une augmentation de population de 73% et, de 1851 à 1881, un déclin de 11.8%. Ce comté n'était plus capable d'absorber l'offre de main-d'œuvre: les jeunes de 20 à 30 ans quittaient et allaient chercher de l'emploi dans les industries. Ces départs modifiaient la structure des âges des comtés ruraux.

L'analogue se produisait au Canada et aux Etats-Unis. On quittait le comté rural pour s'associer à la vie urbaine dans un autre comté, une autre province, ou dans quelque Etat américain.

Le député Charlton, de Norfolk, aux Communes [11], disait en 1890 qu'un citoyen canadien sur trois vivait aux Etats-Unis; et que, loin de retenir ses immigrants, le Canada perdait même ses autochtones.

De 1871 à 1881, le Canada a reçu 342,000 immigrants [12]. De ce nombre, 185,000 seraient passés aux Etats-Unis. Au cours de la décennie suivante, l'immigration a doublé, et l'exode vers les Etats-Unis a augmenté dans la même proportion.

Cartwright, Charlton, que nous avons cités, n'ont pas manqué de noter que, proportionnellement à sa population, le Canada recevait plus d'immigrants que les Etats-Unis. Ils ont estimé, en effet, que le quantum canadien d'immigration était de 46% plus élevé que celui des Etats-Unis pour la période 1871-1889. Et pourtant, le taux d'accroissement réel de la population canadienne était de 11% inférieur à celui des Etats-Unis, pour la même période. Le sénateur Hale soumet « que les compagnies de chemin de fer estiment que 125,000 Canadiens français ont quitté la province de Québec pour les Etats-Unis cette année (1889); ce qui représenterait environ 10 pour cent de la population. Je crois toutefois que les statisticiens du governent ont rejeté ce chiffre mais qu'ils ont concédé 80,000 environ; ce qui représenterait environ 6 pour cent de la population. » [13]

« migrations internes ». Et tel est le cas de l'Angleterre de 1851 à 1881 dont il est question ici. William Ogle, *The Registrar General's Office* in *The Times,* London, March 27, 1889; d'après John Lowe, annexe au rapport du Ministre de l'Agriculture pour l'année 1889, *Documents de la Session,* Canada 1890, n. 6.
   11.   *Débats de la Chambre des Communes,* 10 février 1890.
   12.   *Rapport de la Commission royale sur les relations entre le Dominion et les provinces,* Ottawa 1940, vol. I, p. 56.
   13.   United States *Senate Report,* 51st Congress, 1st Session, 1889-1890, vol. 10, p. 775.

Un citoyen de New York, ancien Torontois, s'exprima ainsi devant un comité du Sénat américain:

> Après l'abrogation du traité de réciprocité, l'exode commença vers notre pays, et il prit des proportions alarmantes. C'était le début du régime confédératif. Le gouvernement britannique et Sir John A. Macdonald ne voulaient pas de gouvernements locaux tels qu'établis actuellement; ils voulaient une union législative de toutes les provinces. Mais le peuple, qui avait appris dans l'exercice des fonctions municipales à contrôler ses affaires, eut gain de cause, et l'on copia le système américain. Malgré qu'on ait adopté le système américain de fédération, l'exode n'en continua pas moins; il empira. Il était alarmant en 1878 [14].

Et pourtant, ce n'était que le début de la grande dépression (conventionnellement 1873-1896) qui, contrairement à la relation biblique, disait un observateur canadien, allait engendrer les lamentations d'abord et l'exode ensuite.

Au fait, qu'était-ce que cette grande dépression? Un historien économiste pas trop conformiste a médit d'elle: sa principale caractéristique fut de n'avoir pas été déprimante du tout [15], du moins en ce qui concerne l'économie britannique. La dépression logeait dans la tête des hommes d'affaires qui voyaient leurs taux de profit diminuer, cependant que la rémunération réelle des salariés augmentait. Et le volume global de production allait croissant. En ce qui regarde les Etats-Unis, la grande dépression coïncide à la fois avec la prodigieuse phase d'industrialisation et avec la colonisation de la plaine intérieure. Durant la même période, l'économie canadienne fut plus mal partagée. Proportionnellement à la population, le volume des exportations canadiennes était, en 1888-1889, de 20% inférieur au niveau de 1871-1873.

Au Canada, l'industrialisation se déroulait de façon sporadique; elle n'allait pas donner naissance à des centres dynamiques comme Pittsburg ou Chicago; la colonisation de l'Ouest languissait et Winnipeg faisait piètre figure auprès de Saint-Paul et Minneapolis. Rien de moins brillant que la politique canadienne de colonisation des Prairies au cours de cette période dite de la « grande dépression »; la loi du *homestead*, calquée (dix ans plus tard) sur la loi américaine du même nom, n'a pas produit les effets qu'on en attendait. Sa faiblesse incontestable, c'est de n'avoir pas attiré beaucoup de colons.

Un observateur américain a livré des réflexions qui, l'idéologie mise à part, méritent d'être retenues. Les Canadiens, dit-il, ont adopté notre politique des terres:

---

14. F. W. Glen, dans *ibid.*, p. 775.
15. W. W. Rostow, *British Economy of the Nineteenth Century*, Oxford 1948.

En 1887, ils ont persuadé 2,000 jeunes gens d'ouvrir des fermes dans leurs territoires du nord-ouest. Soixante pour cent ont dû rétrocéder leurs privilèges par défection, tout de suite la même année. Ils avaient comme obligations de payer $10 comptant et de mettre en culture 20 acres. C'en est assez pour montrer que les Canadiens sont incapables d'attirer de la population dans leurs territoires. La même année, le Kansas Pacific a vendu 50,000 acres. Ce fut une année de bonne récolte. Ceci montre jusqu'à quel point les Canadiens ont failli dans leur effort pour attirer les immigrants. Au reste, aussi longtemps qu'ils garderont leur statut de provinces britanniques, les émigrants des vieux pays n'iront pas s'établir chez eux. Il y a aujourd'hui dans le Dakota plus de fermiers qui ont abandonné leurs fermes dans le Manitoba qu'il n'y a de fermiers dans le Manitoba même. Il y a plus de fermiers qui viennent du Canada dans le Michigan, l'Illinois, le Wisconsin, le Minnesota et l'Iowa, qu'il n'y en a dans les territoires canadiens du nord-ouest [16].

Quelque fantaisistes qu'ils puissent paraître, ces propos traduisent un malaise général. Les Canadiens émigrent aux Etats-Unis; le Canada ne peut même pas garder ses immigrants. Mais, est-ce qu'on ne pourrait pas en dire autant des vieux Etats de l'Est américain? Le malaise n'est donc pas que canadien ou, encore moins, limité à la province de Québec. Les mouvements de population atteignent et affectent toutes les parties de l'Amérique du Nord; ils ont l'allure d'un cyclone provoqué par l'attraction des nouveaux espaces agricoles et industriels des Etats-Unis.

Les Etats-Unis

Le progrès des industries textiles en Nouvelle-Angleterre, l'industrialisation du Middle-West, l'occupation et l'aménagement de l'Ouest agricole et de la région centrale (trois événements concurrents) ont facilité ou accéléré une émigration canadienne. On reconnaît aisément l'impact de ces trois événements sur la société canadienne. Pourquoi faudrait-il alors considérer isolément le cas de la Nouvelle-Angleterre? Les vieux Etats, les Etats pionniers de l'américanisme, ont vécu plus profondément encore que le Canada l'expérience de l'exode. Evénement peu spectaculaire, parce qu'il ne s'est pas trouvé d'observateur pour décrire la situation et ses conséquences.

L'exode des Canadiens de langue anglaise de l'Ontario vers le Manitoba et les Etats américains de l'Ouest et leur remplacement par des habitants canadiens-français est un phénomène presque identique à celui qui se produit en Nouvelle-Angleterre où l'on cède la place aux Canadiens français et aux Irlandais [17].

---

16. United States *Senate Report*, 51st Congress, 1st Session 1889-1890, vol. 10, pp. 1125-1126.
17. *Toronto Mail*, 10 Déc. 1889.

Et les autochtones de la Nouvelle-Angleterre — les *Yankees* — où vont-ils ? Que deviennent-ils dans ce tourbillon qui entraîne les Canadiens français dans leur univers ? Un analyste du recensement américain de 1880 écrit ce qui suit:

> L'élément anglais du Canada s'assimile promptement aux *Yankees* et entre immédiatement dans le mouvement national. Il n'en est pas de même des Canadiens français qui viennent chez nous. Ils sont difficiles à rallier. Ils ont l'esprit de clan, se tiennent ensemble, ne parlent que leur langue entre eux, se cramponnent à leurs coutumes, à leurs traditions, restent très souvent indifférents aux droits que leur confère le titre de citoyen des Etats-Unis, et sont pour la plupart imprégnés d'idées monarchistes. Notre recensement ne donne pas de manière précise le nombre des Canadiens français qui habitent maintenant les Etats-Unis, mais je ne crois pas me tromper en le portant au chiffre de 800,000 [18].

C'était l'époque où les Canadiens français émigraient en Nouvelle-Angleterre par grappes familiales pour s'y regrouper dans les cadres de la paroisse franco-américaine. Les Canadiens français n'y déplacent point les *Yankees*, ils les remplacent.

> La Nouvelle-Angleterre des aïeux est en train de disparaître. Le Sud offre un meilleur champ aux industries manufacturières que la Nouvelle-Angleterre. Et les gens de la Nouvelle-Angleterre n'ont pas manqué de s'en apercevoir...
> Leur capital va au Sud, et ils transportent leur outillage là où il a plus de chances de leur rapporter des bénéfices. Le mouvement ne fait que commencer; mais divers indices montrent où souffle le vent; et il semble qu'il souffle pour emporter tous les Anglo-Saxons de la Nouvelle-Angleterre... (D'où l'observation que la Nouvelle-Angleterre), qui est devenue un pays agricole sans culture, et qui est en train de devenir un pays industriel sans industrie, deviendra un jour pays d'habitation d'été [19].

> Aujourd'hui, nous avons sous les yeux un spectacle curieux, notait un observateur, en 1890; une Nouvelle-Angleterre habitée par les Canadiens français d'un côté, et par les « nouveaux *Yankees* » d'un autre [20].

Il faut observer toutefois que l'émigration ne s'oriente pas seulement vers le Sud, comme pourrait le laisser croire le *Commercial Adviser,* non plus que vers la plaine ou vers le Middle-West; et l'émigration ne se déroule pas toujours dans une direction linéaire. Phénomène complexe.

---

18. J. E. Chamberlin, cité par Faucher de St-Maurice, *La question du jour,* Québec 1890, pp. 118-119.
19. *Commercial Advertiser,* cité par Faucher de St-Maurice, *ibid.,* p. 126.
20. Erastus Wiman, *Québec: des relations commerciales plus intimes avec les Etats-Unis,* Montréal 1890, p. 6.

Nous retenons son caractère fondamental, caractère pertinent au schème de la présente étude: il a « siphonné » un fort pourcentage des autochtones de la Nouvelle-Angleterre.

Une analyse du recensement américain de 1880 nous invite à réfléchir sur l'ampleur de l'émigration de la Nouvelle-Angleterre (Tableau I).

TABLEAU I [21]

Nombre de personnes nées dans les Etats ci-dessous énumérés et ayant émigré vers d'autres Etats, et pourcentage que ce nombre représente par rapport à la population totale des Etats d'origine, en 1880.

Etats	Nombre	Pourcentage
Maine	182,257	24
New Hampshire	128,505	35
Vermont	178,261	41
Massachusetts	267,730	20
Rhode Island	49,235	24
Connecticut	140,621	26
New York	1,197,153	25
New Jersey	180,391	20
Pennsylvanie	798,487	19
TOTAL	3,122,640	26.0

On a remarqué que de 1850 à 1880 la main-d'œuvre des usines de la Nouvelle-Angleterre s'est constituée en trois étapes [22]: *a)* les fils et les filles des fermiers de la Nouvelle-Angleterre s'y engagèrent; et à mesure que se développa l'industrie du vêtement par diffusion de la machine à coudre et d'autres inventions du même genre, créant une nouvelle demande de main-d'œuvre féminine, les Américaines abandonnèrent la quenouille pour la pédale, c'est-à-dire, la filature pour la couture, elles s'orientèrent vers de nouveaux emplois plus rémunérateurs et les hommes, vers les emplois requérant plus de dextérité individuelle; *b)* des Irlandais assumèrent les tâches laissées vacantes et, en nombre moindre, des Allemands et des Anglais; *c)* des Irlandais quittent l'usine et les Canadiens français les remplacent — *Chinese of the East,* a-t-on dit d'eux injustement.

Les fermiers les plus prospères de la Nouvelle-Angleterre, ayant réalisé des épargnes, se portèrent acquéreurs de nouvelles terres dans l'Ouest: ils furent remplacés par des Irlandais qui avaient réalisé des épargnes

---

21. Calcul extrait de *Schribners Statistical Atlas* et vérifié aux sources du Xe recensement des Etats-Unis par John Lowe, sous-ministre de l'Agriculture, *Documents de la session,* Canada 1890, n. 6.

22. *Aitkinson's Report* (10th Census of the United States of America).

dans l'usine. Plus tard, les fermiers irlandais les plus prospères essayèrent d'imiter leurs devanciers en investissant leurs épargnes dans les terres plus rentables de l'Ouest, et ils furent remplacés par des Canadiens français pour une bonne part. Ceci expliquerait, par exemple, le fort taux d'émigration du Vermont, état à prédominance agricole.

Où sont allés les émigrants de la Nouvelle-Angleterre ? En considérant comme lieux d'accueil possibles huit Etats constitués par immigration au cours de la dernière moitié du XIXe siècle, nous obtenons une certaine indication sur les principaux axes des courants migratoires (Tableau II).

TABLEAU II [23]

Nombre de personnes nées aux Etats-Unis et ayant émigré vers les Etats nouveaux ci-dessous énumérés, et pourcentage de ce nombre que représentent les émigrants des anciens Etats de l'Est énumérés dans le Tableau I en 1880.

Etats	Nombre	Pourcentage
Illinois	784,775	32
Michigan	445,895	36
Wisconsin	216,726	24
Minnesota	210,726	41
Iowa	625,659	46
Missouri	688,161	35
Kansas	652,944	74
Nebraska	258,288	73

Ainsi les vieux Etats de l'Est ont fourni aux Etats nouveaux 45% de leurs immigrants nés aux Etats-Unis.

L'ouverture de l'Ouest et de la région centrale a drainé les vieux Etats et provoqué l'émigration canadienne directement ou indirectement. Celle-ci s'est orientée dans plusieurs directions, à diverses périodes du XIXe siècle. Cela donne à penser que les contingents d'émigrés canadiens-français disséminés dans les Etats de l'ouest ne seraient pas tous venus directement du Canada, mais indirectement, comme Franco-Américains, dans le sillage de l'exode des *Yankees*. Il est possible aussi qu'il y ait eu émigration via l'Ouest canadien, car il y eut migration de la plaine canadienne vers la plaine américaine jusqu'en 1886 ou 1887. Autour de 1890, il y aurait eu mouvement vers le Canada, du Dakota et du Nebraska, comme conséquence des mauvaises récoltes dans ces Etats. Le Canada avait aussi placé des agents d'immigration dans certains Etats de l'Ouest

---

23. *Documents de la session*, Canada 1890, n.6.

et du Nord-Ouest, en vue d'y recruter des colons pour l'Ouest canadien ou, plus particulièrement, de rapatrier les émigrés canadiens: dans le Wisconsin, le Minnesota, le Dakota-Nord et le Dakota-Sud. Il y en avait trois dans le Michigan, deux dans le Nebraska, deux dans le Kansas, et un dans l'Illinois.

Nous n'en sommes pas pour autant mieux informés statistiquement sur les résultats de cette politique [24].

Nous savons néanmoins que les mouvements de population affectent toutes les parties de l'Amérique du Nord, à une période ou l'autre du XIXe siècle, que la population des vieux Etats de l'Est américain subit l'attraction des nouveaux Etats de l'Ouest et du Nord-Ouest et que la tendance chez les Canadiens français durant le dernier quart de siècle, est de chercher de l'emploi dans les usines de textile de la Nouvelle-Angleterre.

L'attraction des Etats-Unis sur le Canada, et sur les provinces centrales en particulier, ne se limite toutefois pas au dernier quart du XIXe siècle; elle est séculaire, elle est la caractéristique permanente de l'histoire canadienne, comme le notait Lord Durham lui-même. Il convient donc de l'interpréter par rapport à des facteurs structuraux, et par rapport à la croissance industrielle de longue durée, et non en fonction des pressions conjoncturelles seulement.

Cette attraction était pour ainsi dire inscrite dans la structure géographique du continent nord-américain. Et, à cause de cette structure, pour une bonne part, elle s'est exercée sur le Canada dès l'âge commercial, pré-industriel et pré-ferroviaire de l'économie nord-américaine, puis elle s'est accentuée au cours de la grande révolution industrielle, à mesure qu'augmentait la densité des grandes agglomérations urbaines à caractère métropolitain.

II. *Les mouvements migratoires envisagés par rapport à la géographie et à l'histoire économique de l'Amérique du Nord*

Le peuplement nord-américain comporte cette caractéristique notable d'être inégalement réparti dans l'espace. La population canadienne, par exemple, se répartit en bande étroite à proximité de la frontière canado-américaine. Quatre-vingts pour cent de cette population habite à moins de 250 milles de la même frontière. Surtout, il faut remarquer qu'une forte proportion de cette population est massée dans le sud-ouest des provinces de Québec et d'Ontario, comme l'est celle des Etats-Unis dans la région des Grands Lacs. Les mêmes régions contiennent de cinquante à soixante pour cent de la capacité industrielle du Canada et des

---

24. Comité spécial permanent de l'Agriculture et de la Colonisation, *Documents de la session*, Canada 1903, pp. 460, 463.

Etats-Unis. Or, cette répartition géographique de la population n'est point un hasard, mais un événement historique. Et comme tout événement historique, elle a des origines complexes. Pour une bonne part, elle est le résultat d'une adaptation dynamique du peuplement à la structure géographique de l'Amérique du Nord. A ce type d'adaptation correspondent des phases de développement commercial et industriel, d'industrialisation et d'urbanisation, qui ont provoqué des mouvements migratoires et qui ont donné naissance aux grandes agglomérations en certaines régions privilégiées par les richesses brutes et par la technologie.

Le cadre géographique et la dynamique du peuplement

Du point de vue physiographique, le Canada se divise en six régions. Ce sont: la région des Apalaches et de l'Acadie, les basses terres du Saint-Laurent, le Bouclier canadien, les plaines de l'Ouest, les Cordillères, et les basses terres de la baie d'Hudson et de l'Arctique.

Ce qu'il peut y avoir de remarquable dans cette structure, c'est la présence des trois barrières qui rompent la continuité transcontinentale de l'espace canadien; à l'est, les Apalaches barraient la route à l'expansion vers les plaines intérieures; au centre, le Bouclier constituait une barrière entre les basses terres laurentiennes et les plaines de l'Ouest; enfin, les Cordillères isolaient la Colombie du reste du Canada. L'on comprend que les provinces de l'Atlantique, les provinces Centrales, les Plaines de l'Ouest et la Colombie-Canadienne aient développé des personnalités historiques différentes. Elles se sont constituées par îlots indépendants, et non par liaisons successives de l'est à l'ouest.

Les provinces de l'Atlantique ont débuté avec les pêcheries, comme les Etats américains de la Nouvelle-Angleterre; le peuplement des basses terres du Saint-Laurent s'est effectué directement, ou indépendamment des colonies du littoral atlantique, par la voie d'accès du golfe et du fleuve; les Plaines de l'Ouest et de la Colombie furent occupées par les traiteurs de la baie d'Hudson. Et même l'essor économique de la Colombie-Canadienne au XIXe siècle s'explique par ses liaisons avec l'univers commercial du Pacifique, en fonction des marchés de Californie et d'Australie, et par migration de travailleurs entre la Colombie et les autres zones du Pacifique.

On remarquera que la géographie n'offre aucune solution de continuité entre le Canada et les Etats-Unis en certaines régions du pays. Entre les plaines américaines et canadiennes, par exemple entre le Sud-Ouest laurentien et les Etats américains limitrophes, les affinités géographiques sont très fortes. Et même, pour une bonne part, l'on pourrait expliquer certaines phases historiques du développement par rapport à certaines transgressions de frontière.

Pour les fins de la présente étude nous nous bornerons à la géographie historique des basses terres laurentiennes et du Bouclier.

a) *La barrière précambrienne a orienté l'expansion le long de la plaine laurentienne dans la direction du sud-ouest*

Les basses terres laurentiennes longent de façon plus ou moins régulière le fleuve Saint-Laurent depuis le voisinage de la ville de Québec jusqu'à l'extrémité ouest du lac Huron, sur une longueur de 600 milles environ. Elles ont l'aspect d'une plaine. Quelques intrusions de roches ignées ont laissé les collines montérégiennes dans la région de Montréal. Dans les basses terres laurentiennes se sont constituées les premières colonies agricoles. L'agriculture y occupe encore une place importante. L'expansion, depuis cinquante ans, des régions métropolitaines de Trois-Rivières, Montréal, Toronto, Hamilton, accuse aujourd'hui la prédominance industrielle de cette région.

Le Bouclier canadien occupe les quatre cinquièmes de la superficie de la province de Québec, et près des deux tiers de tout le territoire canadien. C'est un plateau immense et mal drainé, caractérisé par une infinité de lacs. Il a pour limite nord les basses terres de la baie d'Hudson et de l'Arctique. Il se termine au sud par la chaîne des Laurentides longeant les basses terres du Saint-Laurent. Au sud-ouest, dans la région de Kingston, il pousse une pointe dans l'Etat de New York, à l'embouchure du lac Ontario (les Mille-Iles). De là, en direction nord-ouest, le Bouclier atteint la rive sud de la baie Georgienne et contourne ensuite la rive nord des grands lacs Huron et Supérieur. A l'Ouest du lac Supérieur, il pénètre dans l'Etat américain du Wisconsin, puis remonte vers le nord en longeant la vallée de rivière Rouge et la rive est du lac Winnipeg, et de là vers le nord-ouest jusqu'à l'Arctique.

Dans son extention au nord des Grands Lacs, c'est-à-dire, du lac Huron à l'extrémité ouest du lac Supérieur, le Bouclier forme une barrière de quelque 800 milles: le plus grand obstacle à l'expansion transcontinentale dans l'histoire du pays.

En regard de ces structures physiographiques, demandons-nous maintenant comment se sont déployés les efforts de l'occupation des basses terres du Saint-Laurent.

b) *L'occupation des basses terres laurentiennes*

Deux objectifs ont été à l'origine de l'occupation française: le commerce et l'agriculture. Le Bouclier était l'habitat par excellence des animaux à fourrure: il était l'objectif de l'organisation commerciale. Les basses terres offraient un potentiel agricole. Le fleuve fournissait une voie d'accès commune au commerce et à la colonisation agricole. L'organisation laurentienne de la traite n'était toutefois pas la seule; elle avait pour concurrents les Anglais du fleuve Hudson au sud jusqu'au point de contact du lac Champlain, et les Anglais de la baie d'Hudson qui, depuis 1680, menaçaient de barrer la marche des Français vers l'Ouest. Les Anglais du sud visaient à prendre le contrôle du fleuve Saint-Laurent.

Situés ainsi entre deux organisations concurrentes, les Français durent organiser des expéditions dispendieuses contre leurs ennemis de la baie d'Hudson et fortifier leur commerce vers le sud-ouest. Les expéditions fameuses de Marquette et Jolliet ouvrirent la voie à l'expansionnisme commercial des Français à la fin du XVIIe siècle; elles furent à l'origine de cette chaîne de forts s'étendant depuis Montréal jusqu'au confluent de l'Ohio et du Mississipi, et même au-delà. Tout ce territoire fortifié fut cédé aux Anglais en 1763, mais toute la partie située au sud-ouest de Montréal fut soustraite à l'administration de la province de Québec. En 1774, devant l'imminence de la révolte des colonies britanniques, le gouvernement de Sa Majesté restitua à l'administration de la province de Québec ce territoire compris entre l'Ohio et le Mississipi, au sud des Grands Lacs. C'est ce qu'on appelle « la province de Québec de l'Acte de Québec » (1774-1783). Ce triangle comprend aujourd'hui la section la plus industrialisée des Etats-Unis. Le règlement de frontière de 1783 (traité de Versailles) refoulait les Britanniques canadiens à la latitude nord du lac Erié. Les commerçants britanniques, désormais privés d'un territoire qu'ils avaient considéré comme extension naturelle des basses terres du Saint-Laurent et comme voie d'accès facile aux régions de l'Ouest, devaient organiser leur commerce en direction du Bouclier. Ils groupèrent leurs unités sous une commune direction (la Compagnie du Nord-Ouest), mais ils ne purent vaincre la résistance de la Compagnie de la Baie-d'Hudson. En 1821, la traite tombait sous le contrôle de cette compagnie, l'organisation laurentienne disparaissait, parce que le contrôle et l'administration de la traite étaient centralisés à la baie d'Hudson.

Depuis lors jusqu'à la Confédération, l'économie des basses terres laurentiennes allait se reconstituer grâce à la colonisation agricole et aux travaux publics, grâce aussi à l'exploitation forestière en bordure du Bouclier. C'était la deuxième utilité qu'on découvrait au Bouclier. En dehors de l'exploitation forestière, celui-ci ne jouait plus qu'un rôle négatif, celui de fermer l'accès aux plaines de l'Ouest. Toutefois, après l'ouverture du canal Erié et du canal Rideau, et plus tard des canaux du Saint-Laurent, le trafic commercial se développait et, avec le traité de réciprocité (1854-1866), les échanges canado-américains donnaient à l'économie laurentienne une dimension interrégionale qu'elle ne pouvait plus trouver en direction de l'Ouest.

Du côté américain, depuis le règlement de frontière de 1783, il s'était produit une expansion intérieure par la voie du Mississipi, vers les Grands Lacs. La voie mississipienne allait établir une dynamique interrégionale nord-sud, car le Sud agricole, région de monoculture, allait se développer en fonction du marché du coton du Lancashire et de la Nouvelle-Angle-

terre, et en dépendance de l'intérieur agricole par la voie du Mississipi [25].
Dans le commerce du Sud avec l'Angleterre, les commerçants de Nouvelle-Angleterre agissaient comme armateurs et intermédiaires. On peut donc
dire aussi qu'il existait un axe commercial entre le littoral atlantique et le
Sud et le golfe du Mexique [26]. Plus tard, avec les canaux et les chemins
de fer, s'établira un axe ouest-est, en concurrence avec l'axe mississipien.
Dès l'époque de la guerre de Sécession toutefois, la suprématie de l'axe
ouest-est est déjà fortement établie [27].

c) *Les Grands Lacs: Méditerranée nord-américaine*

C'est principalement au cours de la phase pré-industrielle du développement nord-américain qu'apparaît la signification des convergences
vers les Grands Lacs et que se manifeste l'impact des Etats-Unis sur les
provinces britanniques du centre, car alors l'agriculture du Sud et le commerce de la région des Grands Lacs mettent en évidence deux fonctions:
celle du fleuve Saint-Laurent au nord, celle du Mississipi au sud. Par le
Mississipi, des colons pénétraient dans l'intérieur pour y développer l'agriculture en fonction du Sud qui était une région de monoculture; et par le
Mississipi encore, des commerçants et d'autres colons s'avançaient vers les
Grands Lacs et vers la plaine, en suivant les fleuves Ohio et Missouri. Aux
Grands Lacs, ils rencontraient un obstacle politique (la frontière qu'on
avait tracée par le thalweg) et, avant l'ouverture du système Erié, un
obstacle naturel à l'est: les Apalaches. A l'ouest, les Canadiens se heurtaient à la barrière précambrienne [28].

A ce stade technologique, et même au-delà, les régions des Grands
Lacs, disons la péninsule ontarienne et l'Ohio, de même que les régions
actuelles du Michigan et du Wisconsin devenues Etats de l'Union en
1837 et en 1848, constituaient une aire d'affinités économiques exposée
à l'attraction de deux pôles de développement: l'économie britannique
qui, au début de l'âge du chemin de fer, semblait ou voulait dominer
l'économie nord-atlantique, d'une part; la jeune économie américaine qui,
à peine libérée soi-disant du joug impérial, aspirait à des prétentions semblables, d'autre part. La région laurentienne se trouvait ainsi tiraillée entre deux courants d'influence. Un historien américain a employé un vo-
cable international en usage chez les géographes pour qualifier cette situa-

---

25. G. S. Callender, *Selections from the Economic History of the United States, 1765-1860*, Chicago 1909.
26. D. C. North, *The Economic Growth of the United States*, 1790-1860,
Prentice-Hall, 1961.
27. H. U. Faulkner, *Histoire économique des Etats-Unis d'Amérique*, Paris
1958, tome I, ch. XIII.
28. L'obstacle politique n'aurait pas tellement gêné la pénétration économique des Américains. Voir H. A. Innis and A. R. M. Lower, eds., *Select Documents*,
Section III, Subsection A.

tion: le maelström, c'est-à-dire quelque chose qui évoque le tourbillon [29]. D'autres aires d'affinité favorisaient des axes de développement canado-américains. L'affinité des provinces britanniques de l'Est avec la Nouvelle-Angleterre est caractéristique. Le Richelieu et le lac Champlain associaient le Vermont aux basses terres du Saint-Laurent. A l'ouest des Grands Lacs, le système hydrographique favorisait la liaison du Manitoba avec le haut Mississipi et il fut un temps où la région de la rivière Rouge devenait tributaire de Saint-Paul-Minneapolis. La Colombie-Britannique se développait, avec l'activité minière, en fonction de l'économie du Pacifique et en association avec les Etats américains du Pacifique. Mais c'était principalement du côté des Grands Lacs que les échanges canado-américains tendaient à se développer. Les deux axes de navigation intérieure des Etats-Unis et du Canada, le Mississipi et le Saint-Laurent, orientaient l'activité commerciale vers l'intérieur agricole et forestier. La colonisation des basses terres du Saint-Laurent et des terres situées le long du Mississipi et de l'Ohio, des centres urbains qui se développaient de part et d'autre, le trafic entre Américains et Canadiens, tendaient à faire des Grands Lacs une véritable Méditerranée nord-américaine.

d) *Le trafic canado-américain sur les Grands Lacs*

Déjà avant la guerre de 1812-1815, il existait un réseau d'échanges entre les Etats américains et les deux Canadas [30].

Le commerce canado-américain est devenu clandestin durant la guerre; il a repris son cours normal après la guerre.

Et il y eut émigration américaine vers le Canada: les armateurs américains en profitèrent. Sur les lacs Erié et Ontario s'édifia une flotte des Grands Lacs: Erié et Sacketts du côté américain, Kingston et York du côté canadien. Des charpentiers, des marins et des anciens officiers de guerre s'établirent d'un côté et de l'autre, sans tenir compte de la frontière politique.

Déjà le bateau à vapeur avait fait ses preuves sur le lac Champlain, le Hudson, le Mississipi. En 1809, on avait construit un bateau à vapeur à Prescott, un autre à Montréal. Le navire *Accommodation,* de la maison Molson, fut équipé d'engins fabriqués à Montréal. Tout de suite après la guerre, deux compagnies, l'une américaine, l'autre canadienne, furent constituées dans le but d'organiser la navigation à vapeur sur les lacs. En 1817, une compagnie de navigation était organisée pour le transport entre Buffalo et Détroit, semblable à celle qui opérait déjà entre New York et Albany. Les échanges avec les Etats-Unis via la rivière Richelieu et le lac

---

29. J. B. Brebner, *North Atlantic Triangle,* Toronto 1945, ch. XVI.
30. H. A. Innis and A. R. M. Lower, eds., *op. cit.,* Section III.

Champlain, le canal Rideau, le canal Welland, favorisaient les ports de Trois-Rivières, Montréal et les producteurs agricoles, de même que les ports de Kingston et de York (Toronto) [31].

Jusqu'en 1835, les exportations aux Etats-Unis consistaient en des produits britanniques en transit, les Etats-Unis et le Canada étant des concurrents. Après 1835, les relations changent de caractère. Les forêts américaines deviennent moins accessibles; on achète du Canada en dépit d'un tarif douanier, et même on va ouvrir des chantiers forestiers dans la vallée de l'Outaouais; on y achète blé, farine et articles divers. La demande américaine de bois était stimulée par la croissance rapide de certains centres à caractère métropolitain, tels que Buffalo, Chicago, Erié. Chicago, constituée en corporation municipale en 1833, entreprend la construction de son port en 1834. La spéculation sur la propriété foncière y règne.

On expédie du bois du Canada via Chambly; de la vallée de l'Outaouais on exporte aussi du bois, via les canaux Rideau, Welland, Oswego et Erié, à New York: 2,000,000 pieds en 1836. Les commerçants canadiens jugeaient importantes ces relations commerciales avec les Etats-Unis, prévoyant le cas où la Grande-Bretagne en viendrait à réduire ses tarifs sur les bois de la Baltique ou de la Mer du Nord: appréhension bien fondée, car depuis 1820, il était toujours question chez les parlementaires britanniques de relâcher les restrictions à l'entrée des bois européens [32]. De la part des Canadiens, c'était reconnaître la précarité d'une économie trop dépendante des marchés britanniques, ou trop fortement axée sur la voie laurentienne. Le régime durera pourtant jusqu'en 1846. Son abrogation leur a causé tant de dépit qu'ils sont allés jusqu'à reprocher aux dirigeants britanniques de n'être pas assez impérialistes.

Il peut paraître trivial de dire que la structure géographique d'un pays, c'est-à-dire, ses systèmes orogéniques et hydrographiques, ou autres éléments, imposent à l'exécution des plans humains certaines conditions favorables, défavorables ou limitatives. Il faut bien convenir, toutefois, qu'une partie de l'histoire s'inscrit dans la géographie et que l'activité humaine s'adapte à celle-ci d'autant plus étroitement que les techniques sont plus primitives. L'histoire qui se déroulait à l'âge du canot d'écorce était assujettie au système hydrographique [33]. Notons d'ailleurs que l'influence de la géographie varie selon le cœfficient technologique qui affecte les fonctions régionales. Ainsi, pour que le Bouclier cessât d'être une barriè-

---

31. Sur le développement commercial autour des Grands Lacs, voir les articles de H. A. Musham, dans *American Neptune*, vol. III, IV, V, en particulier; R. W. Bingham, *The Cradle of the Queen City, a History of Buffalo*, 1931; A. T. Andreas, *History of Chicago*, Ohio 1884.

32. *British Parliamentary Papers*, 1829, III, pp. 381-392.

33. Benoit Brouillette, *La chasse des animaux à fourrure au Canada*, Paris 1934, ch. IV.

re à l'expansion démographique vers le nord, il fallait attendre les techniques récentes de l'hydro-électricité, de la pulpe et du papier, et du traitement des métaux. Au XIXe siècle, jusqu'à l'avènement des chemins de fer, les mouvements migratoires des Canadiens français se font par la vallée de la Kénébec, le corridor Richelieu, le lac Champlain ou, à partir des Cantons de l'Est, par la vallée de la Connecticut, ou encore par la voie traditionnelle du sud-ouest, via l'Ontario, et par la vallée de l'Outaouais [34].

En ce qui concerne le XIXe siècle auquel nous limitons notre étude, nous soumettons que la politique économique du Canada et le développement des transports, tout en modifiant les voies de pénétration, ont tout simplement facilité la diffusion de la population canadienne vers les Etats américains.

Les voies de transport, les régimes commerciaux de transit et de réciprocité

Jusqu'à la guerre de Sécession, la géographie économique des Etats-Unis est sectionnée en trois: l'Est, le Sud, l'Ouest, c'est-à-dire, toute cette partie à l'ouest des Apalaches. Chacune des sections possède ses caractères originaux: en Nouvelle-Angleterre et dans les Etats de l'Atlantique moyen, l'activité maritime et industrielle domine: transport et construction navale, forges, filatures. L'agriculture est diversifiée. Dans le sud, les plantations, celle du coton principalement; dans le Middle-West, et le bas Mississipi, culture générale et élevage.

Jusqu'en 1825, l'Est est pratiquement isolé de l'Ouest [35]. Il se développe par liaisons commerciales avec les Antilles et le Sud agricole. Le Sud s'adonne à la monoculture et s'en remet à l'intérieur agricole pour les approvisionnements de denrées. Il est le point d'appui de la pénétration par la voie mississipienne. Nouvelle-Orléans y joue le rôle d'étape et, graduellement, elle en vient à exercer une fonction métropolitaine. Cette fonction lui sera disputée par les villes du littoral atlantique à mesure que se développeront les moyens de transport de l'Est vers les Grands Lacs. Toutefois, avant la guerre de Sécession, la fonction nodale de Nouvelle-Orléans s'accusait fortement.

---

34. Neil McArthur and Martin E. Garland, *The Spread and Migration of French Canadians* in *Tijdschrift voor Economische en Sociale Geografie*, 52, June 6, 1961, pp. 141-147. Cet article ne contient toutefois aucune quantité relative aux flux migratoires.

35. Il y eut quand même migration vers le nord de l'Ohio, dès la fin du XVIIIe siècle. Les colons empruntaient les rives fluviales du Sud et de l'Est, la route Philadelphie-Pittsburg ou, d'Albany, la route de la Mohawk et de la Genesee. Vers 1830, l'Ohio avait plus d'un million d'habitants, Cincinnati, 25,000 habitants, Pittsburg 12,000, Saint-Louis 6,000. L'Indiana fut admis dans l'Union en 1816, l'Illinois en 1818 et le Michigan en 1837.

Lorsqu'on eut mis au point la technique de navigation à vapeur sur le Mississipi et sur les rivières du Middle-West, Nouvelle-Orléans recevait un fort volume du trafic mississipien, soit environ 80 pour cent des produits de l'Ouest, de l'Ohio et du haut Mississipi. Entre 1830 et 1840, Nouvelle-Orléans est de toutes les villes américaines celle qui accuse le plus fort taux de croissance. En 1840, elle venait au quatrième rang quant à la population, après New York, Philadelphie et Baltimore, au troisième rang des ports du monde quant au commerce, après Londres et Liverpool.

Durant et après la guerre de Sécession, sa participation au commerce de l'Ouest va décroître relativement. Grâce aux canaux et aux chemins de fer, l'Est prend une part grandissante du commerce de l'Ouest et New York va éclipser la fonction métropolitaine de Nouvelle-Orléans. New York est reliée à Chicago en 1854, par le chemin de fer New York Central.

A compter de 1850, le haut Mississipi reçoit des immigrants et organise la production agricole. Nouvelle-Orléans, qui recevait autrefois presque toutes ses provisions par la rivière Ohio, s'approvisionne de plus en plus à Saint-Louis.

Déjà, en 1850, le volume des produits venant de Saint-Louis dépassait celui des produits venant de Cincinnati. En 1859, 48,726 tonnes venaient de Saint-Louis, 26,932 de Cincinnati [36].

L'hinterland de Nouvelle-Orléans se rétrécit à mesure que les centres reliés à New York par le canal Erié et le chemin de fer se développent. Andrews [37] insiste sur la fonction de Buffalo dont l'histoire commerciale, dit-il, résume en quelque sorte le progrès économique vers l'Ouest en bordure des Grands Lacs, de l'Ohio et du haut Mississipi. Buffalo est fonction de l'Est, au service de l'Ouest.

Son histoire débute avec l'ouverture du canal Erié en 1825. Ce canal ouvrait un marché intérieur pour les produits manufacturés de l'Est; plus tard, à compter des années 1850, on peut dire depuis l'immigration irlandaise de 1847, il ouvrait le marché de l'Est aux produits agricoles de l'Ouest et inaugurait une ère de concurrence entre l'agriculture de l'Ouest et l'agriculture de l'Est et, ce qui était particulièrement intéressant, il se donnait pour concurrent de la voie laurentienne dans le trafic d'exportation. La voie fluviale du Saint-Laurent fut ouverte au trafic de 1848.

---

36. *Report on Commerce and Navigation*, 1887, Part II, cité dans Callender, *Selections...*, *op. cit.*, p. 318.
37. I. D. Andrews, *Trade and Commerce of the British North American Colonies*, 32nd Congress, 1st Session, Ex. Doc., Washington 1853.

Au canal Erié s'ajoutaient les voies ferroviaires de pénétration. Le chemin de fer Boston and Albany fut ouvert en 1841 et le réseau du New York Central fut terminé en 1854, reliant Chicago à l'Est. La même année, on terminait la construction du Great Western Railway of Canada, une voie transpéninsulaire reliant Niagara à Détroit avec embranchement à Hamilton et Toronto. Le Suspension Bridge (1855) permettait le raccordement de ce chemin de fer avec le réseau du New York Central. A l'ouest, le Great Western joignait le Michigan Central, la voie Détroit-Chicago ouverte au trafic en 1852. Ainsi, Chicago se trouvait reliée à New York, via la péninsule ontarienne. Pour la province du Canada, c'était se donner un quatrième lien ferroviaire avec les Etats-Unis, car la voie Montréal-Boston avait été terminée en 1851, la voie Portland-Montréal en 1853, la voie Montréal-Ottawa-Boston et New York, par le chemin de fer Ottawa-Prescott, via Ogdenburg, en 1854 [38]; c'était aussi suppléer aux déficiences de la voie laurentienne imputables au climat. Durant la saison de navigation, une bonne part du commerce d'exportation de l'Ouest empruntait la voie laurentienne; durant l'hiver, ce commerce était diverti vers les ports américains de l'Atlantique. Le trafic du Great Western Railway était principalement un trafic de transit. Cette « transgression » de frontière a pu développer une mentalité de voisinage nord-sud. La politique commerciale canado-américaine s'y est conformée. Les réseaux de transport avaient préparé cette politique de « transit » et *de bonding*.

a) *La politique commerciale du transit*

En quoi consiste cette politique ? Elle consiste à accepter en franchise des marchandises étrangères destinées à l'exportation; elle repose sur le principe du *drawback* appliqué aux marchandises destinées à la ré-exportation. En pratique, elle invitait les exportateurs à utiliser la route américaine, elle plaçait cette route comme concurrente de la voie laurentienne et Montréal comme concurrente des ports américains de l'Atlantique. L'abolition des lois mercantilistes anglaises, la politique américaine du *drawback,* ou le *bonding system,* le régime de réciprocité, sont en quelque sorte des événements de même famille. En d'autres termes, toutes ces mesures représentent des étapes vers une intégration commerciale des deux pays.

Les lois américaines du *drawback* (1845-1846) permettaient d'exporter des céréales canadiennes par les ports américains sans payer de droits d'entrée aux Etats-Unis. Le même privilège s'appliquait lorsque le Ca-

---

38. W. J. Wilgus, *The Railway Interrelations of the United States and Canada,* Toronto 1937. Pour les points de raccordements aux frontières, consulter l'Appendice I.

nada importait via les Etats-Unis, privilège appréciable pour les Canadiens, étant donné que le fleuve Saint-Laurent est fermé à la navigation
durant les mois d'hiver; privilège appréciable également pour les ports
américains et pour les compagnies de transport. De l'avis de Poor, un
promoteur américain de chemins de fer, sans l'abolition du mercantilisme
britannique, sans les arrangements canado-américains, il eût été difficile
aux Montréalais d'adhérer au projet d'un chemin de fer reliant le Saint-
Laurent aux ports de l'Atlantique.

> Au début, le projet fut reçu avec indifférence par les Canadiens.
> On avait bien déjà parlé d'un chemin de fer qui relierait les Cantons
> de l'Est à Boston, mais cela demeurait encore un projet lointain
> auquel les marchands de Montréal étaient relativement peu favo-
> rables. A cette époque, le Canada poursuivait ses grands travaux de
> canalisation dans le dessein de soustraire le commerce de l'Ouest au
> canal Erié et de le diriger par la voie du Saint-Laurent. La protection
> accordée aux produits coloniaux par le gouvernement britannique
> assurait au Canada le monopole du commerce des céréales entre ce
> continent et la Grande-Bretagne. Sans un rajustement des relations
> commerciales entre le Canada et les Etats-Unis, il eût été bien difficile
> de réaliser ce projet d'un chemin de fer [39].

Une fois qu'on eût terminé la voie laurentienne, le gouvernement canadien accorda aux Américains le privilège d'importer et d'exporter via
Montréal. Est apparu ensuite un régime de concession de commerce de
transit. Ce régime allait s'appliquer également au commerce domestique,
de part et d'autre; en vertu de quoi, les Etats-Unis pouvaient, sans payer
de droits, transporter des marchandises d'un point à l'autre du pays, par
exemple, de Chicago à Buffalo, en passant par le territoire canadien, ou
vice versa, en ce qui concerne le Canada.

Ces arrangements mutuels tenaient fondamentalement aux structures géographiques des deux pays, à leurs conditions climatiques, et aux
raccordements ferroviaires en fonction des ports de l'Atlantique. On trouve ici les éléments essentiels d'un régime de réciprocité.

b) *Du régime de* drawback *au régime de réciprocité*

Dans les régimes de transit et de réciprocité, les Canadiens ont cherché une compensation à la perte des avantages inhérents à l'ancien système mercantiliste. De notre point de vue, cette solution provisoire comporte une connotation économique fort intéressante: comme compensation à
la perte des marchés britanniques, on pensait trouver dans la réciprocité
un espace économique créateur d'une dynamique interrégionale sembla-

39. L. Elizabeth Poor, *Life and Writings of John Alfred Poor*, New York
1892, pp. 51-52.

ble à celle qui existait aux Etats-Unis. A cette époque, on trouvait plus facile d'agrandir l'espace économique en direction sud, plutôt qu'en direction ouest en franchissant le Bouclier. La presse américaine y vit un prélude à l'annexion, et elle va sans cesse envisager l'annexion jusqu'à la première guerre mondiale [40].

Le commerce réciprocitaire était principalement un « commerce de convenance » pour employer l'expression même d'un historien de la réciprocité [41]. Les articles énumérés dans le traité étaient, pour la plupart, communs aux deux pays, quoiqu'ils ne fussent pas tous communs aux sections adjacentes de l'un et l'autre pays. Ainsi, certaines sections des provinces britanniques trouvaient commode de s'approvisionner chez le voisin du sud, plutôt que dans les autres provinces plus éloignées. Le même principe de convenance s'appliquait également en faveur des Etats-Unis. Le blé et la farine nous fournissent un exemple de cette pratique. « La position du Canada comme triangle entre le nord-ouest et l'est des Etats-Unis signifiait qu'on allait exporter au Canada les blés entreposés à Chicago, Milwaukee, Détroit et Toledo. Plus tard, on expédia à Buffalo, Ogdensburg ou Cap-Vincent, et, de là, à New York par le canal Champlain et le fleuve Hudson, ou à Boston et Philadelphie, par rail. » [42] La province du Canada importe du charbon de Pennsylvanie et de l'Ohio, tandis que la Nouvelle-Ecosse en exporte en Nouvelle-Angleterre. Chicago expédie des viandes du nord-ouest à Montréal pour le marché canadien ou pour le marché de. ré-exportation. Après l'abandon du tarif préférentiel sur le bois colonial, on peut dire après 1860, le Canada trouve un marché dans le Wisconsin, le Michigan et même le Minnesota [43]. A la fin du régime, un homme d'affaires canadien, qui allait devenir ardent propagandiste du protectionnisme, se faisait l'avocat de la cause de la réciprocité canado-américaine. La province du Canada possède des marchés pour ses produits en Amérique. « Il nous semble clair, disait-il, que la solution naturelle au problème de nos échanges commerciaux serait l'établissement d'un *Zollverein* américain, semblable à celui des Etats allemands. Les Etats-Unis et le Canada ne prélèveraient pas de droits à leurs frontières respectives mais seulement aux ports maritimes, depuis le Labrador jusqu'au Mexique. » [44]

---

40. On trouve d'abondantes indications de cette tendance dans l'enquête du Sénat américain et dans les études sur la réciprocité.

41. D. C. Masters, *Reciprocity, 1846-1911*, Historical Booklet, N. 12, Canadian Historical Association.

42. *Ibid.*, pp. 8-9.

43. A. R. M. Lower, *The North American Assault on the Canadian Forest*, Toronto 1938.

44. Isaac Buchanan, Discours à Toronto, *The Canadian News*, January 14, 1864.

GRAPHIQUE III

Importations: commerce d'importation canadien avec les Etats-Unis et commerce d'importation américain avec le Canada, 1874-1893 [45]

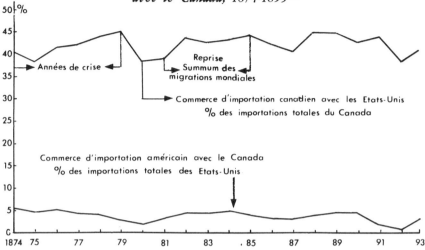

La même idée sera reprise au cours des années 1880 dans les termes d'une union commerciale, mais la politique du gouvernement était engagée dans la voie du protectionnisme, encore que plusieurs représentants des deux côtés de la Chambre fussent favorables à quelque espèce de marché commun. En dépit de la politique protectionniste, il semble bien que la structure du commerce soit demeurée la même. Les séries chronologiques du commerce extérieur du Canada avec les Etats-Unis préparées pour le comité américain sur les relations commerciales avec le Canada, accusent la vassalité canadienne envers l'économie des Etats-Unis, du moins jusqu'à la fin de la grande dépression (voir Tableau III).

45. Voir *Senate Executive Documents,* 2nd Session, 53rd Congress, 1893-94, vol. 4, J. G. Carlisle, secretary, Treasure Department, écrit (Traduction non officielle): « Ces chiffres sont tirés de sources canadiennes et des dossiers de notre département. Il fallait procéder ainsi, car les sources canadiennes et les sources américaines accusent des écarts considérables en certaines années. Nous avons confronté les chiffres officiels des deux gouvernements; nous avons voulu corriger les erreurs susceptibles de conduire à des conclusions fausses. Nous avons procédé selon les règles du métier. »

TABLEAU III [46]

Commerce du Canada avec les Etats-Unis, 1874-1895
(en millions de dollars)

Années	Importations	Exportations	Commerce avec les Etats-Unis en pourcentage du commerce total du Canada
1874	51.7	34.3	40.9
1875	48.6	28.8	39.9
1876	44.1	28.7	42.2
1877	49.3	25.1	43.9
1878	48.0	25.1	43.1
1879	42.0	26.5	45.9
1880	28.1	31.6	38.1
1881	36.3	35.9	38.4
1882	47.0	47.5	44.4
1883	55.1	41.0	43.8
1884	49.7	36.6	44.2
1885	45.5	37.7	44.5
1886	42.8	36.5	43.7
1887	44.8	37.6	42.3
1888	46.4	42.5	46.6
1889	50.0	41.5	46.6
1890	52.2	38.0	43.6
1891	52.2	40.1	44.1
1892	51.7	37.1	39.1
1893	52.3	39.7	40.1

On peut difficilement exagérer l'importance des influences géographiques et historiques qui ont contribué à la formation d'une communauté d'intérêts économiques dans laquelle le Sud-Ouest laurentien, la péninsule ontarienne, les Etats des Grands Lacs et les Etats de la Nouvelle-Angleterre nous apparaissent comme régions différenciées, c'est-à-dire plus ou moins privilégiées économiquement. La topographie et le climat ont contribué fondamentalement aux différenciations régionales. La voie d'accès britannique à l'intérieur du continent passait par le nord; c'est une voie qui se couvre de glaces durant plusieurs mois par année. La voie d'accès américaine s'orientait du sud au centre et, grâce à quelques artifices de navigation intérieure, elle conduisait, en somme, jusqu'aux Grands Lacs. Des îlots de développement se sont constitués au centre, et autour des Grands Lacs, en même temps qu'on organisait les liens commerciaux en-

---

46. United States *Senate Executive Documents,* 53rd Congress, 2nd Session, 1893-1894, vol. 4.

tre l'Est et les Grands Lacs. Les entreprises de l'Est et du Sud se sont rencontrées dans les vastes espaces du Middle-West; elles avaient comme arrière-contrées les plaines fertiles de l'Ouest. Pour les Américains, l'aventure transcontinentale commençait dans le Middle-West; pour les Canadiens, elle commençait à Montréal, le terminus de la voie navigable. Après avoir canalisé en amont, il restait à franchir la barrière précambrienne.

A l'époque de la Confédération, la valeur des produits végétaux et animaux du Middle-West écoulée sur les marchés de l'Est équivalait à celle de toute la production du coton. C'était franchir une étape importante dans l'histoire économique des Etats-Unis. L'Ouest agricole et commercial se trouvait maintenant axé sur la section la plus industrialisée de l'Amérique du Nord, les villes de la Nouvelle-Angleterre et des Etats de l'Atlantique moyen. La région des Grands Lacs devenait associée aux foyers d'accumulation du capital financier et technique. Déjà, l'activité agricole et commerciale avait fixé sur la carte de l'Amérique du Nord les fonctions métropolitaines qui allaient polariser le développement industriel du Middle-West.

Il n'en était pas ainsi au Canada durant la période de réciprocité, alors que la vocation métropolitaine des villes demeurait encore incertaine. Québec, Trois-Rivières et Montréal étaient pratiquement privées d'hinterland et devaient compter principalement sur le commerce de transit, c'est-à-dire se définir plus ou moins comme sous-métropoles; même Kingston, Toronto et Hamilton dépendaient beaucoup du commerce des Grands Lacs et, sous ce rapport, leurs ambitions se portaient vers les Etats du sud-ouest, ou vers les zones de concurrence américaine.

L'agriculture, le commerce et l'industrie dans le Middle-West et le développement des fonctions métropolitaines

La guerre de Sécession (1860-1865) fut un facteur d'accélération dans le développement agricole et commercial des Etats du Middle-West, et du Nord-Ouest même. Nous disons bien: « facteur d'accélération », car la colonisation de ces régions remonte au début du siècle. Elle s'accélère à compter de 1825, avec les canaux, dans les années 1840 avec les chemins de fer, ainsi qu'avec la mécanisation agricole; dans les années 1850 avec la construction de l'Illinois Central et ses embranchements, et avec les ventes spectaculaires de terres qui ont accompagné et supporté la construction ferroviaire durant cette période [47].

Parce qu'ils étaient pourvus de ce minimum d'infrastructure essentiel à l'expansion rapide de la culture et à la mise en marché des produits agricoles, les nouveaux Etats de l'Ouest ont pu satisfaire à la demande de guerre et ont connu un essor remarquable au cours des années 1860: af-

---

47. P. W. Gates, *The Illinois Central and its Colonization Work,* Cambridge 1934.

fluence de colons, développement et amélioration des routes et des arts agricoles, extension des voies ferroviaires. La guerre civile a privilégié les nouveaux Etats de l'Ouest, et ceux-ci, après la guerre, ont supporté l'expansion à l'ouest du Mississipi et dans le haut Missouri.

a) *Quelques aspects de l'expansion avant la guerre civile: les axes de pénétration dans l'Ouest*

Au cours du premier quart du XIXe siècle, l'ouest des Etats de New York et de la Pennsylvanie, le bas Ohio, et une partie de l'Indiana et de l'Illinois connurent une croissance rapide, mais c'était une croissance géographiquement restreinte parce qu'elle était axée surtout sur le système fluvial Mississipi-Ohio. Le canal Erié (1825) ouvrit un nouvel axe de pénétration est-ouest. La voie de l'Erié menait facilement au Michigan et au Wisconsin, à l'Illinois, à l'Indiana et à l'Iowa ensuite. Le Michigan, et plus particulièrement Détroit, constituaient donc l'étape des émigrants de l'Est. Et lorsque, après 1834, la colonisation du Michigan et du Wisconsin se répandit au sud-ouest de l'Illinois et vers l'Iowa, et lorsque les colons venus du Michigan rencontrèrent ceux qui venaient du Kentucky, du Tennessee et de l'Indiana, par les voies du Mississipi et de l'Ohio, la fièvre des terres envahit les Etats de l'Est, depuis le Vermont jusqu'au Rhode-Island. Fièvre des terres nouvelles, besoin d'émigrer: le Michigan devenait le point de mire, le « michiganisme », la vogue des années 1830 [48]. C'est donc après l'ouverture du canal Erié, et plus particulièrement à compter de 1830 que les Etats de l'Est ont fourni des colons aux Etats nouveaux. La colonisation du Michigan et du Wisconsin fut leur œuvre principale.

Il faut ajouter toutefois qu'aussi longtemps que les grands réseaux ferroviaires ne sont pas constitués, en somme, avant 1860, le progrès est lent: la colonisation dépend trop étroitement du réseau hydrographique.

Dans la plupart des Etats du Middle-West et du Nord-Ouest, c'est la période des pionniers; et les Etats privilégiés sont ceux que favorise le système de navigation intérieure [49]. L'Iowa connut une première vague

---

48. Dès les années 1830, un chansonnier exprimait ainsi l'appel du Michigan:
« *Come, all ye yankee farmers*
   who wish to change your lot
Who've spunk enough
   to travel beyond your native spot
And leave behind the village
   where Pa and Ma do stay
Come, follow me and settle in Michigania
   yea, yea, yea, in Michigania. »
L. K. Mathews, *The Expansion of New England*, New York 1962, p. 227.

49. Voir en particulier, M. Lucille Hartsough, *The Development of the Twin Cities as a Metropolitan Market*, Minneapolis 1925; C. F. Goss, *Cincinnati, the Queen City, 1788-1912*. Cincinnati 1912; W. H. Miller, *History of Kansas City*, Kansas City 1881.

de colons en 1836, le Kansas, au cours des années 1850, tandis que le nord du territoire de Dakota ne s'ouvre qu'en 1860. Ces territoires de colonisation sont dépendants de centres urbains associés à la navigation fluviale, tels que Cincinnati, Cairo, Saint-Louis. Saint-Paul, centre d'affaires de l'American Fur Company depuis 1849, devenait, de 1850 à 1860, centre d'approvisionnement de la Hudson's Bay Company et entretenait des relations commerciales avec Selkirk et la vallée de la rivière Rouge, en territoire britannique [50].

b) *Le rôle des canaux, la navigation intérieure et les métropoles fluviales avant la guerre civile*

Incontestablement, le développement du Middle-West était bien lancé avant la guerre civile. Un économiste américain l'a récemment démontré en termes statistiques [51].

C'était toutefois un développement qui dépendait, nous le répétons, des voies de navigation intérieure, un développement que polarisaient les centres avantageusement situés par rapport au réseau hydrographique. Avant l'avènement des chemins de fer, et à l'époque des premiers chemins de fer, disons entre 1830 et 1850, le commerce des Etats agricoles empruntait les voies du Mississipi, de l'Ohio, des Grands Lacs, de l'Erié, de Welland et du Saint-Laurent. Le rôle des chemins de fer d'alors se limitait pratiquement à relier les zones éloignées aux voies navigables. Ils se donnaient pour complémentaires de la navigation intérieure; ils s'occupaient de transport en transit, des affaires locales et du transport des passagers.

Les canaux ont joué, à l'échelle régionale, dans la manipulation des céréales, un rôle analogue à celui que joueront plus tard les chemins de fer à l'échelle interrégionale ou transcontinentale. Avant l'organisation des réseaux ferroviaires, certaines villes recevaient les produits agricoles et les distribuaient par les voies de transport qui lui offraient les meilleures conditions soit par le Mississipi, soit par l'Erié, soit par le Saint-Laurent. Les terminus maritimes étaient Nouvelle-Orléans, New York et Montréal. A l'intérieur de ce cadre technique, Montréal pouvait encore aspirer à jouer un rôle de rivale métropolitaine. Or, les compagnies de chemin de fer allaient modifier ce cadre en multipliant les débouchés vers les ports maritimes et en équipant ces ports d'élévateurs à grain de façon à réduire considérablement les coûts de transbordement [52].

Déjà, la construction et l'amélioration des canaux avaient contribué à la réduction des coûts. En rendant possible et rentable l'écoulement des

50. M. Lucille Hartsough, *op. cit.,* pp. 24-25.
51. D. C. North, *Economic Growth of the United States, 1790-1860, op. cit.*
52. G. G. Tunell, *The Diversion of the Flour and Grain Traffic from the Great Lakes to the Railroads* in *The Journal of Political Economy,* V, 1896-1897, pp. 340-375.

produits, les canaux et les chemins de fer complémentaires de ces canaux avaient supporté et favorisé l'expansion agricole. De plus, l'industrie des instruments aratoires, qui débutait à Chicago vers 1840, devait contribuer encore à la réduction des coûts, favoriser une nouvelle expansion et susciter d'autres aménagements: par exemple, les canaux reliant la rivière Ohio au lac Erié, la rivière Illinois au lac Michigan (Illinois and Michigan Canal, 1848). La nouvelle vague de colonisation y attirait enfin les spéculateurs fonciers et les promoteurs de chemins de fer [53].

Le Salena & Chicago Union Railroad fut construit de 1850 à 1853, le Chicago & Burlington Railroad de 1853 à 1856. Au cours de la même période se constituaient les grands réseaux: New York Central et Illinois Central; avec ces deux troncs ferroviaires s'ouvraient des perspectives nouvelles. Chicago deviendrait la capitale des métropoles de l'Ouest et New York le terminus maritime et la capitale financière. Tous les centres de l'Ouest qui exerçaient quelques fonctions métropolitaines convergeaient vers Chicago. Cincinnati, Saint-Louis et Saint-Paul-Minneapolis ont joué chacune à leur façon des rôles métropolitains, en fonction de leurs régions agricoles respectives [54].

Saint-Paul avait une population, en majorité française, de quelque deux cents habitants: commerçants, chasseurs, pêcheurs; et lorsqu'on ouvrit le territoire du Minnesota en 1849, Saint-Paul en était la capitale. St. Anthony, de l'autre côté de la rive, peuplée d'immigrants des Etats de l'Est, fut incorporée en 1860 et prit nom de Minneapolis en 1867. Les deux villes s'unissaient en 1872 pour constituer les *Twin Cities*. Sur Saint-Paul allaient s'appuyer les petits centres du territoire de Minnesota qui reçurent leur impulsion du développement agricole, entre 1855 et 1860, tels que Grand Falls, Fargo, Minot; et même, nous l'avons signalé plus haut, un service de caravanes fonctionnait entre Saint-Paul et la rivière Rouge et, plus tard, un service de *steamer* sur la rivière Rouge entre Breckenridge et Winnipeg.

c) *Le progrès du Middle-West et du Nord-Ouest durant la guerre civile*

La guerre a fermé l'accès au bas Mississipi et elle a privilégié les ports du Michigan et de l'Erié, et Chicago, située au carrefour des grandes voies de transport, devint le marché des céréales et des bestiaux. Dé-

---

53. C. E. Plumbe, *Chicago, the Great Industrial and Commercial Center of the Mississipi Valley,* Chicago 1912; B. H. Meyer and C. E. MacGill, *History of Transportation in the United States before 1860,* Washington 1917; P. W. Gates, *The Illinois Central Railroad and its Colonization Work, op. cit.*

54. P. Barry, *Theory and Practice of the International Trade of the United States and England,* Chicago 1958.

jà en 1862, elle avait enlevé à Cincinnati son titre de « *Porkopolis of the West* » [55].

Au lendemain de la guerre, les premiers producteurs de blé dans l'Union étaient l'Illinois, l'Iowa, l'Ohio et l'Indiana. De 1860 à 1865, l'Illinois réalisa un gain réel de population de 430,000 et la population de Chicago passa de 109,260 à 178,539. Les gains furent les suivants: Wisconsin 90,000, Minnesota 78,000, Iowa 180,000, Kansas 35,000, Nebraska 30,000, dans les Etats précités.

L'immigration d'outre-mer fournit un contingent relativement faible à ces Etats. L'apport le plus considérable fut apparemment celui des *Yankees* et des Canadiens et Franco-Américains. L'on sait qu'à cette époque-là, l'Etat de New York s'inquiétait de la dépopulation de ses campagnes et de ses petites villes [56].

d) *Les chantiers du Wisconsin*

A la demande de main-d'œuvre de l'agriculture, des travaux publics et des transports, s'ajoutait celle de l'entreprise forestière dans les contrées du haut Mississipi et de la rivière Sainte-Croix [57]. L'essor forestier de ces contrées aurait attiré des jeunes gens du Québec — ces « voyageurs » comme on les appelait, parce qu'ils revenaient ordinairement après la saison de la coupe. Le roman d'Honoré Beaugrand nous présente ce type de voyageur dont l'amie Jeanne s'en va travailler dans les filatures de Fall-River [58].

III. *Les fonctions métropolitaines, la fixation des axes de développement économique et les forces d'attraction démographique.*

Gras, l'historien des métropoles, a étudié l'origine des fonctions métropolitaines aux Etats-Unis [59]. Son critère est financier, et son énumération des métropoles correspond aux centres choisis par le *Federal Reserve System* pour représenter la Banque centrale, lorsque le système fut établi en 1914 (Gras écrivait en 1922): New York, Chicago, Saint-Louis, Philadelphie, Boston, Cleveland, Saint-Paul-Minneapolis *(the Twin Cities)*, Kansas-City, San-Francisco, Baltimore et Cincinnati. Or, l'on re-

55. E. D. Fite, *The Agricultural History of the West during the Civil War* in *The Quarterly Journal of Economics, XX,* 1906, pp. 259-278.

56. *Ibid.,* p. 274.

57. On trouvera des séries statistiques par période quinquennale sur la production forestière dans Hartsough, *op. cit.,* en appendice.

58. Honoré Beaugrand, *Jeanne la fileuse,* Montréal 1872.

59. N. S. B. Gras, *Introduction to Economic History,* New York 1922: voir en particulier ch. V. Pour une discussion du concept de métropole comme voie d'approche à l'histoire de l'Amérique, voir J. M. S. Careless, *Frontierism, Metropolitanism, and Canadian History* in *The Canadian Historical Review, 35,* I, March 1954, pp. 1-21; R. D. McKenzie, *The Metropolitan Community,* New York, McGraw-Hill, 1933.

marquera que cinq des centres énumérés sont situés dans la région des Grands Lacs ou du haut Mississipi; ils sont des produits de l'âge agricole et commercial: Chicago, Saint-Louis, Cleveland, Saint-Paul-Minneapolis, Cincinnati. Il faudrait ajouter Buffalo.

A l'intérieur de notre champ d'observation, de ce que nous avons appelé la communauté historique des intérêts économiques du Nord-Est américain, nous voyons Montréal, Toronto, Chicago, Cleveland, Buffalo se relier à New York, d'abord, par le système de canalisation Erié-Oswego, et ensuite à New York, Boston, Philadelphie et Baltimore, par chemin de fer. Toutes ces villes et même Saint-Louis et Cincinnati, vont converger vers les Grands Lacs par un système complexe de canaux et de chemins de fer.

Il est remarquable que les villes des Etats des Grands Lacs ont acquis leur vocation métropolitaine à l'âge pré-industriel de cette région, comme sous-métropoles soit de New York, soit de Nouvelle-Orléans ou des deux à la fois, soit encore par elles-mêmes, en vertu de leur site privilégié, comme ce fut le cas de Chicago. Ayant acquis relativement tôt son statut légal de ville, Chicago proclame dès 1858 sa vocation au rôle de métropole du Middle-West. Elle définit sa situation par rapport au fleuve Mississipi.

Le Mississipi contourne la pointe extrême sud de l'Illinois, formant une ligne de séparation entre l'Illinois et le Kentucky. Les entrepôts régionaux peuvent expédier par le Mississipi ou par les ports de l'Atlantique. A l'Illinois et au Kentucky peut se joindre l'Ohio, bien développé au point de vue agricole. Cairo, à l'extrême sud d'une région qu'on a appelée la petite Egypte, occupe une position intermédiaire. Du point de vue du commerce d'exportation, elle ne pouvait devenir qu'une succursale. Située au confluent de l'Ohio et du Mississipi, elle était reliée à Chicago par un embranchement de l'Illinois Central. D'autres centres, comme Saint-Louis, pouvaient commercer avec Chicago par la rivière Illinois et le canal Chicago et Illinois qu'on avait ouvert en 1848. En amont du confluent Illinois-Mississipi, l'Iowa, le Minnesota, le Wisconsin étaient des régions de colonisation desservies par Saint-Louis, Milwaukee et autres ports du Wisconsin sur le lac Michigan. Chicago était à la tête de la navigation du système laurentien et des Grands Lacs; elle avait l'option entre Nouvelle-Orléans et Montréal pour l'exportation de ses produits, mais elle avait pour rivale New York, maîtresse du système Erié. L'on comprend qu'elle ait voulu favoriser Montréal de préférence aux autres et qu'elle ait pris parti pour le maintien du régime de réciprocité, contrairement à New York qui en réclamait l'abolition [60].

---

60. P. Barry, *op. cit.,* aussi *Chicago Tribune,* articles sur la réciprocité, reproduits dans *Canadian News,* February 6, 1862, pp. 85-87.

Le secteur laurentien de l'espace canado-américain en voie de dépréciation relative

a) *La vocation manquée de Montréal*

Malgré les efforts pour améliorer la voie laurentienne, et malgré la suspension des péages sur les canaux du Saint-Laurent de 1860 à 1863, le trafic continue de s'engouffrer vers l'Est américain.

Durant la période de gratuité laurentienne, les taux ont augmenté sur l'Erié. En 1860, les péages ont doublé pour le trafic vers l'intérieur; ils ont augmenté de 25% en 1861 pour le trafic en sens inverse. Le trafic n'en a pas moins suivi la voie de l'Erié, et à un rythme croissant. En 1862, le tonnage de cette voie avait augmenté de 32% par rapport à celui de l'année 1859 [61]. Trois ans d'épreuve du système, trois ans de gratuité ont révélé que, non seulement le trafic n'a pas pu conserver une part proportionnelle de l'accroissement du volume de commerce, mais qu'il a décliné absolument.

Plus tôt, certains Etats américains avaient tenté une expérience semblable: réduction des péages en 1846 et 1852 [62]. On en avait conclu qu'il n'y avait pas de relation directe entre les taux de péage et le volume de trafic. De même, le commissaire canadien des Travaux publics dut-il admettre que la politique de gratuité des canaux n'avait guère influencé les cours du commerce. Celui-ci est influencé par d'autres facteurs, ou avantages dérivés d'un marché mieux soutenu, de services mieux organisés et d'autres économies d'échelle ou d'agglomération. Le rapport Laframboise [63] signale l'infériorité de la voie laurentienne, et soumet qu'il doit y avoir des raisons pour divertir ainsi le trafic de sa « route naturelle », et pour le diriger vers une route latérale et artificielle de capacité et de rapidité moindres. Le défaut n'était peut-être pas dans la route elle-même, mais dans les avantages qu'offrait la région qu'elle traversait. Le plus sérieux des inconvénients aurait été les taux élevés de fret océanique de Québec et de Montréal par rapport à ceux des ports de l'Altantique, et à ceux de New York en particulier. A New York, les navires qui ar-

61. *Journaux de l'Assemblée législative*, 1863 (2), n. 3.

62. *Report of the Auditor of the Canals*, Department of the State of New York, 1861.

63. Commissaire des Travaux publics, *Documents de la session*, 1863 (2), n. 4, Voir aussi: *The Canadian News*, April 30, 1863, p. 275; un mémoire d'un comité d'hommes d'affaires de l'Illinois adressé au Gouverneur général du Canada soumet qu'on devrait améliorer la voie laurentienne. D'après eux, il en coûterait $0.30 le boisseau de moins si l'on expédiait le blé par cette voie. L'on comprend que les hommes politiques canadiens aient pensé sérieusement à l'amélioration de cette voie au cours des années 1860. La suggestion des hommes d'affaires du Middle-West ravivait le vieux rêve laurentien en pleine période d'économies budgétaires: « *policy of retrenchment* ». Voir A. Faucher, *Some Aspects of the Financial Difficulties of the Province of Canada* in *The Canadian Journal of Economics and Political Science*, November 1960.

rivaient chargés de marchandises à pleine capacité pouvaient offrir le transport à bien meilleur compte qu'à Québec ou à Montréal où la plupart des navires arrivaient lestés.

b) *La fuite des immigrants, ou l'émigration des immigrés*

A cette même période, des immigrants à destination du Canada arrivaient par les ports américains de l'Atlantique. La ligne Allan annonce qu'elle s'offre à transporter des passagers à New York et à Philadelphie à meilleur marché qu'à Montréal. Les chemins de fer transportent à tarif spécial les immigrants qui se destinent au Canada. L'agent d'immigration à Hamilton rapporte qu'il y est arrivé 14,236 immigrants dont 1,696 via Québec et 12,540 via les Etats-Unis et Suspension Bridge. Peine perdue, 10,095 vont s'établir aux Etats-Unis et 3,141 au Canada. Les autres relèvent de l'Assistance publique [64]. Cette complainte s'applique à toute la province du Canada; elle est surtout caractéristique du Canada-Est. Les immigrants arrivaient aux ports de Québec et de Montréal comme de la marchandise en transit; au moins les quatre cinquièmes des immigrants poursuivaient leur route vers les contrées d'en haut; et combien de ceux-ci ne passaient-ils pas aux Etats-Unis. Aux yeux des immigrants, les régions en amont paraissaient, sur le plan économique, plus privilégiées; et plus privilégiées encore les contrées par-delà la frontière. En Canada-Est, la demande de manœuvres était faible, la demande de main-d'œuvre spécialisée, presque nulle. La politique d'économies budgétaires au Canada dans les années 1860, la cessation des travaux publics, ont entraîné un avilissement du prix de la main-d'œuvre, cependant que la guerre aux Etats-Unis provoquait une rareté de main-d'œuvre et une hausse des prix, et, par conséquent, un différentiel considérable des salaires entre le Canada et les Etats-Unis. On attribuait les migrations des années 1860 à ce différentiel [65]. La situation économique de la région de Québec semble particulièrement difficile. Cette ville ne s'est pas adaptée au progrès, « elle s'est contentée du grand commerce du bois, elle a laissé le commerce des autres produits et marchandises à Montréal. En conséquence, Montréal a tout à fait dépassé Québec et, grâce à l'amélioration du chenal du fleuve, Montréal est devenue un port de mer. » [66] La cueillette de bois dans les régions des Grands Lacs et de l'Outaouais durant l'hiver amène quelque trois cents hommes dans les chantiers d'en haut tous les hivers. On emploie ces hommes à la descente des radeaux *(rafts)* au printemps [67]. Le commerce de bois déclinera à Québec, après 1870, de même que l'industrie de la construction navale. Québec a été victime d'incendies répétés:

---

64. *Documents de la session,* Canada *XX,* 4, n. 21.
65. Divers journaux cités dans *The Canadian News;* voir en particulier, December 17, 1863, pp. 386-387.
66. *Ibid.,* February 13, 1861.
67. *Ibid.,* June 8, 1859. Plus tard, on ira dans les chantiers du Michigan et du Wisconsin; plusieurs n'en revenaient pas. Voir T. Saint-Pierre, *Les Canadiens des Etats-Unis,* brochure publiée en 1893.

1,200 maisons en mai 1845, 1,365 maisons en mars 1860, 50 maisons en 1861, 100 maisons en juin 1862, 2,129 maisons en 1866 [68]. On ne s'étonne pas que certains comités d'enquête aient imputé à ces ravages une part de l'émigration.

c) *Principales phases chronologiques de l'émigration canadienne aux Etats-Unis*

Jusque-là, toutefois, l'émigration canadienne se déroule à un rythme relativement peu rapide. Elle va augmenter au cours de la période 1871-1881, elle atteindra la proportion d'un véritable exode de 1881 à 1890. Bien qu'il ait reçu 342,000 immigrants de 1871 à 1881, le Canada enregistra, durant cette décennie, un accroissement réel de 18.9% seulement. Aux Etats-Unis, durant la même période, la population connaît un accroissement réel de 38%. De 1881 à 1891, l'augmentation fut de 11.7% au Canada et de 24.8% aux Etats-Unis [69].

« Dans chacune des trois périodes décennales de 1871 à 1901, l'augmentation de la population du Canada a été inférieure à l'accroissement naturel estimatif. Un peu plus d'un million et demi d'immigrants vinrent au pays, mais environ deux millions de personnes le quittèrent. De 1881 à 1901, plus de 600,000 Canadiens de naissance émigrèrent outre-frontière et, en 1891, environ le cinquième des Canadiens de naissance demeuraient aux Etats-Unis. » [70]

d) *Concurrence entre l'Ouest canadien et l'Ouest américain*

Au Canada, une politique de concession gratuite de terres fut élaborée en 1872, mais son application effective ne commença que vers 1893, et principalement avec le retour de la prospérité en 1896. On l'avait conçue dans le dessein d'inciter les colons à acheter du chemin de fer les terres adjacentes aux leurs. Le *Manitoba land boom* se produisit au temps où l'on construisait la section du Pacifique Canadien, de Winnipeg au lac Supérieur. Ce « boom » fut autant une affaire de spéculation que de colonisation; et, pour une bonne part, il aurait été imputable à l'axe ferroviaire Manitoba-Saint-Paul, Minnesota, réalisé en 1878. Au sommet de la ruée vers le Manitoba, en 1882, on a enregistré des entrées pour 3.5 millions d'acres de terre. Mais on n'avait pas réalisé encore l'adaptation scientifique de l'agriculture à ce type de climat. Des calamités, gelées, sécheresses, etc., ont ruiné les premières expériences, et la majorité des fermes et des options sur les terres nouvelles furent abandonnées. Et il y eut davantage: les difficultés avec les chemins de fer, la révolte des Métis, l'exécution de Riel en 1885, la cherté de l'outillage en raison du

---

68. Eugène Leclerc, *Statistiques rouges,* Québec 1932.
69. O. D. Skelton, *General Economic History of the Dominion,* Toronto 1913, p. 152.
70. *Rapport de la Commission royale sur les relations entre le Dominion et les provinces,* Ottawa 1940, vol. I, p. 56.

protectionnisme et de l'obligation de s'approvisionner dans les centres industriels éloignés, l'instabilité économique et la tendance à la stagnation
des prix agricoles. Autant de conditions qui expliqueraient le retard de
l'Ouest canadien à démarrer. Elles accusent les difficultés inhérentes au
transcontinentalisme canadien.

Les Canadiens ont pu être stimulés dans leur aventure transcontinentale par l'abrogation du régime de réciprocité; mais cette aventure leur
imposait des tâches pour lesquelles ils n'étaient point suffisamment préparés. On a discuté longtemps sur la fertilité des sols de l'Ouest, et il fal-
lut des années de recherches en laboratoire pour mettre au point les types
de blé appropriés au climat. Aux Etats-Unis, les nécessités d'adaptation
climatique étaient moins impérieuses. De plus, le transcontinentalisme n'y
revêtait point cette configuration en forme de ruban qu'il avait au Canada: les régions américaines n'étaient pas disloquées comme celles du Canada, et les techniques de transport modernes eurent tôt raison des
sectionnalismes.

Après l'abrogation du traité de réciprocité, les Canadiens s'atten-
daient à de sérieuses difficultés d'adaptation. En réalité, il n'en fut rien:
la valeur des marchandises importées des Etats-Unis durant les cinq ans
qui suivirent l'abrogation ne diffère pas tellement de celle des cinq dernières années de ce régime. On s'était mépris sur la dépendance américaine
de l'économie des provinces britanniques. La guerre civile n'avait pas
absorbé toute l'énergie des Etats nordistes; ou, en tout cas, les pertes
d'énergie avaient été compensées par l'émigration vers l'Ouest, et la mise
en culture de terres nouvelles, grâce à la politique du *homestead* inaugurée en 1862. La même année, on commençait la construction du chemin
de fer Union Pacific. En somme, lorsque le Pacifique Canadien ouvrit
l'Ouest, la colonisation des prairies américaines se poursuivait depuis une
vingtaine d'années; les grands travaux publics battaient leur plein, et l'on
construisait de nouvelles voies ferrées vers le Pacifique. Un historien canadien a précisément remarqué que le Canada a souffert de la concurrence du Minnesota et du Dakota durant toutes les années 1880. « Entre
1881 et 1891, la population du Manitoba et des territoires du Nord-Ouest
s'accrut de 180,000 à 250,000, celle du Dakota seule de 135,000 à
510,000. » [71]

*La grande industrialisation et le déplacement du centre de gravité in-
dustrielle vers la région des Grands Lacs*

Depuis la guerre civile, les Etats-Unis d'Amérique subissent une double expérience: celle de l'occupation des terres vacantes, qui accompagne
l'aménagement des transports à l'échelle transcontinentale, celle de l'aménagement des usines de base, à partir des charbonnages et de la sidérurgie.

---

71. O. D. Skelton, *op. cit.*, pp. 137-152.

Au fait, les Etats-Unis réalisent leur expérience de la révolution industrielle; et ils la réalisent en pleine période de développement agricole. L'usine double la ferme.

Ainsi, l'économie se ruralise, elle s'industrialise; elle se « nationalise » aussi, et par intégration interrégionale. Grâce à cette dynamique, le commerce intérieur devient plus important que le commerce extérieur.

a) *Une nouvelle révolution industrielle: appréciation des matières brutes et des techniques*

Certes, les Etats de Nouvelle-Angleterre avaient déjà subi une première phase d'industrialisation, mais cette industrialisation par les textiles et les forges, antérieure à la guerre civile, n'avait pas entraîné, comme en Angleterre, par exemple, une transformation totale. Aux Etats-Unis, la transformation avait affecté une « section » seulement. A cette époque, on n'avait pas encore résolu le problème de l'intégration des régions. Après la guerre civile, on allait ouvrir et aménager les espaces vacants; les réseaux ferroviaires allaient s'établir en fonction des sections développées, afin de relier ces sections les unes aux autres; ils allaient se prolonger ensuite à travers la plaine agricole et jusqu'au Pacifique. Ces grands travaux d'infrastructure donnaient l'élan initial au développement de l'industrie lourde. Le chemin de fer a battu la marche; il a exercé sur l'économie un double effet de développement et de création. Effet de polarisation régionale aussi, car ce type de développement industriel allait exiger la localisation des usines en fonction des gisements de charbon de la région de Pittsburgh et des minerais du lac Supérieur.

L'industrialisation de la région des Grands Lacs avait débuté sous le signe d'une innovation technique: la transformation du charbon bitumineux dans la région de Pittsburgh. On avait commencé à utiliser ce charbon vers 1850, mais son usage ne devint économique que vingt ans plus tard, question de mise au point d'un procédé de transformation. C'est ce procédé qui rendit possible l'exploitation intensive des gisements de Connesville, dans la région de Pittsburgh. Des procédés analogues apparaissent en sidérurgie à la même époque: Bessemer, *open hearth*. Celui-ci et le procédé Siemens-Martin rendaient possibles la production massive et l'utilisation du fer de rebut.

b) *Une expression quantitative du déplacement de l'industrie lourde vers la région des Grands Lacs*

Le premier « boom » dans la production du fer en gueuse aux Etats-Unis s'est produit au cours des deux décennies antérieures à la guerre de Sécession. Les techniques métallurgiques reposaient alors sur l'utilisation de charbons anthracites dont les principaux gisements étaient situés dans l'est de la Pennsylvanie. Dans ces conditions techniques, les usines se situaient de préférence dans l'Est, à proximité des gisements de charbon anthracite [72].

Dès après la guerre civile, les Etats-Unis s'affirmaient comme puissance concurrente de la Grande-Bretagne et de l'Allemagne dans l'industrie sidérurgique. Cet essor remarquable dépendait de techniques nouvelles de sidérurgie liées à l'utilisation de charbons bitumineux dont les gisements étaient situés plus vers l'Ouest. D'où la tendance des usines à se déplacer vers l'Ouest.

En 1874, on estimait la capacité des hauts fourneaux à 4,500,000 tonnes de fer en gueuse par année: cette capacité requérait 10,000,000 de tonnes de minerai (teneur moyenne) par année. Or, depuis 1874, la caractéristique du développement, c'était l'orientation de la production du minerai vers la région du lac Supérieur. A compter de 1880, la production se propageait dans le Wisconsin, où les mines Marquette produisaient environ 2,000,000 tonnes, les mines Menomence, 600,000. En 1885, Gogebic produisait 700,000 tonnes. On explorait alors dans le Minnesota, district de Vermilion. En 1890, les nouveaux districts du Minnesota produisaient 9,000,000 tonnes. La flotte des Grands Lacs était organisée. Duluth devenait un port de mer. L'évolution se faisait à partir d'industries dominantes, à Pittsburgh, Erié, Cleveland, Buffalo, Toledo, Chicago, Milwaukee, véritables foyers de production · complexe qui engendrent des satellites et qui, eux-mêmes, se développent en fonction de la complexité de l'ensemble. Les Etats-Unis sont en voie d'éclipser les grandes puissances industrielles dans la production du charbon, du fer en gueuse et de l'acier.

c) *La fonction nodale des grandes villes du Middle-West*

Il faut signaler, en effet, la vertu agrégative et créatrice de villes comme Pittsburgh, Buffalo, Cleveland, Toledo et Chicago, au cours de cette période de la grande transformation industrielle des Etats-Unis, transformation qui va porter ce pays au premier rang des puissances industrielles.

La montée de Chicago comme métropole du Middle-West, et même du Nord-Ouest (le groupe des quatre Etats désignés plus haut dans cette catégorie), nous paraît un événement remarquable du XIXe siècle nord-américain.

Chicago est située à la tête de la navigation intérieure et au portique des prairies du Nord-Ouest: Minnesota, Montana, Dakota-Nord et Dako-

---

72. F. W. Taussig, *The American Iron Industry* in *Quarterly Journal of Economics,* February 1900.

ta-Sud; sa croissance reflète le taux de développement de ces Etats qui s'ouvrent à la colonisation après la guerre civile. De plus, elle participe au développement minier de la région, elle a sa part dans l'expansion de l'industrie sidérurgique, elle est l'entrepôt du Nord-Ouest vers lequel convergent tous les services de transport et de communications.

La croissance phénoménale des villes qui ont polarisé ce développement, la croissance des centres qui ont desservi les régions agricoles en organisant les industries complémentaires de l'agriculture (en somme, les métropoles, au sens où nous l'entendons dans le présent contexte), tels que Saint-Paul-Minneapolis et Kansas-City, sont l'image du Middle-West même dont l'attraction devient proportionnelle à sa densité économique et sociale. Car les économies métropolitaines sont des réalités complexes; elles englobent des foyers de développement qui se soutiennent mutuellement, chacun de ces foyers étendant son influence à d'autres villes et aux districts agricoles environnants, et exerçant vis-à-vis ces villes et centres agricoles un double rôle de concentration et de diffusion. Ces réalités complexes que sont les métropoles apparaissent au troisième stade d'évolution que seules les régions privilégiées peuvent atteindre; entendons « privilégiées » par rapport aux aspects multiples du facteur géographique: la terre, dans la trilogie classique des facteurs de production.

> La collaboration nationale, écrit Brocard, est ainsi constituée par des foyers de production complexe, où l'on observe toujours que l'activité économique, soumise à *l'entraînement de quelque industrie dominante,* se développe cependant en proportion de la complexité de l'ensemble...

> Le développement complexe s'explique d'abord par la variété des ressources du milieu régional et des ressources des régions contiguës...

Aux facteurs géographiques qui jouent dans le sens du développement complexe et de la collaboration régionale s'ajoutent « les facteurs techniques » qui exigent l'intégration pour des raisons d'économie...

> La consommation, l'épargne, la production progressent parallèlement, et attirent *un surcroît de population du dehors* qui va déterminer un nouveau progrès... C'est un entraînement général, comme la poussée d'une foule en marche [73].

Et les conséquences débordent le phénomène de simple croissance économique: elles sont sociales, culturelles, artistiques, et ces foyers de développement économique et social que sont les métropoles créent la presse quotidienne, ils organisent les moyens de communication à l'échelle mondiale; ils accueillent et supportent les institutions d'enseignement supérieur, le théâtre, les galeries d'art ou autres institutions semblables.

---

73. L. Brocard, *Principes d'économie nationale et internationale,* Paris 1929, I, pp. 117, 120-123.

d) *L'attraction de l'Ouest, cause historique de mouvements de population*

L'histoire du Middle-West et du Nord-Ouest, durant le dernier quart du XIXe siècle, offre ce spectacle unique d'une société qui se ruralise et s'urbanise simultanément, société encore créatrice d'espaces économiques. D'abord, un certain peuplement agricole a ouvert la voie, la colonisation a exigé un capital d'infrastructure: canalisation d'abord, puis routes et chemins de fer. Après la guerre civile, les industries lourdes, servies par des techniques nouvelles, se rapprochent des matières premières et, aussi, des nouveaux marchés qu'elles veulent servir. L'on a dit du centre de l'industrie américaine qu'il s'est déplacé rapidement depuis 1850 même: « De 1850 à 1890, son glissement vers l'Ouest a été de 225 milles et celui du centre du peuplement de 243 milles, ce qui montre le rapport étroit existant entre les deux mouvements. » [74]

e) *L'Ouest et les Franco-Américains*

Des Canadiens français ont eux aussi répondu à l'appel de l'Ouest, puisque les recensements postérieurs à 1890 en font foi; mais en quelle quantité y sont-ils allés, surtout au cours de la période de grande affluence, disons de 1875 à 1900 ? y seraient-ils allés directement de la province de Québec, ou indirectement comme Franco-Américains, ou comme Manitobains, i.e. comme Canadiens émigrés dans l'Ouest ?

Lorsqu'on ouvrit l'Ouest canadien, le gouvernement envoya des agents de rapatriement dans le dessein de recruter des Franco-Américains pour le Manitoba et le Nord-Ouest. Ces agents ont découvert qu'il y en aurait eu beaucoup à rapatrier qui étaient dans le Minnesota, l'Illinois, le Montana et particulièrement à Saint-Paul et Minneapolis. L'un de ces agents disait en 1890 qu'il n'était pas facile d'amener dans la plaine du Manitoba des Franco-Américains, car le Manitoba n'avait pas bonne presse, son climat plus exactement, car on le qualifiait de « Sibérie » canadienne. Et voilà pourquoi 30,000 Canadiens français auraient préféré le Dakota au Manitoba [75]. En 1909, l'honorable Lemieux disait à la Chambre des communes: (vingt ans d'effort de rapatriement auraient fini par nous convaincre) « que parmi les adversaires les plus sérieux du rapatriement, se trouvent les membres du clergé lui-même. Quand un prêtre canadien-français a fondé une mission aux Etats-Unis, que la mission est devenue paroisse, qu'il y a érigé une église, un collège et un couvent, des écoles très belles, comme cela se voit, par exemple, à Lowell, à Holyoke et ailleurs, quand ces établissements sont devenus pour ainsi dire comme

---

74. H. U. Faulkner, *op. cit.*, II, p. 396.
75. *Documents de la session*, Canada 1890, n. 6, p. 166.

le prolongement de la province de Québec, il est assez naturel que le pasteur de cette paroisse ne soit pas soucieux de voir son troupeau se disperser et retourner même dans la vieille province natale. » [76]

Et selon le député de L'Islet, « le rapatriement en masse des Canadiens français des Etats-Unis est une utopie. Et puis, s'il se fait jamais, il ne se fera pas dans un but d'agriculture. » [77]

*   *   *

L'attraction que les Etats-Unis exercent sur les provinces britanniques est séculaire; elle est pour ainsi dire inscrite dans la géographie du continent nord-américain. Elle s'est exercée avec plus ou moins d'intensité à diverses phases de développement économique, mais elle s'est exercée « constamment ». Et elle s'est exercée de région à région, soit comme attraction d'une région de plus forte densité économique (plus fort taux d'investissement) sur une autre de plus faible densité.

Déjà Durham parlait du « contraste frappant que présentent les côtés américains et britanniques de la frontière pour tout ce qui regarde la production de l'industrie, l'augmentation de la richesse et le progrès de la civilisation. » [78]

> Aux Etats-Unis, tout est activité et mouvement. La forêt est éclaircie sur des milles. Chaque année de nombreux établissements apparaissent. Des milliers de fermes surgissent à même les terres incultes. Le pays est traversé de chemins publics, les canaux et les chemins de fer sont terminés, ou en voie de l'être. Les voies de communication et de transport regorgent de voyageurs et de voitures, et des bateaux à vapeur nombreux y mettent de l'animation... Chaque ville possède les deux, plus ses édifices cantonaux, ses librairies *(sic)*, probablement une ou deux banques et un journal.
>
> Du côté britannique de la frontière, à l'exception de quelques endroits favorisés, où l'on devine quelque chose approchant la prospérité américaine, tout semble désert et désolation... La ville de Montréal, par sa nature la capitale commerciale des Canadas, ne peut souffrir la moindre comparaison avec Buffalo, qui date seulement d'hier [79].

Et voilà que, pour Lord Durham même, l'attraction qu'exercent les Etats-Unis s'explique par leur taux de croissance, taux bien supérieur à celui du développement canadien.

---

76. *Débats de la Chambre des Communes,* Canada 1909, p. 886.
77. *Ibid.,* p. 882.
78. *Le Rapport de Durham,* Marcel-Pierre Hamel, éd., Québec 1948, p. 236.
79. *Ibid.,* pp. 236-237.

Ces inégalités que nous constatons entre le Canada et les Etats-Unis, on les retrouve à divers paliers de comparaison: entre régions canadiennes, entre régions américaines, entre pays. Aussi bien dire que, du point de vue international, les migrations canadiennes-françaises du XIXe siècle nous paraissent être un événement normal. C'était d'ailleurs le siècle des grandes migrations, parce que c'était le siècle des changements structuraux. Du point de vue canadien, les migrations canadiennes-françaises n'étaient qu'une manifestation régionale ou provinciale d'un phénomène d'envergure nationale. Toutes les régions canadiennes ont été exposées à l'attraction des Etats limitrophes. Bien entendu, les plaines laurentiennes, pour des raisons géographiques et historiques, étaient particulièrement exposées, parce qu'elles étaient situées au carrefour d'un réseau de navigation intérieure, et parce qu'elles constituaient, avec les Etats voisins, l'Ohio en particulier, une aire d'affinités économiques.

Les nouvelles techniques de transport ont agrandi cette aire. Dès 1860, les chemins de fer avaient multiplié les points de contact et de pénétration entre la province du Canada et les Etats limitrophes. L'industrialisation du Middle-West, de même que la colonisation agricole, ont créé une succion démographique en cette région et ont provoqué un drainage de population par les voies de pénétration périphériques. Il y eut exode de l'Est à l'Ouest. Les industries du textile et de la chaussure en Nouvelle-Angleterre, encore en expansion à cette époque, ont fait appel à de la main-d'œuvre canadienne-française pour compenser la perte.

Toutefois, notait un observateur à la fin du siècle [80], le Canada n'était pas plus désavantagé que l'Est des Etats-Unis sous le rapport démographique. L'un et l'autre voyaient leur population émigrer. Plus de gens auraient émigré de New York que du Canada. Au point de vue économique, l'émigration, disait-il, prouve que « la population n'est pas satisfaite, » ... « qu'elle obéit à quelque puissance occulte... »

L'on émigre pour améliorer son niveau de vie, ou parce qu'on espère l'améliorer ainsi, mais on émigre vers les régions les plus rapprochées, i.e. au coût minimum de transport. Il y eut exode de *Yankees* vers l'Ouest, il y eut exode de Canadiens vers le Sud. Le Middle-West promettait plus que la Nouvelle-Angleterre, la Nouvelle-Angleterre davantage que la province de Québec.

---

80. T. Saint-Pierre, *op. cit.*

Achevé d'imprimer sur les presses des Éditions Fides,
à Montréal, le vingt-huitième jour du mois d'août
de l'an mil neuf cent soixante-dix.

Dépôt légal — 3e trimestre 1970
Bibliothèque nationale du Québec

DATE DUE